Für Caroline, Carmi und Levi
In Liebe

Ich muss es sofort präzisieren:
Die Katze, von der ich spreche, ist eine reale Katze,
wahrhaftig, glauben Sie mir, eine kleine Katze.
Keine Figur der Katze.
Sie schleicht sich nicht etwa leise ins Zimmer,
um alle Katzen der Erde zu allegorisieren,
all die katzenartigen Wesen, die die Mythologien
und Religion, die Literatur und die Fabeln durchstreifen.

JACQUES DERRIDA: Das Tier, das ich also bin[1]

1 *Passagen Verlag, Wien 2010, S. 23*

1

ALLES BEGANN DAMIT, dass der Kater genau in dem Augenblick, in dem die Ampel auf Grün sprang, einen Satz auf die Straße machte, als hätte er nur auf ein Zeichen gewartet. Die Autos, die gerade dabei waren anzufahren, bremsten quietschend ab, und ihre Fahrer fluchten, warteten aber, bis jener wohl die Güte hätte, die Bahn freizumachen. Der Kater schritt mit hocherhobenem Schwanz parallel zum Fußgängerübergang, als verstünde er, was die auf den schwarzen Asphalt gepinselten weißen Streifen zu bedeuten hatten, und hätte bewusst entschieden, sie zu missachten. In Tateinheit mit dem unerlaubten Betreten der Fahrbahn war dies schon sein zweites Verkehrsvergehen an diesem Tag.

Er blieb genau auf halbem Wege stehen und setzte sich. Die Fahrer hupten. Nicht nur die, die sahen, was los war, auch jene weiter hinten, die von dort, wo sie mit ihren Autos standen, den Kater gar nicht sehen konnten. Für sie war der Verkehr einfach so zum Erliegen gekommen, ohne erkennbaren Grund, und es gab nichts, was mehr an den Nerven hätten zerren können. Wir schreiben das Jahr 1967, wenige Tage nach dem Ende der Kämpfe in Khan Yunis im südlichen Gazastreifen. Die Jerusalemer Autofahrer hatte man gerade eben erst aus den Luken und Gefechtstürmen glutofenheißer Panzer geholt. Die nüchternen Verkehrsregeln aber konnten den Kampfgeist, der noch in ihren Adern pulsierte, kaum im Zaum halten. Grün hieß für sie »Auf-zum-Sturmangriff!« und Rot – ein grausamer Feind. Umso mehr, wenn ein kleiner Kater für die Verzögerung sorgte.

»Nu, räumt endlich den Schrotthaufen da vorne weg!«, ließ sich ein erboster Schrei aus einem der hinteren Wagen vernehmen, dem dritten oder vierten in der Schlange. Einige Fahrer hupten zustimmend.

Der Fahrer des ersten Wagens spielte ungeduldig mit der Kupplung, sein Gefährt bockte vor wie ein Rennpferd, wenn es das Zischen der Reitpeitsche an seinem Ohr spürt. Doch der Kater wich nicht zurück. In seiner Welt war ihm diese Fahrzeugmeute in die Quere gekommen, und die konnte von Glück reden, dass er sich ihrer Reifen erbarmt hatte. Dem entgeisterten Fahrer ganz vorne in der Schlange blieb nichts anderes, als im letzten Augenblick rasch Kupplung und Bremse zu treten, sehr zum Verdruss aller anderen. Ihnen war es ein Leichtes, den Daumen über einem Kater zu senken, den sie nicht einmal sahen.

Nachdem er sich wie ein Verkehrspolizist, der seine auf der einen Seite rote und auf der anderen Seite grüne Kelle schwenkt, vergewissert hatte, dass die lange Wagenkolonne vollständig zum Stillstand gekommen war, erhob der Kater sich auf alle vier Pfoten und stolzierte unter einem Hagel von Verwünschungen durch die Fahrer weiter parallel zum Fußgängerüberweg auf den Bordstein zu. Was er jedoch nicht berücksichtigte, war, dass sich die Motorrollerfahrer in dieser Stadt zwischen den stehenden und zur Untätigkeit verdammten Autos hindurchschlängeln wie Wasser, das durch die Pflasterfugen rinnt. Und so geriet er prompt unter die Räder einer Vespa, die neben dem ersten Wagen hervorgeschossen kam, und wurde an den Straßenrand geschleudert.

Obgleich das gelbe Ampellicht bereits zu blinken begonnen hatte, stob die Kolonne los, und der Fahrer des Wagens ganz vorn fand noch Zeit, ein gehässiges »Ha!« zu zischen, als er an dem Kater vorbeirauschte. Der Vespafahrer, der es ebenfalls eilig zu haben schien, fuhr einfach weiter, als sei nichts geschehen, doch nach etwa zwanzig, dreißig Metern wurde er plötzlich langsamer, schaltete die Warnblinker an, lenkte seinen Roller auf den Bürgersteig und fuhr zurück in Richtung Ampel. Hätte er in einem Wagen gesessen, wäre er gewiss einfach weitergefahren, doch etwas von der intimen Unmittelbarkeit des Zusammenstoßes war ihm offenbar in die Glieder gefahren. Hatte sein nackter Knöchel doch für einen Wimpernschlag das Fell des Katers gestreift.

Er fand ihn am Straßenrand liegend, wie er seine Wunden leckte. Der Kater nahm aber nicht etwa Reißaus vor ihm. Im Gegenteil. Es schien, als habe er nur darauf gewartet, ihn jetzt mit einem bösen Blick zu bedenken. Demonstrativ leckte er noch ein paar Mal seinen Schwanz, kam dann hoch und lief ein wenig humpelnd davon, seinen Schwanz wie eine tote Schlange hinter sich herschleppend.

Der Vespafahrer fühlte sich schuldig. Schuldiger noch, als wenn er den Kater totgefahren hätte. Dann hätte es niemanden gegeben, der ihn so angeschaut und ihm sein Vergehen derart drastisch vor Augen geführt hätte. Langsam folgte er dem hinkenden Kater, dessen lebloser Schwanz seinen Kurs im Straßenstaub nachzeichnete, und fragte sich, wie er ihn zu einem Tierarzt bringen sollte. Denn der Kater würde, nachdem er ihn angefahren hatte, wohl kaum mit ihm kooperieren wollen. Obgleich, auch wenn sie sich unter anderen Umständen begegnet wären, hätte der Kater schwerlich einen Grund gehabt, Menschen zu vertrauen.

Er wollte dem Kater etwas zurufen, wusste aber seinen Namen nicht. Ohnehin war anzunehmen, dass er gar keinen hatte, denn wer hätte ihm einen solchen geben sollen. Dennoch gab es bestimmt einen Weg, seine Aufmerksamkeit zu gewinnen.

»Psss ... pss, pss!«, rief er, und der Kater blieb stehen. Stand dort einige Sekunden lang, ohne sich umzudrehen, lange genug, dass der Vespafahrer seinen Irrtum erkennen konnte. Dann hinkte er weiter. Es war ja schlicht sinnlos, eine Auseinandersetzung in einer Sprache zu beginnen, die Menschen für ihn und seinesgleichen erfunden hatten, und die nichts, aber auch rein gar nichts mit der Sprache der Katzen gemein hat.

Er hatte sich noch keine Gedanken darüber machen können, wie er den Kater zu einem Tierarzt schaffen sollte, als das Unfallopfer mit einem Mal anfing, hin und her zu schwanken, als folgte es mit seinem ganzen Körper einem riesigen Pendel, um schließlich sanft nach rechts wegzukippen und im Staub der Straße zu landen. Der Vespafahrer eilte hin und sah, dass sich die Brust des Katers noch unmerklich hob und senkte.

Vorsichtig nahm er ihn hoch, darauf bedacht, ihn nur mit den Lederhandschuhen, die er trug, zu berühren – denn wer weiß, vielleicht schleppte der arme Kerl ja trotz allem irgendeine Krankheit mit sich herum – und war erstaunt festzustellen, dass bis auf den Dreck, der an den blutigen Wundrändern klebte, das Fell des Katers sauber, ja recht gepflegt aussah, wie das einer geliebten Hauskatze.

Behutsam bettete er ihn in den Korb der Vespa, neben ein kleines, in braunes Packpapier eingeschlagenes Paket und fuhr langsam und vorsichtig, als trüge er ein Neugeborenes auf dem Arm, immer am Straßenrand entlang zurück in die Stadt.

2

DER TIERARZT SCHIELTE und das nicht gerade unauffällig. Das eine Auge schaute einen an, während das andere beständig nach unten wanderte und den Kater im Blick behielt. Ja, die Augen des Arztes schienen in einem ständigen inneren Widerstreit gefangen zwischen dem Patienten und seinem vermeintlichen Besitzer. Insgesamt wirkte seine Erscheinung wie die eines Boxers, der einen Schlag zu viel hat einstecken müssen, ein Schlag, der ihn gezwungen hatte, sein grobschlächtiges Handwerk aufzugeben und Trost in der eher beschaulichen Welt der Tiere zu finden. Sogar sein Name war eine schlagende Kombination aus Boxer und Tierfreund: Dr. Perez Seev oder Dr. Bresche Wolf. Er ließ seine mächtige Pranke über das Fell des Katers gleiten, zog die Wundränder soweit auseinander, bis er hineinschauen konnte, untersuchte die Verletzungen und betastete vorsichtig die Schwanzwirbel.

»So, so …«, sagte er und leuchtete dem Kater mit einer Taschenlampe in die Augen, ließ die Pupillen tanzen, zog ihm die Lefzen hoch und legte seine Zähne frei.

Der Kater, der sich inzwischen ein wenig erholt zu haben schien, ließ alles bereitwillig über sich ergehen, als kenne er die Prozedur bereits.

Schließlich legte Dr. Seev die Taschenlampe auf den Metalltisch und sagte: »Sehen Sie das?« Er deutete auf das Ohr des Katers, aus dem ein winziges Dreieck herausgestanzt war. »Das ist das Zeichen, dass er kastriert wurde. Und ich könnte wetten ...«, er fuhr mit der Hand durch das Fell des Katers, als suche er nach Flöhen. »Genau! Schauen Sie hier«, er zeigte auf eine kahle Spur im Halsfell entlang einer roten Schürfwunde. »Hier war das Halsband, das bestimmt beim Unfall abgerissen wurde. Ich schlage vor, Sie fahren zurück und suchen es, vielleicht ist ja noch die Erkennungsmarke dran, dann könnten wir die Besitzer ausfindig machen.«

»Ich habe jemandem seinen Kater überfahren ...«, stammelte der Vespafahrer vor sich hin und ließ die Stirn in die Hand sinken. Er gehörte zu jenen Menschen, von denen allgemein gesagt wird, sie könnten nicht einmal einer Fliege etwas zuleide tun. Und jetzt hatte er diesen Kater verletzt und dazu auch noch dessen Besitzern Leid zugefügt. Die Stirn in der Hand vergraben, schüttelte er den Kopf, wusste nicht, wie er jetzt, nachdem er dem Kater das angetan hatte, auch nur noch einen Meter mit seinem Motorroller würde fahren können.

»Seien Sie unbesorgt«, sagte Dr. Seev, »er hat Glück gehabt. Nur ein paar Abschürfungen, ein zwei Hämatome und ein gebrochener Schwanz. Das kriege ich leicht wieder hin. Wichtiger ist, dass wir seine Besitzer finden. Bestimmt suchen die schon nach ihm.«

Also ließ der Vespafahrer den Kater beim Tierarzt zurück und fuhr noch einmal zum Unfallort. Und tatsächlich, wie der Doktor vermutet hatte, lag das Halsband dort im Sand. Wie hatte er es nur übersehen können? Offenbar war er so konzentriert auf den Kater selbst gewesen, dass er gar nicht darüber nachgedacht hatte, wem das Tier gehören könnte.

Als er wieder in der Tierarztpraxis ankam, war der Schwanz des Katers bereits komplett eingegipst, und er schwenkte ihn stolz durch die Luft wie einen umgedrehten weißen Stiefel. Die

Wunden waren versorgt und das Fell vom Blut gesäubert. Ja, der Kater wirkte wie ein Rekonvaleszent, der geraume Zeit in einem Sanatorium verbracht hatte und nun bereit war, nach Hause zurückzukehren.

Der Vespafahrer reichte Dr. Seev das Halsband, der die Marke in Form eines roten Dreiecks untersuchte.

»Interessant«, sagte er. »Die von der Stadtverwaltung Jerusalem ausgegebenen Marken sind blau. Dieser Kater ist nicht von hier. Aber ich habe einen Kollegen im Ostteil der Stadt, vielleicht weiß er etwas. Einen Augenblick, bitte ....«

Er nahm den Hörer ab und wählte eine Nummer.

»Ahalan Ibrahim, hier spricht Perez.«

Dann unterhielt er sich mit seinem Gesprächspartner am anderen Ende der Leitung in einem mehr als schlichten Arabisch, das er möglicherweise während seines Militärdienstes gelernt hatte, gab einige Male ein »aha, aha« von sich, sagte am Ende, »Shukran, Habibi – danke, mein Lieber«, und legte auf.

»Schauen Sie«, wandte er sich wieder an den Vespafahrer, »er hat wohl einer arabischen Familie aus dem Osten der Stadt gehört. Viele Familien sind im Verlauf des Krieges ja von dort weggezogen. Weshalb kaum Aussicht bestehen dürfte, dass wir sie jetzt noch ausfindig machen. Wie ich von meinem Kollegen gerade erfahren habe, ist das nicht der erste Fall dieser Art. Wenn Menschen aus ihren Häusern fliehen, denken sie nicht immer als erstes an ihre Katze. Und selbst wenn ... Allemal wichtiger ist, das Baby oder die kranke Großmutter mitzunehmen, sodass die Katze zurückbleibt. Unser Freund hier war offenbar hungrig, hat angefangen, durch die Straßen zu streunen und sich am Ende zu uns verirrt. Also, wenn Sie Interesse haben, gehört er Ihnen.«

»Nein, nein, ich möchte gar keine Katze«, wiegelte der Vespafahrer hastig ab. »Ich wohne allein und das würde nicht passen.«

»Nun, dann passt es doch umso mehr, oder nicht?«, meinte Dr. Seev.

»Besteht denn keine Möglichkeit, ihn an ein Tierheim oder so etwas zu geben?«, fragte der Vespafahrer, der schon insgeheim zu überlegen begonnen hatte, ob es vielleicht gar kein Zufall war, dass dieser von seiner Familie verlassene Kater ihm ausgerechnet in der Woche unter die Räder gekommen war, in der auch er von seiner Freundin verlassen worden war.

»Selbstverständlich wäre das möglich«, erwiderte Dr. Seev. »Aber Sie müssen damit rechnen, dass, wenn ihn innerhalb von zwei Wochen niemand nimmt – und da von einem älteren Tier die Rede ist, das zudem noch verletzt ist, dürfte wohl kaum Aussicht bestehen – sie dort keine andere Wahl haben, als ihn einzuschläfern. Auch so sind die Käfige bei denen schon heillos überbelegt.«

»Und ihn in seinem Zustand zurück auf die Straße setzen, geht auch nicht...«, ergänzte der Vespafahrer, während in seinem Herzen bereits ein Entschluss heranzureifen begann. Welchen Sinn hätte es, wenn er den Kater zum Tierarzt bringt, und der ihn schon bald einschläfern würde? Dann hätte er sein nach dem Unfall absehbares Ende nur ein wenig hinausgezögert. Vielleicht sollte er ihn trotz allem mit nach Hause nehmen, wenigstens so lange, bis er genesen wäre?

Er schaute dem Kater in die Augen und fragte sich, ob dieser wohl den Ernst der Lage verstehe, in die er geraten war. Der Kater erwiderte seinen Blick, untermalt von einem einzigen, unmissverständlichen Miauen: Du bist mir etwas schuldig!

»Okay«, sagte er schließlich, »ich nehme ihn mit.«

»Sehr schön!«, rief Dr. Seev. „Ich muss Ihnen allerdings sagen, dass Sie verpflichtet sind, ihm eine Vierfachimpfung und eine gegen Tollwut geben zu lassen. Andernfalls würde man ihn in Quarantäne nehmen, etwa wenn er jemanden kratzt.«

»Aber ist er denn nicht schon geimpft, wenn er eine Marke hat?«, wunderte sich der Vespafahrer.

»Und selbst wenn, wir haben hier eine eigene Kontrollbehörde, die nach eigenen Bestimmungen arbeitet.«

»Na wunderbar …«, seufzte der junge Mann und zückte schicksalsergeben sein Portemonnaie. Zusammen mit den Ausgaben für die Behandlung würde ihn das Vertreiben seiner Einsamkeit mehr kosten, als er in einer Woche als Kurier verdiente.

»Sehr schön!«, wiederholte Dr. Seev und förderte aus der Schublade des Behandlungstischs eine Spritze und ein Fläschchen mit einer durchsichtigen Flüssigkeit zutage.

»Ach, übrigens, wie wollen Sie ihn denn nennen?«

»Er hat doch bestimmt schon einen Namen, oder?«, fragte der Vespafahrer, der sich unbehaglich fühlte. Einem Kater ein Dach über dem Kopf zu gewähren, bis er genesen wäre, das war das eine, aber ihm gleich auch noch einen neuen Namen geben? Eine Namensgebung war schließlich etwas zutiefst Persönliches. Und er zumindest war noch nie gebeten worden, irgendeiner Sache oder gar einem Wesen einen Namen zu geben.

»Das nehme ich an, aber er wird sich schnell an einen neuen Namen gewöhnen«, sagte Dr. Seev, während er das Glasfläschchen schüttelte.

Warum soll ich ihm denn einen Namen geben, dachte der Vespafahrer verstimmt, der noch versuchte, der peinlichen Situation zu entgehen. Warum gibt er sich nicht selbst einen Namen?

Der Kater schaute ihn gespannt an, wartete auf sein Verdikt.

Der junge Mann ging im Kopf verschiedene Namen durch, die für den Kater geeignet sein könnten, doch alle waren sie in der einen oder anderen Form von »Mitzi« abgeleitet, ein Name, der ihm passend für eine Katze erschien. Aber welche Bedeutung hat schon dieser oder jener Name, sinnierte er, ein Name ist und bleibt doch etwas Vergängliches. Auch so ist das Leben etwas, das verrinnt.

»Ach wie flüchtig, ach wie nichtig …«, murmelte er vor sich hin.
»Was?«, fragte Dr. Seev.

»Abel«, sagte der junge Mann schließlich und sah den Kater an.

Abel schien zufrieden.

3

BEI SEINER RÜCKKEHR lagerten vor dem Haus des Vespafahrers zu beiden Seiten des Eingangs zwei große Katzen, eine Rote mit weißer Brust und ein schwarzer Perserkater mit weißen Pfoten. Sie lagen dort wie zwei schläfrige Sphinxe. Der Vespafahrer bemerkte sie erst nicht, bis er mit Abel in einem Tragekäfig, den er sich von dem Tierarzt geliehen hatte, über die Schwelle trat und die beiden sich wie gehorsame Untertanen devot streckten.

Er stieg mit Abel die gewundene Treppe hinauf, die in den dritten Stock führte, und unterwegs versuchte er sich zu erinnern, ob seine Behausung aufgeräumt war. Seit seine Freundin ihn verlassen hatte, war kein Gast mehr in der Wohnung gewesen, und folglich hatte er keinen sonderlichen Ansporn gespürt, für Ordnung zu sorgen. Das Treppenhaus war ein wenig verwahrlost, da außer dem Vespafahrer niemand sonst mehr in dem Gebäude wohnte. Im ersten Stock befand sich einst eine Schauspielschule – das Stockwerk der Doppelgesichtigen, wie er immer bei sich gesagt hatte, denn was waren Schauspieler anderes als Menschen mit einem Talent, begnadet zu lügen, wie er am eigenen Leib schmerzlich hatte erfahren müssen. Und im zweiten Stock war früher mal eine Tagesstätte für Menschen, die ihr Leben nicht allein auf die Reihe bekommen haben. Eine bequeme Lage für bedürftige Zeitgenossen, nicht zu nah an der Straße, aber auch nicht zu hoch über dem Trottoir gelegen. Der dritte Stock jedoch gehörte schon immer ihm ganz allein. Der Grad des gesunden Menschenverstands, so glaubte er, nahm immer weiter zu, je höher man die Treppe gestiegen kam.

Gerade eingezogen, hatte ihn der Anblick der schönen Schauspielschülerinnen, wie sie im Haus ein- und ausgingen, in den Pausen auf dem Balkon rauchten und lautstark plauderten, ganz aus dem Häuschen gebracht. Mit den Jahren war die Tagesstätte geschlossen worden und die Schauspielschule vom ersten in den zweiten Stock umgezogen, sodass er überzeugt war, die schönen

Schauspielschülerinnen kämen ihm allmählich näher. Eine von ihnen war dann sogar für kurze Zeit mit ihm zusammen gewesen, doch als die Schule irgendwann endgültig schloss, machte sie sich schnell rar, als sei er selbst nicht Grund genug, das Haus noch weiter mit ihren Besuchen zu beehren. Ihre Liebe war nichts als Verstellung gewesen, ein Spiel, eine Rolle. Sicher war es bequem für sie, nach einem langen Probentag bei mir zu schlafen, anstatt noch mitten in der Nacht zu ihrer Bleibe in Romema zurückzukehren, hatte er damals gedacht.

Er schloss die Tür auf und nahm Abel mit auf einen kurzen Rundgang durch die Wohnung. Das kleine Wohnzimmer mit dem Holztisch und dem einzelnen Stuhl in der Mitte. An der Ostwand das Fenster zur Straße, auf dem Fensterbrett ein Einweckglas mit Konservierungsflüssigkeit, in der eine Natter schwamm. Und daneben ein ausgestopfter Haussperling auf einem Ast. An der nördlichen Wand fand sich eine bescheidene Küchenzeile mit Gaskochplatte und Toaster, daneben ein alter Kühlschrank, der ununterbrochen ratterte. Ein schmales Schlafzimmer mit einer Matratze auf dem Fußboden über die gesamte Breite des Raumes und in einer Ecke ein Telefon – eine Hinterlassenschaft des Vormieters, der Berufsoffizier war. Schließlich das Bad mit Toilette, einer Keramikwanne auf eisernen Löwentatzen und einem fleckigen, blind gewordenen Spiegel.

Mit Ende der Besichtigung ahnte er, warum seine Freundin ihn verlassen hatte. Das einzige, was in dieser Junggesellenbehausung noch gefehlt hatte, war eine Katze.

Der Vespafahrer schaltete das Radio ein, um ein bisschen Leben in die Wohnung zu bringen. Fortlaufend wurde über den Krieg berichtet, der soeben mit einem triumphalen Sieg geendet hatte. Die Sinaihalbinsel war erobert worden, ebenso die Golanhöhen, Ostjerusalem und das gesamte Westjordanland. Israel kontrollierte jetzt ein unvorstellbar großes Gebiet vom Berg Hermon im Norden bis zur Meerenge von Tiran an der Südspitze der Sinaihalbinsel. Der Feldzug wurde schon als »Sechs-Tage-Krieg« bezeichnet, als Verweis auf die kaum sechs Tage währenden Kampfhandlungen, und der Ansager scherzte, der Name sei auch eine Anspielung auf die sechs Tage der Schöpfungsgeschichte, denn immerhin habe der Staat Israel seine Fläche mehr als verdreifacht.

Eine ferne Explosion ließ die Fensterscheiben erzittern und unterbrach für einen Moment die Radioübertragung. Abel schoss mit einem Satz unter den Tisch und sein eingegipster Schwanz kratzte mit einem kreischenden Geräusch an der Unterseite der Tischplatte entlang. Der Vespafahrer schrak zusammen und drückte sich ans Fenster. In einiger Distanz sah er eine Rauchsäule über der Altstadt aufsteigen.

Die Übertragung baute sich wieder auf und der Ansager beruhigte seine Zuhörer, die Explosion, die soeben überall in der Stadt zu hören gewesen sei, rühre von Dreharbeiten, bei denen die Schlacht um die Befreiung von Jerusalem nachgestellt werde, und die genau in diesem Moment in der Altstadt stattfänden.

»Mit echter Munition und falschen Verwundeten«, wie der Ansager mit einer Begeisterung schwärmte, als wiederhole sich der Siegeszug tatsächlich noch einmal.

»Der Krieg ist zu Ende, das ist nur nachgestellt«, murmelte der Vespafahrer beschwichtigend, wobei nicht klar war, ob zu sich selbst oder zum Kater, und stellte das Radio auf einen Sender, der ruhige Musik spielte.

»›Was soll ich ihm schenken? Womit soll er gesegnet sein, dieser Junge?‹, fragte der Engel.« Die angenehme Stimme Rivka Zohars erklang.

Und schon herrschte wieder friedliche, sorglose Stimmung in der Wohnung.

Der Motorrollerkurier versuchte, den Kater mit einer ganzen Tonleiter von »psss-psss«-Tönen und mit Zungeschnalzen unter dem Tisch hervorzulocken, doch Abel weigerte sich, seine Stellung zu verlassen. Am Ende gab der junge Mann resigniert auf und versprach dem Kater, er wolle nur kurz etwas einkaufen gehen und sei sofort wieder zurück. Abel gab ein kurzes Miauen von sich, das so klang, als nehme er sich die Angelegenheit nicht allzu sehr zu Herzen.

Auf dem Weg zum Einkaufsladen kam er an einigen Soldaten vorüber, die gerade von den Aufnahmen der nachgestellten Kämpfe in der Altstadt zurückkehrten. Noch nie hatte er so gutgelaunte Leichen gesehen. In ausgelassener Stimmung marschierten sie blutüberströmt und notdürftig verbunden durch die Fußgängerzone und ließen sich bereitwillig mit einem Vater und seinem Sohn auf einem gepanzerten Truppentransporter fotografieren, der außer Gefecht wie zur Straßenskulptur erstarrt vor dem Eingang zur italienischen Synagoge stand. Nachdem der Vater seinen Sohn mit den beiden stolz salutierenden Soldaten fotografiert hatte, schnitten diese Grimassen und baten um eine weitere Aufnahme. Der eine kniff die Augen zu und streckte die Zunge heraus wie eine verendete Kuh, während sein Kamerad mit weit aufgerissenen Augen ausdruckslos auf den Tod starrte, der sich irgendwo hinter der Kamera postiert hatte, und seinen Kopf auf die Schulter des Jungen sinken ließ, der sich nicht beherrschen konnte und prustend loslachte.

Im Laden konnte der Vespafahrer gar nicht anders, als das neue, in seiner Auswahl allerdings bescheidene Sortiment von Katzenfutterdosen verschiedener Geschmacksrichtungen zu bemerken, das über den Säcken mit dem ihm schon bekannten Trockenfutter thronte. Bis zu diesem Tag, an dem er den Kater aufgenommen hatte, war ihm nicht bewusst gewesen, wie sehr sich das Angebot an Tierfutter verändert hatte. Der Tierarzt hatte offenbar recht. Die Käfige in den Tierasylen mussten heillos überfüllt sein.

Er tat sich schwer, unter den Dosen auszuwählen, nahm einige vom Regal und studierte ihren Inhalt, wusste aber nicht, ob Abel nun lieber Kaninchen oder Gans, Hirsch oder Huhn mochte. Allerdings stellte er fest, dass der Kater auf dem Etikett stark an Abel erinnerte. Abel war mithin, wie es schien, ein ziemlich durchschnittliches Exemplar.

Am Ende entschied er sich für zwei Dosen, von deren Inhalt er sich vorstellen konnte, ihn zur Not auch selbst zu essen, und ging damit zur Kasse.

»Was denn, hast du jetzt eine Katze?«, fragte die Kassiererin, die ihn von seinen regelmäßigen Besuchen im Laden kannte.

»Einen Kater«, erwiderte er.

Sie war hübsch, in seinem Alter, hatte einen runden russischen Akzent und eine immerwährende Traurigkeit in den Augen, die auch nicht verschwand, wenn sie lächelte. Ihre Lippen spannten sich dann zu einem schönen Halbmond, aber in den Augenwinkeln zeigten sich keine Lachfältchen.

»Wie schön, welche Rasse?«, fragte sie.

»So was in der Art«, sagte er und hielt eine Dose mit dem Konterfei des Katers hoch, der Abel ähnlich sah.

Die Kassiererin lächelte ihr trauriges Lächeln und gab den Preis in die Kasse ein.

»Meine ist verrückt nach schwarzen Ty-raps«, sagte sie, und als sie sah, dass der Vespafahrer offenbar nicht die geringste Ahnung hatte, wovon sie sprach, deutete sie auf ein Paket Kabelbinder auf dem Bord neben der Kasse. »Elektriker kaufen die jetzt viel«, erklärte sie. »Ich werfe ihr einen hin, und sie apportiert den wie ein Hund. Das ist ihr Lieblingsspiel. Ich habe auch weiße ausprobiert, aber die guckt sie nicht mal an.«

Als er nach Hause zurückkehrte, fand er die beiden Katzen noch immer zu beiden Seiten des Eingangs lungernd. Der schwarze Perserkater mit den weißen Pfoten lehnte wie ein Betrunkener an der Hausmauer und schlug in regelmäßigen Abständen träge ein Auge auf, nur um sich zu vergewissern, dass nicht der geringste Grund bestand, es geöffnet zu lassen. Und die Fuchsrote mit der weißen Brust saß wie eine königliche Sphinx da und stieß immer wieder ein rätselhaftes monotones Mauzen in die Luft - zwei Marmorlöwen, die beide für einen kurzen Moment zum Leben erwachen, nur um gleich wieder in ihrer vorhergehenden Haltung wegzudämmern.

Kaum hatte er seine Wohnung betreten, hörte er das Kratzen von Abels Gips, da der Kater sich beeilte, unter dem Tisch hervorzukommen und sich vor ihm aufzubauen. Buckelnd strich er dem Vespafahrer um die Beine, während sich sein Magen knurrend meldete. Offenbar hatte der Hunger über die Furcht gesiegt.

Der Vespafahrer öffnete eine der beiden Futterdosen und leerte ihren Inhalt in eine Metallschüssel, die seine ehemalige Freundin als Aschenbecher benutzt hatte. Für einen Augenblick sehnte er sich nach ihren rauchigen Küssen, obwohl er deren Geschmack nicht hatte ausstehen können.

Abel beeilte sich, das Gänseallerlei aufzulecken und hinunterzuwürgen und hob dabei sein Hinterteil in die Höhe, um dem Vespafahrer zu signalisieren, er solle ihm dieses streicheln, während er fraß.

Auch Gott hat Abels Fleisch Kains Gemüse vorgezogen, dachte er und strich leicht über das in die Höhe gereckte Hinterteil des Katers, und sogleich kam ihm ein weiterer Gedanke: Selbst dann, wenn Tiere ihr Maul oder ihre Schnauze auftun und zu sprechen beginnen würden, müssten noch viele Jahre vergehen, bis die Menschen aufhören würden, sie zu verspeisen.

Abel hatte aufgefressen und schaute ihn an, verlangte nach einer weiteren Dose.

»Ich hoffe, du magst auch Hirschragout«, sagte er und leerte den Inhalt der zweiten Dose in die Schüssel. Die glitschige Masse blieb feucht an seinen Fingerspitzen hängen.

Abel vergrub die Schnauze in dem Fleischbrei und begann, ihn gierig zu verschlingen. Als er auch damit fertig war, hielt er nach den Fingern des Vespafahrers Ausschau, schnupperte daran und leckte sie ab.

Genau in diesem Moment klingelte das Telefon. Der Boss des Vespafahrers war in der Leitung. Er kochte vor Wut und war außer sich, dass die Sendung, die er dem Kurier anvertraut hatte, noch nicht an ihr Ziel gelangt war. Jetzt erinnerte sich der Vespafahrer an das kleine, in braunes Packpapier eingeschlagene Paket, das noch immer im Korb des Motorrollers lag.

»Lass alles stehen und liegen und sieh zu, dass du hinkommst«, kollerte sein Boss am Telefon.

Der Vespafahrer hatte das krebsrote Gesicht seines Chefs und den Telefonhörer, der in dessen Faust zerquetscht zu werden drohte, förmlich vor Augen.

»Hörst du mich?! Auf der Stelle!« Dann legte er wutschnaubend auf.

Der junge Mann stieß einen tiefen Seufzer aus. Diese ganze Geschichte mit dem Kater kam ihn langsam wirklich teuer zu stehen.

»Ich bin gleich wieder da«, sagte er zu Abel, der ihm wieder sein Hinterteil entgegenreckte, und noch einmal streichelte er über dessen Rücken.

4

DER WIND KONNTE sich nicht entscheiden und stieß den Motorroller von einer Fahrspur auf die andere und wieder zurück, als er zum Übergabeort des Pakets fuhr. Sein Boss schickte ihn immer zu den gottverlassensten Orten in Jerusalem und das zu den unmöglichsten Tageszeiten. Seit dem Ende des Krieges und der Eroberung der östlichen Stadtteile war es noch schlimmer geworden. Dauernd fand er sich zu nachtschlafender Stunde in wildfremden Gassen zwischen Häuserruinen manövrierend wieder.

Es war ein guter, einträglicher Job, und der Vespafahrer hatte sich nie gefragt, warum die meisten Päckchen unter dem Tisch oder hinter dem Rücken übergeben wurden, oder warum er die Adressen der Sendungen immer nur mündlich mitgeteilt bekam, ohne Absender und zuweilen auch ohne Namen des Empfängers. Die Zustellungen waren wie Gerüchte, sie wurden nur von Mund zu Ohr geflüstert.

Immer wieder einmal hatte der Vespafahrer daran gedacht zu kündigen, doch die unregelmäßigen Arbeitszeiten kamen seinem Junggesellentagesablauf entgegen. Und sein Boss zahlte immer pünktlich. Während andere Gewerbe sich in dieser angespannten Zeit eher verkleinerten, in den Strudel der Inflation gerieten oder während des Krieges ganz zusammenbrachen, liefen die Geschäfte bei ihm wie gewohnt. Darum regte sich der Boss gerne auf, wenn der Vespafahrer ein Paket verspätet auslieferte, was ihm gelegentlich passierte, wenn er eine dieser geheimnisvollen Adressen nicht finden konnte.

Jetzt sah er durch die Ruinen des Mughrabiviertels die Klagemauer, die mit Kriegsende befreit worden war. Tagsüber war der Platz vor der Mauer stets gut gefüllt, aber nachts ließ sich keine Menschenseele dort blicken. Jetzt strichen nur ein paar Straßenkatzen gelangweilt an der Mauer entlang, deren Schatten Scheinwerfer gegen die Steinquader warfen und sie von weitem wie riesige Panther aussehen ließen.

In den ersten Nachkriegstagen war alle Welt zur Mauer geströmt und hatte Zettel mit Gebeten und Wünschen zwischen die Felsblöcke gesteckt. Kleine Kinder baten um Spielsachen, Jugendliche darum, ihre nahende Bar-Mitzwa an der Mauer feiern zu dürfen, und Frauen, deren Männer nicht aus dem Krieg zurückgekehrt waren, flehten trotz aller Aussichtslosigkeit um ihre baldige Heimkunft.

Auch der Vespafahrer war einmal dort gewesen, hatte es aber vor lauter Besuchern und Betenden nicht bis an die Mauer geschafft. Eine solche Masse von Menschen, die allesamt versuchten, sich in die erste Reihe vorzudrängen, hatte er bisher nur in den Carmel-Wochenschauen gesehen, wenn über Rockkonzerte im Ausland berichtet wurde.

Er wollte die Ergriffenheit empfinden, die alle anderen zu spüren schienen, fühlte sich aber wie ein Gast, der versucht, auf der Hochzeit eines Paares zu tanzen, das er gar nicht kennt. Er hatte sogar ein Zettelchen vorbereitet, ließ aber wegen des Ansturms und Gedränges davon ab, es zwischen die Quader zu schieben, und bewahrte es seither in der Schublade seines Tisches auf. Ihm war unbehaglich zumute bei dem Gedanken, seinen Herzenswunsch einfach in den Mülleimer zu werfen. Von Zeit zu Zeit holte er ihn hervor und las, was darauf stand: »Mach, dass ich mehr Glück bei Frauen habe, bitte.«

Der Vespafahrer folgte dem Gefälle der Straße noch ein Stück, bis der Scheinwerfer seines Motorrollers ein gelbes Schild mit der Aufschrift »Halt – Grenze voraus!« auf Hebräisch und Arabisch erfasste. Neben dem Schild standen zwei rostige Ölfässer – der Treffpunkt, den der Boss ihm beschrieben hatte. Vor ihm erhob sich in der Ferne die Davidszitadelle und zu seiner Linken stand eine Zeile von Häusern ohne Türen und Fenster. Doch sie wirkten nicht verlassen, vielmehr so, als sei ihr Bau nicht vollendet worden und als hätte nie jemand in ihnen gewohnt.

Er schaltete den Motor des Rollers aus, der Scheinwerfer erlosch. Das Schild, das mit einer fluoreszierenden Farbe gemalt war, leuchtete noch eine Sekunde oder zwei schwach nach, bis es ebenfalls von der ringsum herrschenden Finsternis, die dicht wie schwarzer Lagerfeuerqualm war, geschluckt wurde.

Der Kurier sah sich um, konnte aber nichts erkennen. Er wusste nicht, wen er hier treffen sollte und wie derjenige, der erscheinen würde, um das Paket in Empfang zu nehmen, ihn überhaupt bemerken sollte. Nach einigen Augenblicken absoluter Stille hörte er, wie in rasch schwindender Entfernung trockenes Gras niedergetreten wurde, und als er die Augen zusammenkniff und in die Richtung starrte, aus der das Geräusch kam, hätte er schwören können, dass die Finsternis selbst gemessenen Schritts auf ihn zukam.

»Bist du der Kurier?«, vernahm er plötzlich eine Stimme, die überraschend nah war.

Der Vespafahrer schrak zurück, obgleich die Stimme relativ angenehm klang.

»Ja«, sagte er.

»Hast du etwas für mich?«

Der Vespafahrer streckte die Hand aus und tastete im Korb des Rollers nach dem Päckchen. Jedes Geräusch, das er dabei verursachte, schien zehnfach verstärkt und noch von weitem zu hören.

»Bitte«, sagte er und hielt die Hand von sich, in die Richtung, aus der er meinte, die Stimme vernommen zu haben.

Das Päckchen wurde ihm mit einer Sanftheit aus der Hand genommen, die zu der samtenen Stimme passen wollte, und schon knackte das trockene Gras wieder, diesmal mit jedem Schritt leiser. Dann leuchtete mit einem Mal ein kleines Licht einige Meter von ihm entfernt auf, die flackernde Flamme eines Streichholzes. In ihrem Schein sah er erst ein weißes Dreieck, und als seine Augen sich ein wenig an das Licht gewöhnt hatten, erkannte er ein weißes Hemd unter einem langen, schwarzen Anzug. Das Streichholzflämmchen näherte sich dem Kopf des Mannes, spiegelte sich in dessen Brillengläsern und beschien einen schwarzen Hut. Der Anzugträger untersuchte das Päckchen von nahem, bis das Streichholz erlosch.

»Was ist das hier?«, fragte er aus der Entfernung, ohne die Stimme zu heben. Die absolute Stille trug seine Frage mühelos weiter.

Wieder kam das Geräusch der zerdrückten trockenen Gräser näher, das Reiben eines Streichholzkopfes war zu hören und ein weiteres Flämmchen ließ den Kopf des Mannes, der jetzt genau neben ihm stand, aus der Finsternis treten. Das Dickicht seines schwarzen Bartes verstrickte sich im unteren Teil mit der tintigen Dunkelheit.

»Hier, die Flecken…« Er führte die Flamme zu dem Päckchen.

Der Vespafahrer beugte sich darüber und bemerkte ein paar rote Schmierspuren.

»Ah«, entsann er sich. »Ich habe heute einen Kater angefahren. Und der hat dann im Korb neben dem Päckchen gelegen. Das ist bestimmt ein bisschen Blut …«

»Was?«, stieß der Mann hervor.

»Tut mir leid«, sagte der Kurier.

»Ein Kater? Bist du auf den Kopf gefallen?!«

»Ich habe ihn zum Tierarzt gebracht, es geht ihm gut jetzt«, beschwichtigte der Rollerfahrer, der sich abermals schlecht fühlte wegen der ganzen Geschichte.

»Das ist unrein, verstehst du? Unrein!«, rief der Mann entsetzt und seine heftigen Atemzüge bliesen das Streichholzflämmchen beinahe aus. Dann ließ er das Päckchen einfach fallen, das raschelnd im trockenen Gras landete, drehte sich um und machte sich davon. Bald darauf waren seine Schritte kaum noch zu vernehmen.

Der Vespafahrer tastete nach der Sitzbank seines Rollers und schwang sich darauf. Er trat das Anlasserpedal durch, und der Frontscheinwerfer erleuchtete ein gelbes Dreieck. Der Mann im schwarzen Anzug eilte auf die Grundlinie des Dreiecks zu und verschmolz mit der Dunkelheit.

5

DER VESPAFAHRER stieg mit dem Päckchen in der Hand die Wendeltreppe in seinem Haus hinauf. Was mochte darin sein, fragte er sich. Sicher irgendetwas Essbares, sonst wäre der Strenggläubige nicht so erbost gewesen, dass es jetzt unrein war. Sein Boss würde ihm am Morgen bestimmt gehörig den Kopf waschen.

Er schloss die Tür zu seiner Wohnung auf und schaltete das Licht an. In der Küchenschublade fand er ein stumpfes Messer und überlegte, das Päckchen damit zu öffnen, war aber nicht sicher, ob er das bewerkstelligen konnte, ohne Spuren zu hinterlassen.

Besser, nicht ein Vergehen durch das nächste noch schlimmer zu machen, dachte er und legte das Messer zurück in die Schublade.

Abel erschien, als sei er gerade erst aufgewacht. Er strich ihm buckelnd um die Beine, und sein eingegipster Schwanz schlug ihm leicht gegen die Knie.

»Du Ärmster, bist noch immer hungrig«, sagte er zum Kater, dabei fiel ihm ein, dass er ganz vergessen hatte, weitere Katzenfutterdosen zu kaufen. Er hatte nichts im Haus, was er dem Kater hätte vorsetzen können.

Doch plötzlich kam ihm eine Idee. Er hielt Abel das Päckchen vor die Nase. Der Kater schnupperte ein wenig, verharrte für einen Moment bei dem Blutfleck, verlor aber schnell das Interesse daran.

Vielleicht ist ja doch nichts Essbares drin, dachte er und schwankte erneut, ob er das Päckchen öffnen sollte oder nicht. Aber da gab Abel ein klares, unmissverständliches Maunzen von sich.

»Fleisch«, sagte er.

Der Vespafahrer durchstöberte die Küchenschränke, fand aber nur eine Konservenbüchse Mais und eine Dose Kichererbsen.

Aussichtslos, ihn dafür zu begeistern, dachte er.

Er stellte einen Stuhl unter die Klappe des Stauraums in der Zwischendecke, stieg darauf und zog einen riesigen Armeeseesack hervor, der ihm aus der Hand glitt und zu Boden fiel, wobei er ein metallenes Scheppern von sich gab. Er durchwühlte den Seesack, verschwand bis zur Hüfte darin und sah dabei aus wie ein halbverspeistes Tier, dessen Hinterbeine noch aus dem Schlund einer Schlange schauen.

»Du hast gewonnen!«, rief er aus dem Seesack und bugsierte sich mit zwei Dosen Büchsenfleisch wieder ins Freie. Bei der einen Dose wölbte sich bereits der Deckel, ein Indiz, wie der Vespafahrer wusste, dass das Fleisch wohl ungenießbar war. Doch die zweite Dose sah in Ordnung aus, einmal abgesehen von einer kleinen Delle im Blech, die durch den Aufprall auf dem Fußboden entstanden war. Und sie war auch noch für mehrere Jahre haltbar.

Er öffnete die Dose und schüttete den Inhalt in Abels Schüssel.

Der Kater schnüffelte erst ein bisschen an der rosigen Fleischwalze, leckte daran und begann, vorsichtig davon zu probieren. Doch dann hatte er in Windeseile das Büchsenfleisch verzehrt und machte sich daran, den Rand des Untertellers, der auf dem Boden hin und her klapperte, blitzblank zu schlecken.

Der Vespafahrer sinnierte, dies war die erste Nacht, die der Kater in seiner Wohnung verbracht und von der er das meiste verpasst hatte.

»Deine Nacht war auch nicht ganz einfach, was?«, fragte er, und der Kater bestätigte maunzend.

»Heute Nachmittag kaufe ich dir noch mehr zu fressen«, versprach er.

Er putzte sich die Zähne vor dem blinden Spiegel im Bad, während Abel auf dem Wannenrand hinter ihm mit dem Gleichgewichtssinn eines Seiltänzers auf und ab spazierte. Als der junge Mann mit Zähneputzen fertig war, trottete er ins Schlafzimmer.

»Du bleibst draußen«, sagte er zu Abel, weil er sich entsann, dass der Tierarzt ihm gesagt hatte, in dem Augenblick, in dem er dem Kater Zutritt zu seinem Schlafzimmer gewährte und ihn auf sein Bett springen ließ, würde er das Rad nicht mehr zurückdrehen können.

Abel jaulte protestierend und versuchte, durch den Türschlitz zu schlüpfen, doch der Vespafahrer drängte ihn mit dem Fuß sanft zurück und schloss die Tür hinter sich.

Er legte seine Kleider ab und fiel ins Bett. Auf dem Rücken liegend ging er noch einmal die Ereignisse dieses Abends durch, dachte an den Orthodoxen mit der angenehmen Stimme und an das geheimnisvolle Päckchen, doch bevor er weitere Vermutungen über dessen Inhalt anstellen konnte, war er bereits in tiefen Schlaf gesunken. Das Letzte, was er hörte, bevor er einschlief, war Abels gedämpftes Maunzen hinter der geschlossenen Tür.

Im Morgengrauen wachte er auf. Sein Körper verkrampfte sich. Ein ähnliches Gefühl wie das, das er einige Stunden zuvor in der Nacht empfunden hatte, als er das Knacken und Knistern des trockenen Grases näherkommen hörte. Er setzte sich im Bett auf und sah sich um, doch das dunkle Zimmer wirkte friedlich wie eh und je. Lediglich ein weißer, länglicher Gegenstand schaute über den Matratzenrand hinaus und schraubte sich jetzt in die Höhe wie das Periskop eines auftauchenden U-Boots. Der Vespafahrer brauchte einige Momente, um zu begreifen, dass er auf Abels eingegipsten Schwanz schaute, der aussah wie ein auf dem Kopf stehender Stiefel.

Wie ist der ins Zimmer gekommen, fragte er sich, doch der Kater hatte seine Nase bereits unter die Bettdecke geschoben, hatte sich darunter gewühlt und arbeitete sich auf ihn zu, wobei ihm sein versteinerter Schwanz als Gestänge und die Decke als Zeltplane dienten.

Der Vespafahrer wollte Abel rauswerfen und die Tür hinter ihm abschließen, hatte aber keine Kraft aufzustehen.

Bestimmt ist er einsam, dachte er bei sich und streckte einladend eine Hand nach dem Kater aus.

Abel war jetzt bei ihm angelangt, kletterte behutsam auf seine Brust und ließ sich darauf nieder. Über ihnen beiden spannte sich ein kleines Doppelzelt.

Der Vespafahrer streichelte über das warme Fell. Augenblicke später war er zum Klang des hypnotisierenden Schnurrens friedlich eingeschlafen.

6

ER ERWACHTE beim Rasseln des Weckers. Im ersten Moment wusste er nicht, wo er sich befand. Fühlte sich wie in der Armee vor dem Antreten zum Wachdienst, wenn der Soldat, der vom Wachturm gestiegen kam, ihn weckte, damit er ihn ablöste, und er nie verstanden hatte, wie schon vier Stunden um sein sollten, da er doch gerade erst den Kopf aufs Kissen hatte sinken lassen.

Er tastete mit der Hand nach dem Wecker, doch dabei fiel ihm ein, dass er ja überhaupt keinen Wecker besaß. Das scheppernde Klingeln kam vom Telefonapparat neben seinem Bett. Er hob ab.

»Sag mal«, es war sein Boss, »willst du mir mein Geschäft ruinieren?« Seine Stimme klang mitgenommen, beinahe nach gebrochenem Herzen. Doch etwas darin war bedrohlicher, als wenn er gebrüllt hätte, gerade weil sie ruhig und gedehnt daherkam.

»I…, i…, ich«, stammelte der Vespafahrer.

»Dieses Päckchen war der Türöffner. Für dich mag es eine kleine, unbedeutende Lieferung sein, aber für mich ist es ein Riesengeschäft, verstehst du?« Die Stimme des Bosses nahm Fahrt auf.

»Also, du ziehst dich jetzt an und fährst zur Klagemauer. Dort wartet jemand auf dich. Das kostet mich doppelt, also zieh ich dir das vom Lohn ab. Und das ist das letzte Mal, dass so etwas passiert.«

Der Vespafahrer nickte, obwohl sein Boss das nicht sehen konnte.

»Schön«, sagte der Boss, als hätte er die Bewegung des Telefonhörers auch auf seiner Seite der Leitung gespürt. »Gute Nacht.« Und legte auf.

Der Vespafahrer zog sich eilig an und fand Abel in der Küche unter dem Tisch schlafend. Hatte er nur geträumt, so fragte er sich, dass der Kater ins Schlafzimmer gekommen war, dass er auf seiner Brust geschnurrt hatte? Denn tatsächlich war die Tür des Schlafzimmers geschlossen gewesen.

Der Wind, noch immer unentschlossen, in welche Richtung er wehen sollte, ließ den Vespafahrer den ganzen Weg bis zur Klagemauer von einer Fahrspur zur anderen und wieder zurück driften, bis er seinen Roller endlich vor dem Tor parkte und den Motor abstellte. Ein kleinwüchsiger Polizist trippelte auf seiner nächtlichen Streife vorüber. Er sah aus wie ein verkleidetes Kind, das sich bemühte, seinem Gang eine dem Amt angemessene Gravität zu verleihen. Der Vespafahrer wartete, bis der Weg frei war, und stieg dann erst von seinem Roller.

Er schritt durch das Tor und bemerkte eine Gestalt, die ihn offenbar beobachtete. Als er sich ihr näherte, sah er, dass es ein junger Soldat war, der in einer mindestens eine Nummer zu großen Uniform steckte und den schütteren Backen- und Oberlippenbart eines Mannes zur Schau stellte, dessen Gesicht noch nie ein Rasiermesser gesehen hatte. Eine weiße Kippa lugte unter seinem Helm hervor und sein Hals war durch das Gewicht der Waffe, die an einem breiten Riemen darum hing, gekrümmt wie ein Kleiderhaken. Das Gewehr schien seinen Körper auf Hüfthöhe zu teilen, und seine Ellbogen waren auf den Kolben und den Lauf der Waffe gestützt wie auf einen Tresen.

»Guten Abend«, sagte er.

»Guten Abend«, erwiderte der Vespafahrer und fragte sich, ob er dem Soldaten wohl ein Zeichen geben musste, eine geheime Losung, eine Parole oder Ähnliches.

»Du bist also doch noch gekommen«, sagte der Soldat. Ganz offenbar war es der Mann, den der Boss als denjenigen angekündigt hatte, der auf ihn warten werde. »Ich kann dich reinlassen«, fuhr der Soldat fort, »aber ich kann dir nicht dabei helfen.«

Der Vespafahrer war neugieriger denn je zu erfahren, was wohl in dem Päckchen sein mochte. Und jetzt wurde ihm auch klar, dass offensichtlich er es war, der sich um dessen Inhalt kümmern sollte. Er bereute schon, die Sendung nicht vorher geöffnet zu haben. Woher sollte er denn jetzt wissen, was damit zu machen war? Und seinen Boss ein weiteres Mal zu enttäuschen, konnte er sich nicht erlauben. Wenn er nicht weiterkäme, überlegte er, würde er den Soldaten hier fragen. Der schien zu wissen, worum es ging.

»In Ordnung«, sagte er schließlich.

»Schön. Nur mach schnell, bitte«, bat der Soldat und gab das Tor frei.

Der Vespafahrer trat auf den hell erleuchteten Platz und der Soldat nahm, den Rücken zu ihm gewandt, am Tor wieder seinen Posten ein.

Erst glaubte er nicht, was seine Augen sahen: Die Mauer brannte weiß. Die riesige Freifläche davor war vollkommen verwaist wie in einem Science-Fiction-Film, in dem der Held durch eine von Menschen verlassene Stadt streift. Mehrere Bulldozer, mit denen offensichtlich am Tage die Trümmer und Überreste des Mughrabiviertels beiseite geräumt wurden, dösten jetzt friedlich am Rande des Platzes, und die schwarzen Panther, die er zuvor gesehen hatte, schrumpften wieder auf die Größe gewöhnlicher Straßenkatzen zusammen, die nun immer zu zweit auf den Schaufeln der Planierraupen lagen.

Er war in den Genuss einer Karte für die erste Reihe gekommen. Ohne sich anstellen oder vordrängeln zu müssen, stand er jetzt in nächster Nähe vor den riesigen Quadern, die gemeinsam diese eherne, in sich ruhende Front formten. Aus den Ritzen dazwischen lugten bis zu einer Höhe von etwa zwei Metern Abertausende von gefalteten Zettelchen in allen möglichen Farbtönen, vor allem aber Weiß und Gelb. Weiter oben spross kleines Strauchwerk aus den Mauerspalten.

Vor Tausenden von Jahren hatten Menschen, die wie er Juden gewesen waren, diese Felsblöcke aufeinandergetürmt, ohne Kräne, ohne Elektrizität und ohne moderne Technologie, nur mit der Kraft des Glaubens. Er hatte sich nie als einen gläubigen Menschen erachtet und immer das Gefühl gehabt, es sei irgendwie Verschwendung, als Säkularer in einer Stadt wie Jerusalem zu leben. Aber in diesem Augenblick, im Angesicht der Mauer, erschien ihm die Verschwendung einfach kolossal.

Jetzt empfand er jene tiefe Bewegtheit, die ihm bei dem einen Mal vorenthalten geblieben war, als er zusammen mit Aberhunderten von Menschen die Mauer besucht hatte. Er fühlte sich wie jemand, der an der Beisetzung eines großen Staatsführers teilnimmt, über den man sich unzählige Legenden erzählt, sodass es einem, auch wenn man ihn nicht persönlich gekannt hat, schwerfällt, keine Tränen zu vergießen.

Auch er vergoss jetzt eine Träne. Doch nicht um einen Menschen. Wohl aber um eine Mauer.

Der kalte Wind verstärkte die bewegende Atmosphäre noch. Vielleicht, dachte er, erhebt er sich von hier und weht über ganz Jerusalem. Für einen Moment war er drauf und dran zu vergessen, dass er eine Aufgabe zu erledigen hatte und dass seine Zeit begrenzt war.

Er schob den Daumen unter das braune Packpapier, das das Päckchen umhüllte, und riss es an einer Längsseite auf. Knüllte das Papier zusammen und hielt jetzt eine kleine Pappschachtel in der Hand.

Was könnte schon so Bedeutendes darin sein, dass es den Aufwand in dieser Nacht rechtfertigte, fragte er sich.

Als er schließlich die Schachtel öffnete, erfasste sie eine eiskalte Böe und wehte Dutzende, ja vielleicht Hunderte weißer Zettelchen davon. Einige klebten noch an den Felsquadern, andere wurden weiter oben vom Strauchwerk abgefangen, und einige wirbelten sogar über die Mauer und verschwanden auf der anderen Seite.

Der Vespafahrer erschrak zu Tode und begriff sogleich, was er tun musste. Er begann, hinter einigen der Zettelchen herzujagen, die im Wind Fangen mit ihm zu spielen schienen, zerknüllte sie in seinen Fäusten und stopfte sie zwischen die Mauerspalten, sprang dazwischen immer wieder hoch und schnappte nach weiteren Zetteln, die sich im Strauchwerk in nicht allzu großer Höhe verfangen hatten.

Als er fertig war, legte sich der Wind. Das Spiel war vorüber.

Er trat durch das Tor und nickte dem Soldaten zu, hoffte, dieser habe ihn nicht hinter den Zettelchen wie hinter Dollarscheinen herjagen sehen.

Abel miaute, als er ihn die Tür aufschließen hörte, und erschien, um ihn zu begrüßen. Der Vespafahrer freute sich, dass es jemanden gab, der auf ihn wartete, wenn er nach Hause kam, erst recht nach einer solchen Nacht. Früher war es eine Frau gewesen, jetzt eben ein Kater. Aber was änderte das? Die Hauptsache war doch, dass zwei Herzen in diesem Haus schlugen und nicht nur eines.

»Frag nicht …«, sagte er zu dem Kater, der nicht fragte.

Er versuchte nicht, noch einmal einzuschlafen, beschloss stattdessen zu warten, bis die Läden öffnen würden, um dann zum Laden an der Ecke zu gehen und Abel wie versprochen etwas zu fressen zu kaufen.

Er setzte den Wasserkessel auf die Kochplatte und nahm am Küchentisch Platz. Abel sprang mit einem Satz auf die Arbeitsplatte und schnupperte an der Tülle des Kessels.

»Heiß!«, jaulte er.

Der Vespafahrer spielte mit der leeren Schachtel. Viel Aufregung um nichts, dachte er bei sich. Doch da bemerkte er plötzlich einen einzelnen Zettel, der am Boden der Schachtel klebte.

Verdammt! Er war so kopflos hinter den aufgewirbelten Zetteln hergejagt, dass er sich nicht einmal die Mühe gemacht hatte, noch einmal in die Schachtel zu schauen, um sich zu vergewissern, dass sie leer war.

Er löste den Zettel ab, der tatsächlich leicht an der Pappe festklebte. Er war in einer fremden Sprache geschrieben, und obgleich die Buchstaben zum Teil lateinische waren, vermochte er nicht zu entziffern, was dort stand.

Er erkannte einige Buchstaben, ein b und ein s, ein quadratisches A und ein umgekehrtes R.

Russisch, dachte er.

7

VOR DEM LADEN wartete eine kleine Katzenschar: zwei Schmutziggraue, ein rotschwarzweißes Trio in verschiedenen Abstufungen und ein einäugiger schwarzer Kater. Das war die Entourage der Katzenfrau, der Nachbarin, die etwas weiter die Straße hinunter wohnte und die er von Zeit zu Zeit dort im Geschäft traf, wenn sie säckeweise Katzenfutter erstand. Sie war alterslos, konnte fünfzig, sechzig oder vielleicht sogar schon siebzig sein, erschien immer sehr einfach gekleidet und man sah ihr an, dass sie um ihr Äußeres kein Aufheben machte. Doch trotz ihrer wilden Erscheinung und der tief in den Höhlen liegenden mausgrauen Augen wirkte sie ganz in sich ruhend. Die ruhige Gelassenheit von einem, der seinesgleichen gefunden hat; die Vollendung eines Menschen, der in einen Rahmen geraten ist, in den er eigentlich nicht gehört, sich aber mit erstaunlicher Leichtigkeit darin eingefunden hat und darob Erleichterung empfindet.

Das erste Mal, als er sie vor der Tür des Hauses ihre Katzen füttern sah, dachte er, sie sei eine bemitleidenswerte, verelendete Person. Und als sie sich einen Happen Trockenfutter in den Mund schnipste und sich gemeinsam mit ihren Katzen daran gelabt hatte, war er richtiggehend angewidert gewesen. Aber jetzt fühlte er mit ihr. Wenn er einen Kater gebraucht hatte, um seine Einsamkeit zu vertreiben, wie viele Tonnen Einsamkeit mussten dann auf ihren Katzen lasten?

Er traf sie vor dem Regal mit dem Katzenfutter und bot ihr an, dic zwei Säcke, die sie kaufen wollte, zur Kasse zu schleppen. Die Katzenfrau nickte dankend und strahlte ihn gleichzeitig verblüfft an. Offenbar musste es schon sehr lange her gewesen sein, dass ein Zweibeiner ihr gegenüber eine derartige Freundlichkeit an den Tag gelegt hatte.

»Zwei Lira und zwanzig Agurot«, sagte die Kassiererin und lächelte ihr trauriges Lächeln.

Die Katzenfrau kramte in ihrer Tasche und beförderte ein paar Münzen zutage.

»Da fehlt noch 'n bisschen ...«, murmelte sie.

»Nicht schlimm«, sagte die Kassiererin und sammelte die Münzen ein.

»Danke«, grummelte ihre Kundin und hievte sich die Futtersäcke auf beide Schultern. Als sie aus dem Laden trat, applaudierten ihre Katzen miauend zu ihrer Rückkehr.

»Jedes Mal dasselbe«, seufzte die Kassiererin. »Echt traurig.«

Sie zog unter dem Kassentresen einen grasgrünen Karton hervor und entnahm ihr eine Rolle mit neuen Münzen, um die Kasse damit aufzufüllen.

Dann schaute sie den Vespafahrer lange an und fragte schließlich: »Und was darf's für dich sein?«

Da erst fiel dem jungen Mann wieder ein, dass er ja selbst Katzenfutter kaufen wollte, aber vergessen hatte, es aus dem Regal zu nehmen, als er der Frau mit den Säcken half.

»Sekunde ... «

Er eilte zurück zum Regal und griff sich zwei Dosen. Als er schon in Begriff war, zur Kasse zurückzukehren, wandte er sich aber nochmals zum Regal und wählte zwei weitere Dosen.

»Da hat aber jemand Hunger ...«, sagte die Kassiererin und lächelte ihr wehmütiges Lächeln.

»Wie ein Baby«, erwiderte der Vespafahrer unbeholfen und tastete in seiner Tasche nach dem Geld. Dabei stießen seine Finger auf einen Papierstreifen, und der erinnerte ihn daran, dass er die Kassiererin etwas fragen wollte.

»Äh, sag mal, vielleicht kannst du das hier ja lesen?«, sagte er und zog den Zettel mit dem russischen Text hervor.

Die Kassiererin nahm ihm den Zettel aus der Hand und ihre Augen huschten über die Buchstaben.

»Wer hat dir den gegeben?«, fragte sie dann.

»Warum, was steht denn da?«

Für einen Moment wirkte die Kassiererin befangen, als sei sie aufgefordert, einem Fremden eine intime Botschaft ins Ohr zu flüstern.

»Lieber Gott, schick meiner Tochter einen Bräutigam, und ich verspreche Dir, dass wir in der Heiligen Stadt Jerusalem Hochzeit und Eheschließung feiern werden, mit des Namen Hilfe, ohne Gelübde«, übersetzte sie und bedachte ihn mit einem fragenden Blick.

»Von wem ist das?«, fragte er.

»Da steht kein Name«, sagte sie. »Woher hast du den Zettel?«

Er konnte ihr nicht die ganze Geschichte erzählen, wollte aber auch nicht lügen.

»Ich hab' ihn an der Klagemauer gefunden«, sagte er schließlich. Immerhin die halbe Wahrheit.

»Aber du würdest dieser Frau wirklich einen guten Dienst erweisen, wenn du den Zettel zurück in die Mauer steckst. Vielleicht ist ihr dann vergönnt, ihre Tochter zu verheiraten.«

»Und wer weiß, vielleicht ist es kein Zufall, dass du den Zettel gefunden hast«, fügte sie nach kurzem Schweigen hinzu und senkte sogleich den Blick. Dabei stieg ihr die Röte in die Wangen, als hätte sie laut etwas ausgesprochen, was sie im Verborgenen auf dem Herzen hatte.

»Danke«, sagte der Vespafahrer und nahm ihr den Zettel aus der Hand.

Er stopfte ihn sich die Tasche, kramte ein paar Münzen hervor und bezahlte die Dosen mit dem Konterfei des Katers, der Abel ähnlich sah.

Er war schon mit einem Fuß aus dem Laden, als sie ihm plötzlich nachrief: »Sag mal, wie heißt du eigentlich?«

Der Vespafahrer drehte sich zu ihr um. Jetzt, da er nicht mehr direkt vor der Registrierkasse stand, fühlte er sich ein bisschen nackt.

»Ehrlich«, sagte er. Und dann sofort: »Eli.« Er war verlegen. Jemandem, den man kannte, seinen Namen zu nennen, so im Nachhinein, hatte etwas besonders Peinliches.

»Ich bin Anna«, sagte sie.

»Sehr angenehm.« Er lächelte.

»Hier, nimm dir noch eine Zeitung«, sagte Anna und lächelte zurück.

8

AUF DEM NACHHAUSEWEG wollte das Lächeln nicht von Elis Gesicht weichen. Innerhalb kürzester Zeit waren zwei neue Personen in sein Leben getreten. Gut, die eine von ihnen war in Wahrheit ein Kater, war aber trotz allem ein Freund geworden. Abel und Anna, dachte er. Anna und Abel. In seiner Fantasie sah er bereits, wie die beiden gut miteinander auskommen würden. Wie sie zu dritt zusammenlebten. Ein Mann, eine Frau und ein Kater. Eine Vorzeigefamilie.

Die Fuchsrote mit der weißen Brust und der schwarze Perserkater mit den weißen Pfoten lagerten wie immer zu beiden Seiten des Eingangs, zwischen Wachsamkeit und Schläfrigkeit dösend. Eli erinnerte sich nicht mehr, ob die beiden schon immer wie zwei Marmorskulpturen den Eingang seines Hauses geziert hatten, denn bemerkt hatte er sie zum ersten Mal an dem Tag, an dem er mit Abel vom Tierarzt gekommen war. Und das schien eine Ewigkeit her zu sein.

Leichtfüßig nahm er die Wendeltreppe in den dritten Stock, die gefaltete Zeitung unterm Arm.

Abel maunzte zur Begrüßung und geleitete ihn zu seinem blitzblank geleckten Fressnapf. Eli öffnete sowohl die Dose mit der Kaninchenmischung als auch die mit dem Hirschragout und schüttete aus beiden etwa die Hälfte in Abels Futterschüssel.

Der Kater schaute ihn überrascht an.

»Du hast es verdient!« Er war in Hochstimmung.

Während der Kater seine Portion Kaninchen und Hirsch verspeiste, ging Eli ins Bad und ließ sich auf der Toilette nieder. Er schlug die Zeitung auf, um wie gewohnt nur die Überschriften zu überfliegen.

»Nach dem Sechs-Tage-Krieg verlassen palästinensische Flüchtlinge Israel«, verkündete eine Überschrift in fetten schwarzen Lettern. Auf dem Bild war ein Menschentross zu sehen, der die zerstörte Allenby-Brücke überquerte. Die Leute sahen ganz normal aus, abgesehen von denen, die ihr Hab und Gut auf mitunter komisch anmutende Weise transportierten. Einer zum Beispiel balancierte ein großes rundes Metalltablett auf dem Kopf, auf dem sich verschiedene Nahrungsmittel türmten, während sich ein anderer tief gebeugt dahinschleppte, auf dem Rücken einen umgedrehten Tisch, der ebenfalls als eine Art Tablett diente, in seinem Fall jedoch nicht für Essen sondern für Gegenstände wie einen Gaskocher, eine Schaufel und ein Netz. Auch gab es Frauen, die sich mit prallvollen Säcken auf den Schultern abmühten.

So muss der Auszug aus Ägypten ausgesehen haben, dachte er. Ein ganzes Volk mit Sack und Pack in der Wüste. Einige der Männer auf dem Foto trugen gegen die unbarmherzig brennende Sonne sogar die Kefiya auf dem Kopf.

Er blätterte weiter, doch die Zeitung bestand zum größten Teil nur aus Kriegsgeschichten, die von Ereignissen vor, während oder nach den Kämpfen handelten, begleitet von spektakulären Fotos der nachgestellten Schlacht um die Eroberung der Altstadt oder Bildern der Gefallenen, die allesamt berückend gut und voller Leben aussahen.

Doch er war zu gut gelaunt, um solche Geschichten zu lesen. Die Kassiererin, Anna, hatte ihm die Zeitung schließlich nicht geschenkt, damit er in Schwermut verfiel.

Dann entdeckte er auf der Rückseite der Zeitung das Bild einer wunderschönen weißen Perserkatze mit der Unterschrift:

»Foto: Illustration.« Die Überschrift zu dem Artikel lautete: »Mitzi kehrt zurück«. Neugierig begann Eli zu lesen.

»Ofra und Aharon Brenner hatten beinahe schon alle Hoffnung aufgegeben, nachdem ihre Katze während eines Familienausflugs an den See Genezareth verloren gegangen war, gut sechzig Kilometer von Zuhause entfernt. Zwei Monate waren vergangen und alle Bemühungen, ihr geliebtes Haustier ausfindig zu machen, ergebnislos verlaufen. Doch, o Wunder, zum Ausgang des letzten Schabbats fand sich die Katze wieder, humpelnd, schwach und an Unterernährung leidend, im Hinterhof eines Hauses, das von ihrem nur rund einen Kilometer entfernt gelegen ist. Die gut sechzig Kilometer hat Mitzi in geschlagenen zwei Monaten zurückgelegt und die Krallen ihrer Hinterläufe zeugen von der Entfernung, die sie zu bewältigen hatte.«

Unglaublich, dachte er. Wer hätte geahnt, dass Katzen ihren Besitzern so treu sind?

Abel sprang mit einem Satz auf den Wannenrand und jagte ihm einen gehörigen Schrecken ein. Offenbar hatte er seine Portion verputzt und scheute vor nichts zurück, nicht einmal davor, die Privatsphäre seines Herrchens zu stören, um eine weitere Dose einzufordern.

»Würdest du auch sechzig Kilometer zu mir zurückmarschieren?« Abel antwortete mit einem Maunzen, das klang wie jedes andere auch.

Eli war jetzt fertig auf der Toilette und betätigte die Spülung. Er musste zugeben, dass sein Kater ihn dazu brachte, die Prozedur zu beschleunigen, für die er sich an anderen Tagen – ohne Katze – weitaus mehr Zeit zu lassen pflegte.

Abels Schüssel war wieder so blitzblank geleckt, dass er sein eigenes, entstelltes Spiegelbild darin sehen konnte. Er schüttete den Rest des Kaninchenkleins und des Hirschragouts hinein, und Abel versuchte, die Happen mit seinen Pfoten abzufangen, während sie noch in der Luft und auf dem Weg in den Napf waren.

»Wenn du so weitermachst, musst du bald etwas Sport treiben«, sagte er zu dem Kater. Tatsächlich war nicht zu übersehen, dass der Kater sich nicht nur schnell erholt hatte, seit er bei ihm wohnte, sondern auch schon Gewicht zugelegt hatte.

Eli zog den Wasserkessel auf die Herdplatte und ließ sich am Küchentisch nieder. Er holte den Zettel mit der russischen Fürbitte aus der Tasche, zog die Schublade auf und legte ihn auf seinen eigenen, der dort schon eine Weile lag. »Lieber Gott, schick meiner Tochter einen Bräutigam, und ich verspreche Dir, dass wir in der Heiligen Stadt Jerusalem Hochzeit und Eheschließung feiern werden, mit des Namen Hilfe, ohne Gelübde« kam auf »Mach, dass ich mehr Glück mit Frauen habe, bitte« zu liegen.

Vielleicht war es ja wirklich kein Zufall, dass ausgerechnet er den Zettel gefunden hatte. Und vielleicht war es auch kein Zufall, dass Anna diejenige war, die ihn darauf hingewiesen hatte. Denn sie war ja selbst Russin. Ja, vielleicht war überhaupt nichts Zufall. Wenn er den Kater nicht überfahren hätte, hätte dessen Blut nicht an dem Päckchen geklebt. Und zudem hätte er es rechtzeitig bei dem Orthodoxen abgeliefert, der wiederum an seiner Stelle die Zettelchen in die Klagemauer gesteckt hätte, ja die Aufgabe bestimmt gründlicher und sorgfältiger ausgeführt hätte, als er es getan hatte, weshalb auch kein Zettel am Boden der Schachtel vergessen worden wäre, den Eli dann Anna zeigen konnte.

Entweder nichts war Zufall oder aber alles. Er war von beiden Möglichkeiten überzeugt und fragte sich, welches Schicksal wohl den Zetteln beschieden war, die er verloren hatte und nicht in die Mauerspalten schieben konnte. Er suchte nach einer brillanten Formel für die Macht des Schicksals, nach etwas Scharfsinnigem, das so nur er verfassen konnte, ein Bonmot, das er von Zeit zu Zeit würde zitieren können, bei passender oder auch unpassender Gelegenheit, etwas, das nie an Aussagekraft verlieren würde. Doch es gelang ihm lediglich, einen einzigen Gedanken festzuhalten, der zugegebenermaßen eher eine willkommene Ausflucht als eine stringente Schlussfolgerung war: Es ist leichter, über das Schicksal anderer zu bestimmen als über das eigene.

In diesem Moment klingelte das Telefon. Wieder war es sein Boss, der ihn wissen ließ, die Sache mit dem Päckchen sei zu seiner vollen Zufriedenheit erledigt worden.

»Alles bestens«, sagte er, »nimm dir einen halben Tag frei und komm heute Abend ins Büro. Ich habe einen wichtigen Auftrag für dich.«

In der Zwischenzeit hatte Abel seinen Napf wieder blitzblank hinterlassen und schleppte sich schwerfällig zum Fenster. Er ließ sich darunter nieder, brachte Vorder- und Hinterpfoten zusammen, wackelte zitternd mit dem Hinterteil und machte einen Satz aufs Fensterbrett, ohne die Natter, die in ihrer Konservierungslösung schwamm, und den ausgestopften Sperling auf seinem Ast in ihrer Ruhe zu stören. Neben ihnen wirkte er, als vervollständige er ein Schaubild im Museum.

Was wäre ihm wohl beschieden gewesen, wenn ich ihn nicht angefahren hätte, überlegte Eli. Er betrachtete den Kater, der aus dem Fenster schaute. Es war das erste Mal überhaupt, dass er so etwas tat.

Der Ärmste, dachte er, er sehnt sich bestimmt nach seiner Familie.

9

DAS BÜRO DER KURIERFIRMA war von Neonringen beleuchtet, die in einheitlichem Abstand an der Decke angebracht waren, sodass ihre Lichtkreise sich überschnitten und Schatten nicht die geringste Chance ließen, sich im Raum zu verbreiten. Alle Gegenstände im Raum waren entsprechend einheitlich ausgeleuchtet. Das ganze Büro wirkte, als stünde es offen im gleißenden Licht der Judäischen Wüste.

Dov Führer saß hinter einem ausladenden Schreibtisch, auf dem sich Papierstapel türmten, die jedes Mal, wenn Eli das Büro aufsuchte, unterschiedlich hoch waren. Einmal war dieser Packen größer und dann wieder ein anderer. Doch die Gesamtmenge an Papier schien sich nie zu ändern.

Das Äußere seines Bosses wollte nicht so recht zu seinem Namen passen, der Bär bedeutete. Dov war eher klein geraten und untersetzt, trug einen dürftigen grauen Schnurrbart und hatte schütteres Haar, dessen spärliche Restbestände er von der rechten Seite seines Schädels auf die linke drapierte und dort mit einer Haarklammer an der gehäkelten Kippa befestigt hatte. Es hätte besser zu ihm gepasst, wenn er Steuerbeamter beim Finanzamt gewesen wäre, aber nicht ein Geschäftsmann, dessen Finger in allen möglichen Unternehmungen steckten. Doch vielleicht lag gerade darin das Geheimnis seiner Gewitztheit. Er befand sich immer unmittelbar vor, eine Sekunde nach oder mitten in einem Telefongespräch, wenn Eli sein Büro betrat.

»Setz dich, ich bin gleich bei dir«, sagte er, obgleich er diesmal nicht am Telefon hing.

Eli nahm vor ihm Platz. Führer machte den Anschein, als spinne er einen Gedanken zu Ende. Versonnen nickte er und wandte sich dann seinem Kurierfahrer zu.

»Ich kann mich aufregen, wenn es sein muss, aber ich weiß auch, wann ein gutes Wort angebracht ist«, begann er. »Du hast gestern einen tadellosen Job gemacht. Ich habe schon Anrufe von Kunden bekommen, die sagen, ihre Wünsche seien oben angekommen. Also habe ich beschlossen, dir nichts vom Lohn abzuziehen.«

Eli war erstaunt, wie schnell Gott die Bittsteller erhört hatte, vor allem aber empfand er Erleichterung. Sein Lohn war auch so nicht allzu üppig, und seitdem er Abel aufgenommen hatte, waren ungeplante Ausgaben hinzugekommen.

»Tatsächlich«, fuhr Führer fort, »habe ich beschlossen, dass du von jetzt an nicht nur die Päckchen ausfährst, sondern dich auch darum kümmerst, sie zu leeren. Es macht ja keinen Sinn, noch jemanden Drittes dazu ins Boot zu holen, wäre doch schade um die Dividenden.«

Eli hielt an sich und nickte. Einerseits hatte er nicht die geringste Lust, das, was am gestrigen Abend geschehen war, noch einmal zu erleben. Andererseits, versuchte er sich selbst zu überzeugen, würde er der einzige Mensch in der Stadt sein, dem es erlaubt wäre, den dann menschenleeren Platz vor der Klagemauer aufzusuchen, und diese Vorstellung gefiel ihm.

»Außerdem habe ich, wie ich dir schon am Telefon sagte, eine wichtige Aufgabe für dich.«

Eli sah seinen Boss neugierig an. Es vergingen mehrere Sekunden, ohne dass ein Wort fiel und nur das Sirren der Neonröhren war im Zimmer zu hören.

»Ja?«, fragte er schließlich.

»Hast du schon mal von dem Brauch gehört, Gesäuertes an einen Goj zu verkaufen?«, fragte Führer.

»Äh, ja, um zu Pessach alles Gesäuerte loszuwerden«, erwiderte Eli und fragte sich, was das mit der wichtigen Aufgabe zu tun haben sollte. Es war gerade erst einmal Juli.

»Genau. Und nach den Feiertagen kauft man es zurück. Das Ganze ist ein symbolisches Geschäft«, sagte sein Boss. »Ich habe hier ein kleines Päckchen. Doch so klein es sein mag, so wichtig ist es auch. Ich möchte, dass du es zum Bestimmungsort bringst, es dort einem Burschen übergibst und dann wartest. Fünf, zehn oder auch dreißig Minuten. Solange es eben dauert. Und danach, beim Ausgang des Festes, wenn du so willst, gibt er es dir zurück und du bringst es mir wieder. Wie ein Bumerang. Verstanden?«

Eli nickte. Das klang ziemlich einfach.

»Schön«, sagte Führer. Er verschwand unter seinem Schreibtisch und tauchte mit einem grünen Schuhkarton wieder auf.

»Pack es dir von mir aus unters Kopfkissen«, sagte er und reichte Eli das Paket, der es nur mit einer Hand entgegennahm, worauf etwas Schweres in dem Karton ins Rutschen geriet und die andere Seite in die Höhe schnellen ließ.

Ungefähr zwei Kilo, schätzte er.

»Ohne wenn und aber, verstanden?«, blaffte Führer, noch ehe Eli dazu kam, auch nur ein Wort zu sagen. »Und das lohnt sich für dich.«

Das Telefon klingelte. Führer hob ab.

»Führer & Partner, ich bin sofort bei Ihnen«, säuselte er in den Hörer.

Eli fragte sich, wer wohl diese Partner waren, denn im Büro hatte er außer seinem Boss noch nie jemanden angetroffen. War der Soldat mit dem Bärtchen damit gemeint? Der Orthodoxe? Oder etwa er selbst?

»Und vergiss die Zettel nicht, an der Tür.« Sein Boss machte eine Bewegung mit dem Kopf und widmete sich wieder dem Telefonat.

Eli erhob sich, um zu gehen. Neben der Tür wartete ein Karton von der Größe eines Fernsehapparats auf ihn. Besonders schwer war er aber nicht.

Er wunderte sich über all die namenlosen Menschen, die ihre Wünsche an die Mauer schickten. Hinter jedem solchen Zettel verbarg sich ein Mann oder eine Frau, ein Junge oder ein Mädchen, und sicher auch nicht wenige Alte und Kranke, die um Erlösung baten, an Körper oder Seele.

Einerseits empfand er so etwas wie eine Mission, fühlte sich jedoch anderseits ebenso als Betrüger. Schließlich war es mindestens der Hälfte der ihm beim letzten Mal anvertrauten Zettel nicht vergönnt gewesen, die verheißungsvolle Berührung der kühlen Felsquader zu spüren. Ja, einer von ihnen lag jetzt sogar in seiner Küchentischschublade.

Andererseits hatte der Boss aber gesagt, es hätten Leute angerufen, um zu sagen, ihre Wünsche seien erhört worden.

Waren das diejenigen gewesen, deren Zettel er in die Mauer gestopft hatte, oder aber ausgerechnet die, deren Zettel auf Nimmerwiedersehen darüber hinweg geflattert waren?

10

DIE VESPA ÄCHZTE beim Anstieg zum Ölberg hinauf und Eli hatte Angst, denn träfe ihn jetzt ein starker Windstoß, würde es ihn wahrscheinlich umwehen. Doch es kam kein Wind. Er hielt den Karton mit den Zetteln zwischen den Beinen eingeklemmt, während das kleine Päckchen im Korb hin und her schleuderte.

Endlich hatte es die Vespa auf ebenes Terrain geschafft und nahm wieder Fahrt auf. Er umkurvte den Komplex des Auguste-Viktoria-Krankenauses, der im Krieg bombardiert worden war, und kam an einer Reihe parkender Fahrzeuge vorbei, darunter ein weißer Citroën, ein roter Simca, ein grüner Fargo Truck und ein Sherman Panzer, vor dem eine seiner Ketten leblos auf der Straße lag, während der Turm mit dem Geschützrohr zu Boden zeigte.

Hier nach rechts, erinnerte er sich an die Anweisungen des Bosses und bog ab. Das kleine Paket warf es im Korb nach links.

Er folgte der sich wie eine Schlange windenden Straße bis zur letzten Straßenlaterne, schaltete den Scheinwerfer der Vespa auf Fernlicht und verlangsamte seine Fahrt. So rollte er noch eine Weile weiter dahin, bis er von weitem zwei ausgebrannte Command Cars sah, die parallel zueinander etwas versetzt auf der Fahrbahn lagen und eine Art Straßensperre bildeten.

Er hielt in einiger Entfernung, stellte aber den Motor nicht ab, um das Licht des Scheinwerfers nicht zu verlieren. Auf ein weiteres Abenteuer bei Dunkelheit hatte er nun wirklich keine Lust. Von dort, wo er stand, konnte er den verbrannten Geruch der Command Cars wahrnehmen, obgleich diese bestimmt schon vor einer ganzen Weile den Flammen zum Opfer gefallen waren.

Waren das Hinterlassenschaften des Kriegs oder der nachgestellten Kämpfe um Jerusalem?, fragte er sich.

Aus dem rechten Command Car kletterte jetzt ein Mann in einer weißen, langen Dschallabija, die aussah wie ein Talar, und kam auf ihn zu. Eli war erstaunt, dass, obgleich der Mann offenbar aus dem verkohlten Fahrzeugwrack gestiegen kam, seine Dschallabija schneeweiß geblieben schien.

»Massa al-cheir - guten Abend«, sagte der Mann. Er war um die fünfzig, ein schmales, gepflegtes Bärtchen zierte seine Oberlippe und seine Gesichtshaut leuchtete im Licht des Scheinwerfers.

»Massa al-cheir«, gab Eli zurück.

»Hast du etwas für mich?«, fragte der Andere mit sanfter Stimme, die ihn an den Orthodoxen aus der vorangegangenen Nacht erinnerte. Führer machte offenbar nur Geschäfte mit höflichen, kultivierten Menschen.

Eli streckte ihm das kleine Paket entgegen.

»Und was ist das?«, der Mann deutete auf den Karton mit den Zetteln, der im Fußraum der Vespa verblieben war.

»Ah, das hat nichts damit zu tun«, erwiderte Eli.

Der Mann nickte verstehend und wies auf das Command Car. »Warte hier, bitte.«

Er ging zurück zu dem ausgebrannten Fahrzeugwrack, und der leichte Wind, der jetzt wehte, ließ seine Dschallabija flattern wie eine weiße Fahne.

Eli hockte sich wieder auf seine Vespa. In der Stille der Nacht war das Knattern des Motors unerträglich, und so stellte er ihn ab. Jetzt herrschte absolute Ruhe. Die Dunkelheit schärfte sein Gehör, sodass er das Rascheln des geöffneten Päckchens in dem Command Car wahrnahm und dann etwas, das wie das Schlagen eines eisernen Stößels klang. Wenige Augenblicke später hörte er bereits die Faltgeräusche des Papiers, die davon kündeten, dass das Päckchen wieder geschlossen wurde.

Es vergingen weitere Minuten, doch der Araber tauchte nicht wieder auf. Eli fragte sich, ob er nicht doch zu dem ausgebrannten Armeefahrzeug gehen sollte. Immerhin hatte der Andere ihn ja gebeten, hier bei seinem Motorroller zu warten.

Er machte ein paar Schritte auf die Fahrzeugwracks zu, bis er ein ihm bekanntes Geräusch aus dem eisernen Gerippe hörte. Eine Art niedrigtouriges, monotones Schnurren, das er nicht eindeutig zuordnen konnte. Er wusste nur, dass es nicht von einem elektrischen Gerät oder einem Motor stammte. Also marschierte er weiter auf das Command Car zu, und seine Schritte klangen, als hätte er Sandpapier an den Schuhsohlen kleben.

»Entschuldigung«, sagte er bei dem Fahrzeug angelangt, »ich muss das Päckchen wieder mitnehmen.«

»Hadi – ruhig«, zischte der Mann und legte einen Finger an die Lippen.

Eli spähte durch die fehlende Beifahrertür und sah, dass der Mann auf einem weißen Laken saß, das über dem verbrannten Sitz ausgebreitet war. Das Schnurren, das er gehört hatte, kam aus der Brust eines schwarzen Katers, der friedlich schlafend auf dem unteren Teil der Dschallabija des Mannes lag.

Der Araber zog unvermittelt ein kleines Messer aus einem Lederfutteral an seinem Gürtel. Er spannte die Dschallabija zwischen sich und dem Kater und begann, sie behutsam entzwei zu schneiden. Der dünne Stoff ließ sich ohne weiteres durchtrennen und schon bald lag der Kater auf einem eigenen kleinen weißen Laken. Vorsichtig hob der Mann nun das eine Bein über den Kater hinweg und stieg aus dem Wagen, ohne das schlafende Tier dabei zu wecken.

Dann begleitete er Eli zurück zu seiner Vespa.

»Tfadal – bitte sehr«, er reichte ihm das Päckchen. Es sah genauso verpackt aus wie zuvor, aber Eli war überrascht festzustellen, dass es jetzt mindestens das Doppelte wog.

»Danke«, sagte er.

Der Mann nickte abermals. Er wartete, bis Eli den Roller angelassen hatte, und machte erst dann Anstalten zu gehen.

11

DAS NÄCHTLICHE ERLEBNIS hinterließ bei Eli so etwas wie eine innere Ruhe, die er nicht erwartet hatte, deren er aber sehr bedurfte. Ja, es war eigentlich mehr als Ruhe. Eher so etwas wie Gelassenheit. Die Sorglosigkeit der Einsamkeit. Etwas am Verhalten des Arabers, mit dem Kater an seiner Seite, war einfach und bescheiden gewesen und hatte darum etwas Inspirierendes, beinahe Königliches. Eine geläuterte Einsamkeit, die nicht mehr schmerzt, sondern beglückend ist.

Das Paket, das jetzt wohl vier Kilo wiegen mochte, polterte immer wieder im Korb von einer Seite auf die andere, und Eli spürte die leichten Stöße im Heck des Rollers, während er die kurvenreiche Straße den Berg hinabrollte. Vielleicht hätte er es sich besser auch zwischen die Schenkel klemmen sollen, überlegte er. Überhaupt, was sollte er damit machen, wenn es Zeit wurde, die Zettel zur Klagemauer zu bringen? Führer hatte ihn doch beschworen, es nicht aus den Augen zu lassen. »Pack es dir unters Kopfkissen«, hatte er ihn angehalten.

Er fuhr zurück zur Mauer und sah schon von weitem wieder die überlebensgroßen Schatten mehrerer Katzen. Daneben wirkten die Bulldozer, die noch immer am Rand des Platzes abgestellt standen, wie Spielzeugautos. Er wartete ab, bis der kleinwüchsige Polizist am Tor vorbeigelaufen war, und stieg dann erst von seinem Roller.

Wenig überraschend war der Wachposten am Eingang derselbe Soldat wie am Tag zuvor, der mit dem schütteren Backen- und Oberlippenflaum. Offenbar sah Führer zu, dass er immer mit denselben Leuten arbeitete. Den Partnern, wie er sie nannte.

Der Soldat beäugte erstaunt den großen Karton.

»Gott gebe dir Kraft!«, sagte er und ließ Eli passieren.

Vorsichtig öffnete er den Karton und legte als erstes das schwere Päckchen auf die Zettel, damit der Wind sie sich nicht wieder holen konnte. Es waren diesmal mindestens zehnmal so viele Zettel, aber er erledigte seine Arbeit geflissentlich und genoss dabei sogar die göttliche Stille, die auf dem Platz vor der Mauer herrschte. Es war ja erst das zweite Mal, ging ihm plötzlich auf, und trotzdem war es für ihn schon fast so etwas wie eine religiöse Zeremonie geworden.

Ab und zu warf er einen Blick auf einen der Zettel und versuchte, dessen Chancen abzuschätzen, erhört zu werden, bevor er ihn zusammenknüllte und in eine Mauerspalte steckte. Neben Russisch erkannte er noch andere ausländische Sprachen, darunter Französisch und Englisch.

Jeder dieser Zettel hatte etwas von einer Flaschenpost, die von einem Menschen, dessen Schiff untergegangen war und der sich auf eine einsame Insel hat retten können, ins Meer geworfen worden war. Und er, Eli, hatte die an den Strand gespülte Flasche gefunden und überbrachte ihre Botschaft jetzt den zuständigen Stellen.

Bei diesem Gedanken lächelte er bei sich und las den Inhalt eines der Zettel auf Englisch.

»Father, take away the pain«, stand dort geschrieben.

Eli versetzte es einen Stich. Er faltete den Zettel zweimal und schob ihn vorsichtig so tief es ging in den Schoß der kühlen Felsquader, als wollte er sicherstellen, dass dieser Zettel als erster gelesen würde.

Auf dem Rückweg dachte er viel nach über diese eine Bitte, die sich von allen anderen, die er bisher gelesen hatte, unterschied. Irgendwo auf der Welt gab es einen Menschen, der nichts von Gott bekommen wollte, sondern darum bat, dass Gott ihm etwas nahm. War hier von körperlichem oder seelischem Leid die Rede? Bestand vielleicht keine Hoffnung mehr, und alles, was ihm (oder ihr) noch blieb, war zu beten?

So sehr war er mit diesen Gedanken beschäftigt, dass er sich verfuhr und umdrehen musste. Als er wieder an der Mauer vorüberkam, diesmal von Ost nach West, bemerkte er aus dem Augenwinkel etwas, das ihn stutzig machte. Er stellte die Vespa am

Straßenrand ab, um den Platz vor der Klagemauer näher untersuchen zu können. Abgesehen von den Katzen, die den Platz hier und dort wie winzige Punkte bevölkerten, stand dort ein Mensch mit dem Gesicht zur Mauer. Eli beobachtete die Szene. Der Mann trug ein schwarzes Hemd. Oder sollte sein Oberkörper nackt und seine Haut besonders dunkel sein? Wie auch immer, es war leicht, seinen Bewegungen vor dem Hintergrund der hellen, sonnengebleichten Steinquader zu folgen.

Jetzt schob der Mann den Arm tief zwischen die Felsblöcke, verdrehte die Schulter und zog dann die Hand wieder hervor, die einen Packen Zettel umklammert hielt, die auf den gepflasterten Boden des Vorplatzes flatterten und dort einen kleinen Haufen bildeten. Es musste vollkommen windstill sein. Denn nun öffnete der Mann einen großen Müllsack, bückte sich und sammelte die Zettel ein. Als er damit fertig war, machte er einen Schritt nach links und steckte den Arm in die nächste Lücke. So durchkämmte er die Mauer der ganzen Breite nach, einschließlich des schmalen, den Frauen vorbehaltenen Bereichs, von seinen in Sandalen steckenden Füßen bis so weit nach oben, wie sein gereckter Arm reichte. Er füllte mehrere grüne Müllsäcke, die er nebeneinander auftürmte, hielt dann inne und warf einen Blick auf seine Armbanduhr, als wartete er auf irgendetwas. Etwa eine Minute später verfolgte Eli, wie der kleinwüchsige Polizist abermals am Tor vorbei patrouillierte. Kaum war er wieder verschwunden, warf sich das Schwarzhemd die Säcke über die Schulter und verließ den Platz, so wie er gekommen war, durch das Haupttor.

Wut und Empörung erfüllten Eli. Er wollte alles stehen und liegen lassen und dorthin rennen, aber gleichzeitig wusste er, er war zu weit weg.

»He!«, brüllte er, doch sein Schrei verklang ungehört.

Der Mann schien nicht im Geringsten besorgt, jemand könnte ihn bei seiner Schandtat überraschen, denn sein Vergehen war höchst wahrscheinlich sein Lebensunterhalt. Er war nichts anderes als Elis zweite Hälfte. Derjenige, der ihn im Morgengrauen bei der Wache ablöste. Der eine pflanzte Hoffnungen ein, der andere riss sie wieder aus und schaffte Platz für neue Hoffnungen – war dies nicht die spöttische Natur aller Hoffnung, dass wir uns stets Ziele setzen, die wir nie erreichen?

Wieder zu Hause, fand er Abel wie versteinert auf dem Fensterbrett vor, neben dem Glas mit der Natter und dem ausgestopften Sperling auf seinem Ast. Es schien, als hätte er sich nicht bewegt, seit Eli das Haus verlassen hatte.

»Was ist los mit dir?«, fragte Eli verärgert. Doch der Kater wahrte sein Schweigen.

12

AM NÄCHSTEN MORGEN stand Eli zeitig auf und eilte zum Laden an der Ecke. Er musste neues Futter für Abel und auch ein paar Dinge des täglichen Bedarfs für sich selbst besorgen. Mehr als alles andere aber wollte er das Gespräch mit Anna, der Kassiererin, fortsetzen.

Er wählte sechs Dosen Katzenfutter für Abel aus – zweimal Kaninchen, zweimal Hirsch und jeweils einmal Geflügel und Gänseklein – und für sich ein Säckchen Kartoffeln, ein paar Zwiebeln und ein Pfund Tomaten, die besonders fruchtig aussahen, und machte sich dann erwartungsvoll mit seinen Einkäufen auf den Weg zur Kasse.

Anna schaute ihn fragend an.

»Na, hast du den Zettel in die Mauer gesteckt?«, wollte sie wissen, während sie die Preise in die Kasse tippte.

»Ja«, gab er automatisch zurück. Eigentlich wollte er sie nicht anlügen, aber es war einfach weniger belastend, als ihr die Wahrheit zu gestehen: Er hatte den Zettel in die Küchentischschublade gelegt, weil er nicht wollte, dass der Wunsch erfüllt wurde. Das heißt, noch nicht. Solange er allein war, sollte die in Russland es auch sein. Außerdem war jetzt die empörende Erkenntnis der vergangenen Nacht hinzugekommen: Die Klagemauer war nicht mehr als eine betrügerische Bank. Ihr auch nur eine Lira anzuvertrauen, machte überhaupt keinen Sinn.

»Und was ist mit dir, hast du auch schon einen Zettel dort deponiert?«, fragte sie, als sie alle seine Einkäufe eingegeben hatte. Es geschah in dem flüchtigen Augenblick zwischen dem letzten Eintippen und dem klingelnden Verkünden des Gesamtbetrags. Eine Lücke, durch die man eine persönliche Frage einschmuggeln konnte, die sich außerhalb des geschäftsmäßigen, von der Situation im Laden vorgegebenen Rahmens bewegte.

»Noch nicht«, antwortete er und wunderte sich, dass er das eigentlich Selbstverständliche nicht getan hatte, als er exklusiven Zugang zur Mauer genossen hatte und noch nichts von der Entsorgungszeremonie der Zettel wusste.

»Ich schon«, sagte sie stolz und lächelte ihr trauriges Lächeln.

»Und worum hast du gebeten?«

»Sag ich nicht! Sonst werd' ich nicht erhört.«

»Auch so nicht ...«, sagte er und biss sich sofort auf die Zunge, doch der leicht herauszuhörende sarkastische Ton der Bemerkung war schon heraus.

»Was, auch so nicht?« Misstrauisch schaute sie zu ihm auf.

»Keine Ahnung«, log er.

Anna sah ihn an, als sei sie gekränkt.

»Macht dreieinhalb Lira«, verkündete sie schließlich in jetzt wieder geschäftlich-nüchternem Ton. Die Gelegenheit war vertan.

»Ich dachte«, sagte er bedauernd, »vielleicht kauf′ ich doch diese Kabelbinder, für meinen Kater ...«

»Oh, das ist aber schade«, erwiderte Anna. »Ich hab′ gerade gestern erst das letzte Paket an einen Elektriker verkauft.«

»Gut, macht nichts.«

»Weißt du was«, sie langte mit der Hand unter den Tresen, auf dem die Kasse stand, und begann, dort in irgendwas zu wühlen.

»Ich hab' immer einen in der Tasche, die Dinger gehen so leicht verloren.« Sie zog einen schwarzen Kabelbinder hervor und reichte ihn ihm.

»Ein Geschenk von mir«, sagte sie, und ein trauriges Lächeln mühte sich auf ihr Gesicht.

Eli besah sich den Kabelbinder. Es waren Beißspuren einer anderen Katze daran. Hoffentlich machte es Abel nichts aus, ein schon benutztes Geschenk zu bekommen.

»Danke«, meinte er unbeholfen.

»Erzähl mir irgendwann, ob es ihm gefällt«, sagte sie und steckte ihm auch wieder die Morgenzeitung zu.

13

VOR DEM HAUS parkte ein weißer Pritschenwagen mit der Aufschrift »Stadtverwaltung Jerusalem – Gesundheitswesen«. Eine große, zu einem spitzwinkligen Dreieck aufgeklappte Leiter ragte über dem Eingang in die Höhe. Auch wenn Eli meinte, nicht im Geringsten abergläubisch zu sein - aber das war selbst für ihn zu viel. Von rechts umkurvte er die Leiter und sah, dass die Fuchsrote mit der weißen Brust und der schwarze Perserkater mit den weißen Pfoten ihre Stellung aufgegeben hatten.

Plötzlich vernahm er eine Stimme über sich: »He, Kumpel, kannst du mal eben die Leiter halten?« Von einem Augenblick auf den anderen war das Schicksal eines Fremden in seine Hände gelegt.

Der Mann kletterte jetzt aus dem schmalen Fenster der ehemaligen Schauspielschule im ersten Stock und kam mit großer Selbstverständlichkeit die Sprossen der Leiter herabgestiegen, als würde Eli schon immer und ewig die Leiter sichern, ja als hielte er ihn regelrecht an der Hüfte fest. Sein Gesicht glänzte vor Schweiß und Eli begriff, er war in eine Szene geraten, die schon vor einer ganzen Weile begonnen haben musste.

»Danke, mein Freund«, sagte der Andere und hielt ihm eine verschwitzte Hand hin. »Ich bin Gideon, Katzenfänger bei der Stadtverwaltung, Gidi.«

In seiner kurzen, khakifarbenen Hose und dem dazu passenden Drillichhemd sah er tatsächlich aus wie ein Gideon – ein Moschawnik, ein Landei, das gerade seine Kühe gemolken oder das Korn geschnitten hatte.

»Ich bin Eli.«

»Sehr angenehm. Hör mal, Eli, kannst du mir für ein paar Minuten zur Hand gehen? Normalerweise arbeiten wir zu zweit, aber im Augenblick gibt es einfach zu viele Aufträge und ich bin hier allein.«

»Okay«, sagte Eli.

In dem Augenblick kam die Katzenfrau um die Straßenecke, in der Hand eine Einkaufstüte mit mehreren Konservenbüchsen darin. Sie musste offensichtlich unmittelbar nach Eli im Laden gewesen sein.

»Hier, ich hab′ ihr ein bisschen was zu fressen mitgebracht«, sagte sie.

»Machen Sie sich keine Sorgen«, sagte Gidi, »die könnte auch zwei Wochen ohne Fressen und etwas zu trinken überleben, wenn es sein muss.«

Die Frau öffnete eine der Dosen und reichte sie ihm.

»Sie wird jetzt nichts fressen, sie ist vollkommen verängstigt«, widersprach Gidi ungeduldig und wandte sich wieder seiner Mission zu.

Die Katzenfrau ging einmal um die Leiter herum und gesellte sich zu Eli, ignorierte ihn aber gänzlich, als wäre er bloß ein unwichtiger Bühnenarbeiter in einem Zweipersonenstück, in dem nur sie und der Katzenfänger auftraten.

»Aber ich verstehe nicht, wie sie überhaupt dahin
gekommen ist.«

»Sie muss an dem Fallrohr hochgeklettert sein, und ist dann durch das Fenster nach innen gefallen. Vielleicht ist sie auch bei der Jagd auf einen Vogel oder sonstwas reingesprungen und hat nicht geahnt, dass sie nicht wieder raus kann.«

»Die Ärmste«, seufzte die Katzenfrau und begann zu rufen: »Mitzi, Mitzi.«

Plötzlich antwortete ihr ein Stimmchen aus dem ersten Stock, ein klägliches Miauen.

»Das ist sie! Es geht ihr gut!«

Wie zur Bestätigung miaute die Katze mehrmals. Obwohl ihr Miauen mehr oder weniger wie das aller Katzen klang, war sich Eli sicher, dass weder von der Fuchsroten mit der weißen Brust noch von dem schwarzen Perser mit den weißen Pfoten die Rede war. Deren Miauen kannte er bereits.

Der Katzenfänger stieg behände die Leiter hinauf und zwängte sich erneut durch das Fensterchen. Dann war von drinnen ein kleiner Tumult zu hören. Kurz darauf kam er mit blutig gekratzten Unterarmen wieder heraus.

»Das ist ein Biest, so geht‘s nicht«, sagte er. »Ich werd' sie mir von draußen angeln müssen.«

Er kam die Leiter wieder herabgestiegen, marschierte zu dem weißen Pritschenwagen und griff sich durch das halboffene Seitenfenster der Fahrerkabine eine Teleskopstange. An einem Ende befand sich eine Schlaufe und aus dem anderen hing eine Schnur.

»Aber Sie packen sie damit doch nicht am Hals, oder?«, fragte die Katzenfrau besorgt.

»Ich werd´ versuchen, ihre Vorderläufe einzufädeln, wenn sie mich lässt. Und wenn das nicht klappen sollte, bekäme sie auch nur für ein paar Sekunden die Luft abgedrosselt.«

Mit diesen Worten vertraute er Eli die Stange an und kletterte wieder die Leiter hoch. Oben angekommen, langte er nach unten und nahm ihm die Angelrute ab.

Eine Frau, die gerade mit ihrer kleinen Tochter vorbeikam, blieb neben ihnen stehen.

»Was passiert hier?«, wollte sie wissen.

»Das ist ein Katzenfänger von der Stadtverwaltung«, beschied ihr die Katzenfrau sichtlich stolz.

»Guck mal!« Die Frau beugte sich zu ihrer Tochter hinab, die sich schüchtern zwischen ihren Beinen versteckte. »Der Mann da oben ist ein Katzenfänger von der Stadtverwaltung, und er fängt jetzt gleich die Katze ein!«

»Nein, nein. Er ist hier, um sie zu befreien!«, korrigierte die Katzenfrau aufgebracht.

Gidi manövrierte jetzt die Stange durch das schmale Fensterchen, wobei ihm vor Anstrengung der Schweiß vom Kinn troff.

»Na, komm schon, Mitzi. Man will dir doch nur helfen ...«, brummte er und hantierte mit der Angelrute durch die schmale Öffnung in der Hauswand. Dann zog er unvermittelt kräftig an der Schnur und das Mauzen der Katze wurde auf einen Schlag zu giftigem Fauchen. Vorsichtig bugsierte er sie durch das Fenster wie ein Angler, der einen dicken Fisch am Haken hat. Es war eine aus dem rotschwarzweißen Trio, das der Katzenfrau immerzu um die Beine strich.

»Alle Achtung!«, rief die Mutter, bemüht, auch ihre Tochter mit ihrer Begeisterung anzustecken. Doch die Kleine starrte nur wie hypnotisiert auf die Katze, die am Ende der Stange zappelte.

Der Katzenfänger kam die Leiter herabgestiegen, wobei er die Rute weit vom Körper weghielt.

»Das Netz!«, wies er Eli an und deutete mit dem Kinn in Richtung des Wagens.

Eli hastete zu dem Fahrzeug und griff durch das geöffnete Fenster nach einer zweiten langen Stange mit einem Netz an einem Ende. Wieder bei der Leiter angekommen, streckte er die Stange von sich. Gidi manövrierte die Katze umgehend in den Schlund des Netzes. Dann löste er die Schlinge um ihren Hals, und sofort begann das Tier, sich in dem Netz zu winden und zu zappeln wie ein gerade aus dem Wasser gezogener Karpfen.

»Ganze Arbeit!«, rief Gidi.

Eli brauchte beide Hände, um das wild tobende Netz unter Kontrolle zu halten.

»Nu, lassen Sie sie endlich frei!«, verlangte die Katzenfrau ungeduldig.

»Tut mir leid, Verehrteste«, erwiderte der Katzenfänger und wischte sich mit dem Handrücken den Schweiß von der Stirn. »Wir haben klare Anweisungen von der Stadtverwaltung: hat eine Katze keine Impfmarke, dann direkt ab mit ihr zum städtischen Veterinäramt!«

Er klappte die Leiter ein und machte Eli ein Zeichen, mit ihm zum Pritschenwagen zu kommen.

»Das ist nicht in Ordnung«, rief ihm die Frau nach. »Hätte ich das gewusst, hätte ich Sie gar nicht bestellt!«

Sie kam ihnen nachgelaufen, während Gidi die Leiter auf den Dachgepäckträger des Wagens wuchtete und dann die Klappe des Kastens auf der Pritsche öffnete.

Drinnen standen einheitliche Plastikboxen aufgereiht mit kleinen Netztüren an der Stirnseite, durch die Katzenaugen funkelten. In mehreren Boxen glimmten vier Augen, in einer anderen nur drei. Gidi zog eine leere Box heraus.

»Ich mache die Box auf und du hältst das Netz dagegen«, wies er Eli an, der nur widerwillig zu seinem Gehilfen geworden war.

Wie befohlen hielt Eli das Netz vor die geöffnete Box, doch die Katze spielte nicht mit.

»Vorwärts, Mitzi!« Gidi klopfte ihr leicht auf das Hinterteil.

Die Katze fauchte.

Er schlug etwas fester zu, und als das Tier immer noch nicht reagierte, zog er einen langen Nagel aus seinem Gürtel und stach es damit leicht in den Hintern.

Die Katze machte einen Satz, verharrte dann aber auf halbem Weg im Netz und fletschte die Zähne.

Eli warf dem Katzenfänger einen ratlosen Blick zu.

»Nicht bewegen!«, befahl der.

Wieder näherte er sich der Katze mit dem Nagel, als plötzlich zwei Straßenkater sich wie aus dem Nichts pfeilschnell auf das Netz stürzten. Eli erschrak und ließ die Stange mit dem Fangnetz fallen, was der Katze Gelegenheit gab, sich daraus zu befreien und die Flucht zu ergreifen.

»Scheiße«, entfuhr es Gidi, der ihr sogleich nachsetzte.

»Vorwärts Mitzi!«, kreischte die Katzenfrau und schlug in die Hände, während die Mutter und ihre Tochter das Geschehen gebannt verfolgten.

Mitzi legte eine scharfe Kehrtwende hin, in dem Versuch, dem Katzenfänger zu entkommen, der wirklich außergewöhnliches Geschick in seinem Beruf an den Tag legte. Fast schien es, als wäre er auch in der Lage gewesen, eine Maus mit dem Mund zu packen.

Die Katzenfrau breitete der jetzt wieder panisch auf sie zustürmenden Katze die Arme aus, als diese unversehens einen mächtigen Satz machte und sich mit ihren Krallen in der schlaffen Haut der Frau am Hals festklammerte und dort wie ein Äffchen auf einer Schaukel hin und her pendelte, während ihr Frauchen laut schrie.

»Nicht bewegen!«, rief Gidi, der mit seiner Teleskopstange hinzugestürzt kam und versuchte, die Katze zu bändigen.

Die Katzenfrau aber wand sich panisch, versuchte, sich von den Krallen der Katze zu befreien, die sich tief in ihren Hals gegraben hatten.

»Nicht bewegen!«, befahl der Katzenfänger noch einmal, doch die Frau schüttelte wie von Sinnen den Kopf, bis die Katze losließ und – zu ihrem Unglück – genau auf Gidi zulief, der sich beeilte, ihr die Schlinge um den Hals zu werfen und sie ohne allzu viel Mitgefühl in die Box zu befördern.

»Sie sind wohl nicht normal?!«, herrschte er die Katzenfrau an. »Und was, wenn Sie Ihnen den Hals aufgeschlitzt hätte?«

Die völlig aufgelöste Frau tastete nach der frischen Wunde an ihrem Hals, die sich aber als nicht mehr erwies als zwei kleine Löcher und ein paar Tropfen Blut.

»Das hat sie nicht absichtlich gemacht, das wollte sie nicht ...«, murmelte sie.

»Sie hätte Ihnen die Halsschlagader zerfetzen können«, legte der Katzenfänger nach und stellte die Box mit der Katze so auf die Ladefläche, dass die Tür mit dem Gitter auf das Netzgeflecht einer anderen Box zeigte, aus der ein Paar Katzenaugen linsten.

»Das wird sie ein bisschen beruhigen«, erklärte er Eli, als ginge dessen Unterweisung als Gehilfe ungeachtet des ganzen Tumults einfach weiter.

»Ich will, dass Sie ihr etwas zu fressen geben«, sagte die Katzenfrau, die sich in der Zwischenzeit etwas beruhigt zu haben schien, und die Kratzwunde mit einem um den Hals gebundenen Taschentuch verdeckt hatte.

»Füttern Sie alle«, sagte sie und reichte Gidi die Tüte mit den Futterdosen.

»Keine Sorge, Verehrteste«, jetzt schien auch der Katzenfänger wieder gelassen und lächelte zum ersten Mal. »Ich kümmere mich immer um meine Bagage. Aber Sie, Sie kümmern sich am besten nur um sich selbst. Das ist ganz schön gefährlich, was Sie machen, jetzt bei all den Katzen.«

»Ist es nicht«, beharrte sie und presste sich das Taschentuch an den Hals.

»Sie sollten das desinfizieren lassen.«

»Katzen sind reinliche Tiere«, gab sie beleidigt zurück und machte Anstalten zu gehen.

Gidi warf die Tür des Pritschenkastens zu. Mit ein, zwei Schritten war er bei der Fahrerkabine, beugte sich durchs offene Seitenfenster und zog einen Verbandskasten aus dem Handschuhfach. Diesem entnahm er ein Fläschchen mit Jod und verteilte ein paar Spritzer der braunen Flüssigkeit auf die blutigen Kratzwunden an seinen Unterarmen.

»Das Kätzchen hat uns ganz schön zu schaffen gemacht, was?«, sagte er zu Eli wie ein frisch verwundeter Soldat, der mit einem Kameraden Erinnerungen an die Schlacht teilen will.

Eli hätte schwören können, dass die beiden Katzen, die ihn attackiert hatten, die Fuchsrote mit der weißen Brust und der schwarze Perserkater mit den weißen Pfoten waren, die sonst immer vor dem Eingang seines Hauses vor sich hindösten. Nie hatte er sie derart ungestüm gesehen.

Gidi reichte ihm jetzt das Jodfläschchen zusammen mit einem Gazetupfer und Pflaster. Eli inspizierte eingehend seine Arme, hatte das Ganze jedoch ohne einen Kratzer überstanden.

»Willst du ein guter Nachbar sein, dann vergewissere dich, dass sie die Wunde auch desinfiziert und ordentlich verbindet«, sagte Gidi. »Eigentlich müsste sie sich schnellstens impfen lassen, auch wenn die bestimmt schon auf natürlichem Weg geimpft ist.« Er grinste.

»Ich werd's versuchen.«

»Hast du Lust, Mittag mit mir zu machen? Ich lad' dich ein!«

»Danke, ich hab' keinen Hunger.«

»Ein Bier tut's auch.«

»Nein, muss wirklich nach Hause«, antwortete Eli ausweichend.

»Was denn, hast du eine Freundin?«

Eli zuckte unbeholfen mit den Schultern. Gidi lächelte verständnisvoll.

»Na, dann ein andermal ....«

14

WAS FÜR EIN ABENTEUER!, dachte Eli, als er die Einkäufe die Wendeltreppe hochschleppte. Er fragte sich, ob das Ganze für Gidi nicht ein ganz gewöhnlicher Arbeitseinsatz unter vielen gewesen war. Denn schließlich wurde jede Arbeit, so aufregend sie auch sein mochte, letztlich irgendwann zu Routine. Auch die Astronauten des mit ungeheurem Aufwand vorangetriebenen amerikanischen Weltraumprogramms, die im Fernsehen gefragt worden waren, wie sie sich fühlen, wenn sie in ihrer Kapsel an der Spitze der Rakete sitzen, Sekunden vor dem Start, hatten geantwortet: »Das ist der Job.«

Und selbst er hatte in letzter Zeit ja einige Abenteuer bei seiner Arbeit erlebt. Hätte denn jemand ahnen können, dass er tagsüber ein einfacher Kurierfahrer auf einem Motorroller war, nachts jedoch die geheimsten Wünsche von Menschen aus der ganzen Welt in die Fugen und Spalten der ältesten Steine in Jerusalem schob, als flüstere er dem Allmächtigen ihren Schmerz persönlich ins Ohr? Nicht bloß ein gewöhnlicher, nichtssagender Sendbote war er, sondern ein regelrechter Abgesandter!

Für einen Moment ließ er die Illusion, die getreue Freundin der Hoffnung, seine Gedanken verzaubern.

Eine einzelne Zwiebel glitt aus seinem Einkaufsbeutel und kullerte die Stufen der Wendeltreppe hinab. Eli seufzte. Einmal war es ein aufsässiger Apfel, einmal eine widerspenstige Zwiebel. Doch jedes Mal verriet der Klang der Stufen, dass in dem Augenblick, in dem etwas mehr oder weniger Rundes sich den Spaß machte hinabzurollen, er sich wieder bis ganz nach unten würde bemühen müssen. Eli ließ der Zwiebel für den Moment ihren Spaß und nahm sich vor, sie erst einzusammeln, wenn er das nächste Mal die Treppe hinaufstiege.

Er betrat die Wohnung in der Erwartung, etwas von der Aufregung, unter deren Eindruck er noch stand, mit Abel zu teilen, doch der Kater kam nicht, um ihn zu begrüßen. Er hockte mit dem Rücken zu ihm auf der Fensterbank neben seinen neuen Freunden, der Natter und dem kleinen Vogel, und wirkte nicht weniger ausgestopft und konserviert als sie.

»Was gibt's denn da bloß zu sehen?«, fragte Eli und blieb hinter ihm stehen.

Nicht weit von seinem Haus entfernt konnte er den Maccabi-Motzeri-Platz sehen, den »Miezenplatz«, wie er von den Einheimischen genannt wurde, weil sich dort die Huren – die Miezen – mit ihren Freiern trafen. Einige der Frauen standen sich dort schon jetzt die Beine in den Bauch, kündigten mit ihrem Erscheinen den nahenden Abend an. Von Zeit zu Zeit trat irgendein verirrter Mann wie zufällig zu ihnen und begann ein scheinbar belangloses Gespräch mit einer von ihnen, zumeist derjenigen, die ganz am Rande des Platzes stand, nur um schon bald darauf wieder zu verschwinden. Selten nur konnte Eli verfolgen, wie sich aus dem Gespräch ein Angebot entwickelte, das Angebot auf Zustimmung stieß und die beiden zusammen verschwanden.

Auch ein paar Katzen strichen um die Beine der Huren, als wollten sie dem Namen des Platzes zu seinem Recht verhelfen. In der Zeit zwischen zwei Kunden versuchten sie, den Frauen ihre belegten Brote aus der Hand zu schnappen.

Genau unter seinem Fenster sah er jetzt den weißen Pritschenwagen des Katzenfängers die Straße hinabrollen, und fragte sich, ob Abel auch Zeuge der Rettungsaktion geworden war, die sich vorhin abgespielt hatte. Plötzlich fiel ihm der schwarze Kabelbinder wieder ein, den er von Anna geschenkt bekommen hatte. Er holte ihn aus der Tasche und begann, dem Kater damit vor den Augen hin und her zu wedeln.

Abel besah sich das stumme Metronom und schaute dann wieder nach draußen.

»Guck mal«, sagte Eli und schob das eine Ende des Plastikstreifens durch die dafür vorgesehene Öffnung am anderen Ende, die es verschloss und eine Schlaufe entstehen ließ. »Ich hab′ dir ein neues Halsband mitgebracht ...«

Der Kater fixierte den Kabelbinder und schlug plötzlich mit der Pfote danach.

»Gut!«, spornte Eli ihn an.

Abel schlug noch einmal nach der Plastikschlinge, und als er es ein drittes Mal versuchte, zog Eli den Kabelbinder geschickt weg, worauf der Kater das Gleichgewicht verlor und vom Fensterbrett zu Boden fiel.

»Willst du spielen?« Eli ließ den Kabelbinder wie einen Reifen um den Finger kreisen.

Abel verfolgte gespannt die Plastikschlaufe und seine Pupillen wanderten im Kreis.

»Hoppa!«, rief Eli und warf den Kabelbinder von sich.

Abel setzte ihm nach und bekam den Plastikstreifen mit den Pfoten zu fassen. Er drückte ihn zu Boden, aber als er eine Pfote hob, schnellte der Kabelbinder zur Seite und der Kater stürzte sich wieder darauf, als wäre es eine Maus, die ihrem Jäger zu entkommen sucht. Er packte die Schlaufe mit den Zähnen, legte den Kopf schief und kaute mit offenem Maul darauf herum, bis der Kabelbinder herausrutschte und zu Boden fiel. Abermals presste Abel ihn zwischen seine Pfoten, grub die Krallen hinein, um auch sicherzustellen, dass er sich nicht mehr bewegte, nahm ihn dann wieder ins Maul und kehrte damit zu Eli zurück.

Eli versuchte, den Kabelbinder aus den Fängen des Katers zu befreien, doch der sträubte sich, bis es Eli schließlich gelang, die Plastikschlaufe frei zu bekommen und er Abel wieder damit vor den Augen hin und her wedelte.

»Hopp ... hoppa!« Wieder flog der Köder durch die Luft, diesmal ein ganzes Stück weiter.

Abel setzte ihm nach und wiederholte die Jagd nach dem gleichen Schema, bis er mit dem erlegten Plastikstreifen im Maul zurückkehrte und ihn diesmal in Elis offene Hand fallen ließ.

Abermals ließ Eli die Schlaufe durch die Luft wirbeln und schleuderte sie von sich, wieder setzte Abel ihr nach, fing sie, verbiss sich darin, bearbeitete sie mit seinen Krallen und brachte sie zu Eli zurück. So ging es etliche Male, bis Eli schon nicht mehr wusste, ob er derjenige gewesen war, der mit dem Spiel begonnen hatte, oder er einfach immer weiter bei einem Spiel mitmachte, das Abel sich ausgedacht hatte. Wer war hier wessen Zeitvertreib?

Beim letzten Wurf löste sich der Verschluss, und der Kabelbinder öffnete sich zu einem gebogenen Streifen. Abel verlor prompt die Lust am Spiel und stolzierte zu seinem Futternapf. Der zur Schlaufe gebundene Kabelbinder hatte ihn in seinen Bann geschlagen, doch dieser längliche Plastikstreifen schien ihm uninteressant.

»Fleisch!«, befahl er maunzend.

Eli öffnete eine Dose Gänseklein und schüttete sie in Abels Napf, während er das aufgestellte Hinterteil des Katers streichelte.

Dann goss er sich selbst einen Becher lauwarmen Tee ein, der vom Morgen übriggeblieben war, und blätterte die Zeitung durch. Wieder weckte das Bild einer Katze seine Aufmerksamkeit. Doch diesmal war es, im Gegensatz zu der wunderschönen weißen Perserkatze aus der Meldung über die glückliche Heimkehr, eine gewöhnliche, einigermaßen struppig ausschauende Straßenkatze, die neben einer offenen Kloake verharrte und einen resignierten Blick in die Kamera warf. Unter der Aufnahme stand: »Katzenschmaus.«

»Im Lager der palästinensischen Flüchtlinge in Syrien mangelt es seit dem ersten Tag an allem. Vor dem Hintergrund der schwierigen humanitären Lage und dem Ausbleiben einer geregelten Nahrungsmittelversorgung hat der Imam des Lagers in seiner letzten Freitagspredigt verkündet, es sei fortan erlaubt, das Fleisch toter Hunde und Katzen zu verspeisen. Strengstens verboten aber bleibe, sie allein zu diesem Zweck zu töten.«

Großer Gott, Eli schauderte, sie essen dort Hunde und Katzen! Die Meldung konnte er nicht zusammenbringen mit dem edelmütigen Verhalten, das der Mann in der schneeweißen Dschallabija gegenüber seinem schwarzen Kater gezeigt hatte, dessen Zeuge er in jener Nacht geworden war, die jetzt unendlich weit zurückzuliegen schien.

Wenn die Flüchtlinge selbst nichts zu essen haben, was fressen dann ihre Hunde und Katzen, fragte er sich unwillkürlich. Er warf einen Blick auf Abel, der sich gierig an dem Gänseklein gütlich tat.

»Du bist in ein Sahnefass gefallen, mein Lieber«, sinnierte er laut.

15

AM NÄCHSTEN MORGEN nahm er das Jod, die Gaze, Pflaster und eine Dose Katzenfutter und machte sich auf zu der Katzenfrau. Er klopfte an die Tür ihrer Wohnung und ein vielstimmiges Miauen antwortete ihm. Nach einer Weile hörte er schlurfende Schritte und dann rief eine bekannte Stimme durch die Tür: »Wer ist da?«

»Eli, Ihr Nachbar«, antwortete er langsam und deutlich.

»Was wollen Sie?«

»Äh, könnten Sie bitte aufmachen?«

»Was wollen Sie?« Die Stimme klang jetzt ungehalten.

»Ich habe etwas für Sie ...«

Es vergingen mehrere Augenblicke ohne Antwort.

»Etwas für Ihre Katzen«, fügte Eli hinzu.

Nach gefühlt einer weiteren Minute öffnete sich die Tür einen Spalt weit. Eli hielt die Dose Katzenfutter vor den Schlitz zwischen Tür und Rahmen.

»Ich hab′ Ihnen ein bisschen was zu fressen für Ihre Katzen mitgebracht«, sagte er.

Jetzt öffnete die Katzenfrau die Tür ganz und starrte ihn erstaunt an. Aus dem Innern Ihrer Wohnung waberte ein Geruchsschwall wie von einem gerade frisch aufgemachten Sack Trockenfutter.

»Das ist für die Katzen«, wiederholte Eli.

»Für die Katzen?«, wiederholte die Frau, als könnte sie es gar nicht glauben.

Eli hielt ihr die Dose hin, und sie nahm sie ihm vorsichtig aus der Hand, als wäre sie zerbrechlich. Abermals rang sie sich ein flüchtiges Lächeln von der Dauer eines Blinzelns ab, unwillentlich beinahe, und wandte sich zur Küche. Die beiden Grauen und der einäugige Schwarze strichen ihr buckelnd um die Beine und miauten laut. Die Katzenfrau öffnete die Büchse und entleerte sie in einer Ecke der Küche einfach auf den Fußboden. Die Katzen stürzten sich auf das Fressen, als hätten sie einen Goldschatz gefunden. Im Nu hatte sich auch das rotschwarzweiße Trio dazugesellt, das aus verborgenen Winkeln der Behausung angestürzt kam. Ja, auch die Katze, die Eli einzufangen geholfen hatte, schien dabei zu sein. Oder war es vielleicht ursprünglich sogar ein Quartett gewesen?

»Was ist das? Teuer, nicht?«, sagte die Katzenfrau und beäugte die Dose.

»Das ist ein Geschenk«, lächelte Eli. »Ich hab′ auch etwas für Sie, für Ihren Hals.« Und damit hielt er ihr das Jod und die Gaze hin.

Die Katzenfrau schien sich mit einem Mal an die Wunde zu erinnern und strich mit den Fingern über ihren geschwollenen Hals. Eli, dessen Aufmerksamkeit bis dahin vor allem der Wohnung und den Katzen gegolten hatte, bemerkte nun das Ödem, das sich unter der Haut gebildet hatte, und die von den Krallen der Katze angerichteten Wundmale, die jetzt violetter und tiefer wirkten, als er sie in Erinnerung gehabt hatte.

»Ach was, brauch′ ich nicht«, sagte sie, zog dasselbe Taschentuch wie am Vortag aus ihrer Kitteltasche und knotete es sich um den Hals.

»Sie sollten aber ein bisschen Jod daraufgeben und es ordentlich verbinden, ich kann Ihnen dabei helfen«, schlug er vor.

Die Katzenfrau antwortete nicht, machte mit der Hand nur eine wegwerfende Bewegung und legte die andere auf das Taschentuch um ihren Hals.

»Nun gut«, meinte Eli. »Ich lasse Ihnen das auf jeden Fall mal hier.«

Er legte das Jod und die Gaze auf den Küchentisch, der mit Trockenfutterstückchen übersät war. Einer der Grauen, der inzwischen fertig gefressen hatte, machte einen Satz auf den Tisch und schnupperte an dem Fläschchen.

»Machen Sie's gut«, sagte Eli.

Die Katzenfrau strich über den gekrümmten Rücken des Grauen, der auf dem Küchentisch buckelte und behaglich schnurrte.

Er war schon im Begriff, die Wohnungstür hinter sich zu schließen, als er ein gerahmtes Foto auf der Ablage neben dem Eingang sah. Auf dem Bild waren eine flachsblonde Frau zu sehen, die ein Baby mit großen blauen Augen, die genau die ihren waren, im Arm hielt, und ein kräftiger, sonnengebräunter Männerarm, der die beiden umfing. Das Bild schien irgendwo in der Natur aufgenommen zu sein, in einem Wald oder in der Nähe einer Wasserquelle, an einem besonders ausgelassenen Tag.

Die Frau auf dem Foto sah so anders aus als die Katzenfrau, dass es schwerfiel zu glauben, die beiden seien ein und dieselbe Person, lediglich im Abstand von einigen Jahren. Auch schien das Bild relativ neuen Datums, konnte auf jeden Fall nicht schon vor mehreren Jahrzehnten aufgenommen worden sein, als die Katzenfrau jung gewesen war.

Vielleicht ist das ja ihre Tochter, überlegte er, obgleich er keinerlei Ähnlichkeit zwischen den beiden feststellen konnte. Nur das Baby glich seiner Mutter wie ein Tropfen Wasser dem anderen. Der Vater aber war bis auf den rechten Arm ausgespart geblieben.

Und die ganze Situation wirkte zudem ziemlich inszeniert.

16

ELIS LEBEN GLICH sich mit der Zeit seiner Arbeit an und wurde zunehmend geregelter. Die Aufträge bestimmten seinen Tagesablauf und beschäftigten ihn hauptsächlich während der Nacht und in den frühen Morgenstunden, während er die Vormittage verschlief. Wie eine Katze.

Die Zettel strömten weiterhin in zu bewältigender Menge. Zuweilen aber überfluteten sie ihn regelrecht, dann war er gezwungen zu arbeiten, bis der Morgen graute und der Soldat, der über den Vorplatz der Mauer wachte, ihn wenige Augenblicke, ehe das Tor für die Allgemeinheit geöffnet wurde, vertrieb. Die Stunden, in denen er Schlaf fand, wurden weniger, während seine Geldbörse zusehends anschwoll. Oft kehrte er vollkommen erschöpft erst nach Hause zurück, wenn die Sonne schon hoch am Himmel stand, und fiel ins Bett, wie er war.

Mehr als einmal erwog er, mit der anderen Hälfte des Geschäfts, dem schwarz behemdeten Zettelklauber, einen Handel abzuschließen, ihm die Kartons, so wie sie waren, zu übergeben und ihrer beider Lohn gerecht zu teilen. Aber er war nicht sicher, ob der andere nicht selbst einer der Partner war und seinem Boss umgehend von dem Vorschlag erzählen würde. Dann aber kamen Tage mit weniger Zetteln, als fühlte sich die ganze Menschheit auf einmal besser und hätte kaum noch etwas, worüber sie sich beklagen könnte, und das Schwarzhemd geriet wieder in Vergessenheit.

Wie in jedem Beruf, dachte Eli, war es, mehr als alle Hoffnung oder Selbsttäuschung, die gleichförmige Routine, die den größten Teil seiner Arbeit ausmachte. Und damit es ungestört so weiterging, war eben jemand nötig, der Platz für neue Zettel schuf. Und naheliegenderweise konnte diese Person nicht dieselbe sein, die vorher die Zettel in der Mauer deponierte, da sie so ja ihre eigene Berechtigung abgeschafft hätte. Aus diesem Grund war das Schwarzhemd berufen worden, sein Negativ, so wie schwarz auf weiß geschrieben wird, und der Sonnenuntergang die Erde nur verdunkelt, damit ihr Aufgang sie von neuem wieder erhellen kann. Denn war nicht auch die Urfinsternis dem ersten Licht vorausgegangen ...

Hin und wieder überbrachte er auf Bitten des Bosses auch weiterhin »Bumerangsendungen«, diese geheimnisvollen Päckchen, deren Form sich nie veränderte, deren Gewicht aber im Verlauf des Tauschhandels immer zunahm, ja sich mitunter gar verdoppelte. Eli machte es sich zur Gewohnheit, erst zum Übergabeort des Bumerangpäckchens zu fahren und danach zur Klagemauer.

So konnte er das schwerer gewordene Päckchen als eine Art Briefbeschwerer nutzen, der die Zettel daran hinderte, in alle Himmelsrichtungen davonzuflattern, denn auf dem Vorplatz vor der Mauer wehte oft auch dann ein kräftiger Wind, wenn der Rest der Stadt mit stickiger, brütender Hitze geschlagen war und die Luft stand.

So teilte sich die Arbeit auf zwischen Papier und Papierbeschwerern. Auch in den Lebensmittelladen ging er weiterhin und unterhielt sich mit Anna über dies und das, unternahm aber keine Anstrengungen mehr, den Kontakt voranzutreiben. Was sollte auch daraus werden? Im besten Fall würden sie eine Zeit lang zusammen sein und sich dann wieder trennen, worauf er von neuem gezwungen wäre, mit dem Alleinsein fertigzuwerden. Die altgewohnten, ihm vertrauten Schwankungen auf seiner Einsamkeitskurve hatten sich mit dem Einzug des Katers ein wenig gelegt, und warum sollte er diese Seelenruhe stören, die er zuletzt im Leben gefunden hatte, auch wenn dies der ganzen Sache ein gewisses Maß an Pikanterie hinzugefügt hätte. Zudem war er nicht der Meinung, seine Einsamkeit, die sich zunehmend in Grenzen hielt, würde es mit Annas Einsamkeit aufnehmen können, die grenzenlos schien.

Zum ersten Mal, seit seine Freundin ihn verlassen hatte, war Eli alles in allem mit sich im Reinen.

Auch Abel wirkte rundum zufrieden. Er teilte seine Zeit auf zwischen dem Verputzen von Entenklein und Hirschragout und der Jagd auf die schwarzen Kabelbinder. Jedes Anzeichen von Apathie und möglicher Sehnsucht nach seiner vorherigen Familie war verschwunden, als hätte es sie nie gegeben. Zuweilen vergaß auch Eli, dass der Kater vor ihm anderen Menschen gehört hatte.

Abel legte weiter an Gewicht zu und nach drei Wochen, in denen er eine Dose nach der anderen verschlang, sah er aus wie sein Zwillingsbruder, der ihn komplett verschluckt hatte. Je mehr er zunahm, desto tiefer sank Elis Hand, wenn er ihm beim Fressen das erhobene Hinterteil tätschelte, bis es sich anfühlte, als würde er einen flauschigen Teppich ausklopfen. Jede Woche verlangte der Kater eine zusätzliche Büchse Katzenfutter, als wollte er seinen Besitzer arm machen, und als Eli beschloss, dem eine Grenze zu setzen und sich weigerte, die Ration um eine weitere Dose aufzustocken, fand er eines Tages eine Taube – oder vielmehr das, was von ihr noch übrig war – mit gespreiztem Gefieder auf dem Kopfkissen in seinem Bett, ihre Krallen in die Höhe gestreckt wie die verdorrten Äste eines abgestorbenen Baumes.

Als es Zeit wurde, Abel in die Tierarztpraxis zu bringen, um den Gips zu entfernen, besah ihn sich der Veterinär ungläubig. Nach einer gründlichen Untersuchung, bei der abwechselnd Abels Bauch abgetastet und sein Schwanz angehoben wurde, als versuchte der Arzt, zwei sich widersprechende Diagnosen miteinander zu vereinbaren, klatschte dieser schließlich in die Hände und rief: »Ich muss mich entschuldigen.« Und weil er schielte, war nicht klar, zu wem genau er in diesem Augenblick sprach, zu Eli oder zum Kater.

»Ich denke, ich weiß jetzt, warum Ihr Kater so zugenommen hat«, fuhr er fort und hob Abels Schwanz wieder an. »Sehen Sie das?« Er deutete auf einen rosigen Stachel, der wie eine Kralle zwischen Abels Hinterläufen hervorlugte. »Das ist der Penis des Katers, und das ...«, er streichelte seinen mächtigen Bauch, »ist ein Trächtigkeitsbauch. Ihr Kater ist eine Katze! Oder genau gesagt: Er hat sowohl nicht vollständig entwickelte männliche Geschlechtsorgane wie auch innere weibliche Gebärorgane. Er ist, was wir ein androgynes Geschöpf nennen.«

»Ich verstehe nicht«, sagte Eli wie jemand, der eine zu komplizierte Wegbeschreibung bekommen hat und nicht folgen kann. »Abel ist ein Weibchen?«

»Sowohl als auch«, erwiderte Dr. Seev. »Er ist ein Weibchen im Männchenkostüm. Ein sehr seltener Fall, der nur bei etwa einem halben Prozent der Katzenpopulation auftritt. Wenn Sie möchten, können wir ihm Blut abnehmen und zur Analyse ins Labor schicken, um ganz sicher zu gehen, auch wenn das nichts ändern dürfte.«

»Aber wie kann er denn trächtig sein«, fragte sich Eli. Noch immer konnte er sich nicht mit der Tatsache abfinden, dass sein geliebter Kater in Wahrheit eine Katze war.

»Eine Scheinschwangerschaft«, erklärte Dr. Seev. So etwas kommt vor in der Natur. Junge werden sich hier nicht entwickeln, aber ich mache mir Sorgen wegen seines Übergewichts und der Milch, die er produzieren wird. In einem gewissen Stadium wird diese Milch rausmüssen. Ich rate Ihnen, die Gebärmutter entfernen zu lassen.«

»Die Gebärmutter?«, entfuhr es Eli wie einem Vater, der mit reichlich Verspätung der ausbrechenden Weiblichkeit seiner pubertierenden Tochter gewahr wird.

»Und wird Abel dann zu hundert Prozent ein Männchen sein?«

»Nicht mehr als eine Frau, der man operativ die Gebärmutter und die Eierstöcke entfernt hat«, erwiderte Dr. Seev. »Sie können ihm auch einen anderen Namen geben, wenn Sie wollen, aber das ändert nur etwas für Sie, nicht für ihn«, setzte er hinzu. »Und jetzt möchte ich, dass Sie nach Hause gehen und ihn morgen wieder abholen.«

Er ließ Eli ein Einwilligungsformular für die Operation unterschreiben und gab Abel eine Narkosespritze. Der Kater fauchte und fletschte die Zähne. Der Arzt beugte sich über ihn und flüsterte, ihm den Nacken kraulend, etwas in sein Ohr. Augenblicke später begann der Kater hin und her zu schwanken, als folgte er einem riesigen Pendel, bis er auf dem kalten Edelstahl des Behandlungstischs zusammenbrach.

17

ELI SCHWANG SICH auf seine Vespa, ließ den Roller aber nicht an. Zum ersten Mal in seinem Leben spürte er auf seinen Schultern die Last der Verantwortung, die Besitz mit sich bringt. Zwar vertraute er dem Arzt und wusste, Abel befand sich nicht in außergewöhnlicher Gefahr, dennoch hatte er das Gefühl, ihn im Stich zu lassen. In den Stunden, die der Kater in der Tierarztpraxis verbringen würde, war Abels Schicksal in die Hände eines Fremden gelegt und damit außerhalb seiner Kontrolle. Die selbstgewisse Weisheit, die Eli früher einmal für sich formuliert hatte, dass es nämlich leichter sei, über das Schicksal eines anderen zu entscheiden als über das eigene, erschien ihm jetzt nachgerade dämlich.

Er blieb noch mehrere Minuten auf dem Roller sitzen, bis er sich schließlich überwand, das Anlasserpedal herunterzutreten. Doch der Motor wollte nicht anspringen. Er versuchte es mehrere Male, aber der Motor blieb so bockig wie ein altes Feuerzeug, das nicht zünden will. Der Vespa ging es offenbar wie ihrem Besitzer, auch sie wollte in der Nähe der Katze bleiben.

Dennoch, es half nichts, er musste ja zu Führer ins Büro.

Eli schob den Roller die Straße hinunter, bis er Fahrt aufnahm, sprang dann auf, legte einen Gang ein, drehte am Gasgriff, und der Motor erwachte knatternd zum Leben.

Dov Führer thronte hinter seinem Schreibtisch und war wie üblich in ein Telefonat vertieft. Er nickte mit dem Kopf nach einem großen Karton, der an der Tür stand, flankiert von mehreren Bumerangpäckchen. Eli bückte sich, hob die Päckchen an und stellte fest, dass sie diesmal schwerer waren als sonst, ungefähr so schwer, wie wenn er sie vom Araber in der weißen Dschallabija zurückbekam. Führer bedeckte die Sprechmuschel mit der Hand.

»Nein, nein, nur das Große«, brummte er.

Eli griff sich den mit Wünschen aus Übersee gefüllten Karton und verließ das Büro. Mit dem Karton zwischen den Beinen nahm er auf der Vespa Platz, doch wieder verweigerte der störrische Motorroller den Dienst, als wollte er seinen Besitzer partout an den Kater erinnern, den er im Stich gelassen hatte. Eli versuchte es wieder und wieder und gab schließlich auf. Mutlos blieb er auf dem Roller sitzen und dachte an Abel, der auf dem kalten Metalltisch in der Tierarztpraxis lag, schutzlos und verletzlich.

Ein Taxi kam herangerollt, hielt neben ihm, doch der Fahrer ließ sich Zeit mit dem Aussteigen. Eli versuchte, durch die Windschutzscheibe zu spähen, doch die sich darin spiegelnde Sonne blendete ihn. Nach einer Weile erst schwang die Tür auf, der Fahrer stieg aus und musterte Eli misstrauisch. Es war ein massiger Typ, der eine Arbeitshose mit außen aufgesetzten Taschen und eine schwarze Kapuzenjacke trug. Eli nickte grüßend mit dem Kinn und der Mann nickte zurück, wobei seine Augen auf den großen Karton zwischen Elis Beinen geheftet waren. Er verschwand im Büro, kam Augenblicke später mit den Bumerangpäckchen im Arm wieder heraus und ging zu seinem Taxi. Er versuchte, mit den Fingerspitzen den Schlüssel aus der Tasche zu fischen, doch fiel ihm dabei der Schlüssel zu Boden. Ungelenkt bückte sich der Mann und versuchte, den Schlüssel aufzuheben, ohne dabei die Päckchen fallen zu lassen. Eli stieg von seinem Roller, trat hinzu und hob den Schlüssel auf.

»Soll ich aufschließen?«

»Den Kofferraum, bitte«, sagte der Fahrer.

Eli schloss auf. Die Abdeckung des Kofferraums fehlte und die Mulde, in der eigentlich das Reserverad hätte liegen sollen, war leer. Der Fahrer legte die Päckchen hinein und bedeckte den Boden des Kofferraums dann mit der Abdeckung, die er von der Rückbank holte.

»Danke«, sagte er.

»Da nicht für«, erwiderte Eli.

»Springt er nicht an?« Der Taxifahrer wies mit dem Kopf zum Motorroller.

»Mal ja, mal nein.«

»Ich kenne eine gute Werkstatt, die schleppen auch ab, für ein paar Groschen. Soll ich dich mitnehmen?«

»Das wäre nett«, sagte Eli. »Ach übrigens, ich bin Eli.«

»Jom-Tov«, sagte der Mann und streckte die Hand aus.

Eli stellte den Karton auf der Rückbank ab und setzte sich nach vorne auf den Beifahrersitz. Sie fuhren los.

»Arbeitest du tagsüber oder nachts?«, fragte Eli interessiert.

»Tagsüber. Und du?«

»Nachts.«

Doch kaum hatten sie sich auf die Hauptstraße eingefädelt, erklang hinter ihnen die Sirene eines Streifenwagens. Jom-Tov warf einen Blick in den Rückspiegel.

»Bei der Muschi deiner Schwester ...«, stieß er fluchend zwischen den Zähnen hervor.

Er bremste ab und hielt am Straßenrand. Eine Wagentür wurde hinter ihnen kräftig zugeschlagen und Augenblicke später erschien ein Polizist auf der Fahrerseite. Es war der kleinwüchsige Beamte, der Abend für Abend um den Platz vor der Klagemauer patrouillierte. Sein Kopf befand sich auf gleicher Höhe wie der von Jom-Tov, der im Auto saß.

»Führerschein und Ausweispapiere, bitte.«

Jom-Tov beugte sich zum Handschuhfach, holte die Dokumente heraus und reichte sie dem Polizisten. Dieser studierte sie desinteressiert.

»Kofferraum öffnen, bitte.«

»Warum, stimmt irgendwas nicht mit den Papieren?«, fragte Jom-Tov arglos.

»Aufmachen«, befahl der Polizist.

Jom-Tov schluckte ein entnervtes Seufzen, zog die Schlüssel ab und stieg aus.

Der Polizist begleitete ihn zum Heck des Wagens. Die beiden sahen dabei aus wie Vater und Sohn. Jom-Tov öffnete den Kofferraum, der Polizist schaute kurz hinein und gab dann Anweisung, ihn wieder zuzumachen. Jom-Tov ließ sich auf den Fahrersitz fallen.

»Sie müssen mit dem Wagen bald zur technischen Überprüfung«, sagte der Polizist noch und gab ihm die Papiere zurück.

»Vielen Dank«, erwiderte Jom-Tov ergeben.

Der Polizist kehrte zurück zu seinem Streifenwagen und war kurz darauf im fließenden Verkehr verschwunden.

18

DA ABEL BEIM TIERARZT und der Motorroller in der Werkstatt war, beschloss Eli, den unfreiwilligen Urlaubstag für einen Streifzug durch die Altstadt zu nutzen. Durch seine nächtlichen Besuche war ihm die ganze Gegend zwar vertraut, doch bei Tage sah alles anders aus.

Er nahm den Bus zur Altstadt und stieg am Löwentor aus, neben einem grünen Autobus, der eine Gruppe Schüler in weißen Hemden ausspuckte. Sie stellten sich in einer langen Reihe wie Entchen hinter ihrer Entenmutter hinter ihrem Lehrer auf, der einen breitkrempigen Strohhut trug. Still und heimlich schloss Eli sich ihnen an wie eine Nachhut.

Kaum war die Gruppe am Tor angekommen, ließ der Lehrer anhalten und begann sogleich mit seinen Erklärungen. Von dort, wo er stand, konnte Eli nicht hören, was er sagte. Er sah nur, wie der Lehrer aus Zeigefinger und Daumen eine Pistole formte und auf das Tor zielte, das mit Einschusslöchern von Gewehrkugeln übersät war. Aus den Schießscharten des Tores wehten noch weiße Stofffetzen.

Dann marschierten die Schüler durch das Tor und winkten ein paar Soldaten zu, die untätig in einem Armeejeep hockten. Ihr Lehrer führte sie in die Mitte des Platzes zu einem Steinhaufen, aus dem ein langer Pflock mit einer Landesflagge mit dem Davidstern auf Halbmast ragte. Er deutete in die Ferne und folgte mit dem Zeigefinger einer Route, während die andere Hand eine weitere, höher gelegene Route nachzeichnete, welche die erste genau im Zentrum des Steinhaufens durchstieß. Die Schüler senkten die Köpfe. Einige Soldaten, die dort patrouillierten, blieben neben dem Lehrer stehen und hörten zu. Am Ende der Erklärung reichte die Schülerin, die ihm am nächsten stand, dem Lehrer eine Kamera und bat, er möge sie zusammen mit den Soldaten fotografieren.

Dann führte der Lehrer seine Schüler den Löwentorweg hinauf und hielt neben einem Kettenpanzerwagen an, der halb auf der Straße und halb auf dem Gehweg stand. Er war gerade dabei, ihnen zu erzählen, was sich dort ereignet hatte, als plötzlich aus dem Panzer der Kopf eines Jungen lugte. Die Schüler brachen in lautes Gelächter aus. Der Vater des Jungen, der neben dem Fahrzeug stand, ermutigte seinen Sohn, ihm in die Arme zu springen. »Ich fang dich auch auf!«, versicherte er. Doch der Junge zögerte. Der Lehrer scharte die Schüler um sich und erzählte dann, was sich an Ort und Stelle zugetragen hatte. Vater und Sohn lauschten aufmerksam, und der Junge verfolgte gebannt die Faust des Lehrers, die immer wieder in seine geöffnete Linke stieß, bis es ihr gelang, den Widerstand zu durchbrechen und über die linke Hand hinaus weiter vorzudringen. Am Ende des Vortrags stand der Junge ganz furchtlos auf dem Panzerwagen und sprang mit einem Mal seinem Vater in die Arme, der schon nicht mehr aufpasste und es beinahe versäumt hätte, ihn aufzufangen. Ein paar Schüler applaudierten.

Dann folgten die Schüler weiter dem Löwentorweg, der bald schon zur Via Dolorosa wurde, passierten einen Strenggläubigen, der eine Tasche mit Gebetsriemen und -mantel unter dem Arm trug, danach ein Grüppchen braungebrannter, lächelnder Reservisten, die die aktuelle Mode des Halb-Soldat-halb-Zivilist-Status' zur Schau stellten: Armeehose zum weißen, weit aufgeknöpften Hemd oder knappe Shorts zur kugelsicheren Weste. Sie wirkten gelangweilt, aber sehr zufrieden mit sich, als seien sie auf einem Ausflug in einen riesigen Vergnügungspark, dessen Fahrgeschäfte wegen Wartungsarbeiten allesamt geschlossen hatten, sodass sie sich mit nichts als der Sommersonne vergnügen mussten.

Der Lehrer ging mit seinen Schülern weiter die Hagaistraße hinab und hielt an der Grabeskirche. Dort erzählte er ihnen in Stichworten die Geschichte der Kreuzigung, wobei er sich tief nach vorne beugte und so tat, als schleppte er etwas Schweres auf seinem Rücken. Eine Gruppe von Glaubensmännern in braunen Kutten kam aus der Kirche. Die Schülerin mit der Kamera reichte diese einer Freundin, baute sich mit dem Rücken zu den

Gläubigen auf, bewegte sich im Einklang mit ihnen und bat ihre Freundin, schnell ein Foto zu machen.

Danach marschierte die Schülerkolonne weiter zum Platz vor der Klagemauer und hielt am Tor an, um sich die Erklärungen des Lehrers anzuhören. Der Lehrer wies auf ein Schild mit der Aufschrift: »Soldat! Zivilist! Du befindest dich an einem heiligen Ort. Verhalte dich der Heiligkeit dieses Ortes gemäß. Gez. Das Militäroberrabbinat.« Die Jungen zogen eine Kippa aus der Tasche und setzten sie sich auf, während die Mädchen von einer Frau im langen Rock und mit Kopftuch, die schon auf sie gewartet hatte, beiseite genommen und zur Frauenabteilung geführt wurden, die durch einen grünen Holzzaun vom Rest des Platzes abgetrennt war.

Eli sah, wie die Kinder Zettel aus ihren Taschen und Tornistern holten, etwas murmelten, das Papier küssten und es dann gefaltet zwischen die Felsblöcke schoben. Er entfernte sich von der Gruppe, kletterte auf die Schaufel eines Bulldozers, der neben einem kleinen Schutthaufen am Rande des Platzes parkte und beobachtete sie von dort aus weiter.

Einfaltspinsel, dachte Eli voller Verbitterung. Jetzt am Tage setzen sie ihre Hoffnung auf die Mauer, und heute Nacht kommt das Schwarzhemd und macht alles zunichte. Ihre Gebete sind nicht einmal Spucke wert, so wie die Gewehre mit den Platzpatronen, die bei der Nachstellung der Kämpfe um die Altstadt abgefeuert wurden.

Die Tour war vorüber und der Lehrer entließ seine Schüler in eine Pause. Die Schülerin mit der Kamera bat ihre Freundin, sie vor dem Hintergrund der Klagemauer zu fotografieren. Andere Schüler holten belegte Brote heraus und begannen zu essen. Ein paar Straßenkater tauchten wie aus dem Nichts auf, strichen ihnen um die Beine und forderten miauend, so als seien sie berechtigt, an diesem Ort den zehnten Teil einzutreiben, an der Mahlzeit beteiligt zu werden.

Eli verabschiedete sich endgültig von der Gruppe und ging zurück zur Bushaltestelle. Das war erst der Anfang eines gelungenen Urlaubstages gewesen, und so beschloss er, auf dem Nachhauseweg beim Laden Station zu machen und ein paar Sachen einzukaufen, ehe er den Roller aus der Werkstatt holen würde.

Er fuhr mit dem Bus die Strecke, auf der die Mauer noch eine ganze Weile zu sehen war, durch die Überreste des ehemaligen Mughrabiviertels, dessen Ruinen bereits zu Schutthaufen zusammengeschoben worden waren. Von weitem beobachtete er, wie schon die nächste Schulklasse hinter ihrem Lehrer Aufstellung nahm, um zur Klagemauer zu marschieren.

19

KAUM DASS ER den Laden betreten hatte, stellte Eli enttäuscht fest, dass auf Annas Platz hinter der Kasse eine junge Person saß, fast noch ein Mädchen, das selbstvergessen Kaugummi kaute und auf das Kreuzworträtsel stierte, das auf seinen Knien ausgebreitet lag.

Eli war schon dabei, den Rückzug anzutreten. Das Mädchen hob den Kopf von dem Kreuzworträtsel und warf ihm einen gleichgültigen Blick zu. Er überlegte, dass es sonderbar aussehen musste, wenn er gleich wieder ginge, nachdem er den Laden gerade erst betreten hatte. Außerdem brauchte er ja tatsächlich ein paar Dinge, vor allem Katzenfutter für Abel. Also lächelte er unbeholfen und nickte dem Mädchen zu.

Doch das Mädchen senkte nur wieder den Blick mit derselben Teilnahmslosigkeit, die er schon kannte. Vermutlich hatte er einfach nur ihren Gedankenfluss gestört, und jetzt grübelte sie wieder über die unlösbaren Geheimnisse ihres Kreuzworträtsels.

Er griff sich ein paar Katzenfutterdosen und bemerkte dabei, dass auf der unteren Ablage die Säcke mit dem Trockenfutter seit dem letzten Mal, da er sie gesehen hatte, nicht bewegt worden waren. Zwei Säcke fehlten, jene beiden, die er der Katzenfrau zur Kasse getragen hatte. Und der Rest war unangerührt.

Auf dem Weg zur Kasse nahm er sich ein Säckchen Kartoffeln, Lauchzwiebeln und ein paar noch grüne Bananen.

Das Mädchen hob abermals die Augen vom Kreuzworträtsel und richtete sich auf seinem Stuhl auf. Sie schlug ein kleines Heft auf, das neben der Kasse lag, und begann darin zu blättern, bis sie den Preis für Bananen gefunden hatte. Sie setzte einen Finger auf die Seite, nahm mit der anderen Hand die Bananen und legte sie auf die Waage. Mehrmals sagte sie sich das Gewicht vor, das die Waage angezeigt hatte, und kritzelte es unter das Kreuzworträtsel. Danach schrieb sie den Preis aus dem Heft dazu und multiplizierte. Im Vergleich zu der Geschwindigkeit, mit der Anna immer alles ausrechnete, dauerte es bei ihrer Vertreterin eine kleine Ewigkeit. Als sie bei den Katzenfutterdosen angelangt war, hielt sie wieder inne und blätterte in dem Heft.

»Katzenfutter ...«, sagte sie, wobei unklar war, ob zu Eli oder zu sich selbst.

»Das steht auf der letzten Seite«, soufflierte er.

Das junge Mädchen blätterte gemächlich bis zur letzten Seite und wirkte für einen Moment ratlos.

»Katzen ... - ah, hier.«

Eli überflog in der Zwischenzeit die Titelseite der Tageszeitung, die auf dem Stapel neben der Kasse lag. Das Bild eines Kamels, das von einem Polizisten am Strick weggeführt wurde, machte ihn neugierig. »Drei Kilogramm TNT im Höcker eines Kamels gefunden. Hochrangige Vertreter des Grenzschutzes sehen es als den ersten Versuch überhaupt, Sprengstoff in einem Tier zu schmuggeln.«

»Wahnsinn«, sagte Eli. »Hast du das gesehen?«

Das junge Mädchen schenkte ihm keine Beachtung.

»Sag mal«, fuhr er nach einem Moment unangenehmer Stille fort, »hast du in letzter Zeit vielleicht diese Frau gesehen, die immer Katzenfuttersäcke kauft?«

Das Mädchen schüttelte den Kopf und tippte weiter die mühsam errechneten Ergebnisse in die Kasse.

»Gut, vielleicht weiß Anna das. Kommt sie heute noch?«, fragte er so bemüht beiläufig, wie er eben konnte.

»Ihre Tochter ist krank«, sagte das Mädchen, um dann zu verkünden: »Macht zwei Lira und zwanzig Agoroth.«

»Ah«, sagte Eli und hatte das Gefühl, als würde ihm jemand von innen den Strom abschalten. Seine Einsamkeitskurve schlug aus, als hätte ein kalter Finger daran gezupft. Zwar hatte er insgeheim schon die Hoffnung aufgegeben, Anna entscheidend näherzukommen, aber er wollte sich auch nicht ganz von ihr entfernen. Eine konstante, gleichbleibende Distanz zwischen ihnen war ihm durchaus angenehm. Dass sie schon Mutter einer Tochter sein könnte, wäre ihm nie in den Sinn gekommen.

Er wühlte in seiner Tasche nach den Münzen und bezahlte.

»Der Vater hat sicher keinen Urlaubstag nehmen können«, murmelte er und versuchte, noch ein vages Fragezeichen am Ende des Satzes anzubringen.

Das Mädchen zuckte mit den Schultern und gab ihm das Wechselgeld zurück.

»Danke.«

»Sag mal«, meinte sie plötzlich. »Weißt du vielleicht, was ein chemisches Element aus der Gruppe der Halogene ist, mit vier Buchstaben?«

»Vielleicht Brom«, versuchte er.

»B-r-o-m«, wiederholte das Mädchen langsam und malte die Buchstaben über den Kreuzworträtselkästchen in die Luft.

»Das gibt's doch nicht!«, entfuhr es ihr dann aufgeregt.

20

UNWILLIG MARSCHIERTE Eli die Straße hinunter. Jetzt, da sich herausgestellt hatte, dass ein Verhältnis zu Anna überhaupt nicht zur Debatte stand, erschien sie mit einem Mal derart begehrenswert, dass man ihr nicht widerstehen konnte. Er versuchte, an etwas anderes zu denken, egal was, aber das einzige, was er die ganze Zeit vor Augen hatte, war Annas Gestalt, die ihm jetzt ungewöhnlich attraktiv vorkam. Sogar ihr Lächeln schien plötzlich fröhlich und ehrlich, als käme es von ganz tief innen heraus und sei nicht der gebrochene Strich, den sie sich für gewöhnlich ins Gesicht zwang.

Auch er war also ein naiver Trottel. Hatte er doch geglaubt, sie sitze dort einfach hinter der Registrierkasse und warte auf seine unregelmäßigen Besuche im Laden. Allein der Gedanke an den mühsamen Aufstieg über die Wendeltreppe in seine leere Wohnung erschöpfte ihn, und die Tüten, die er trug, schienen seine Hände bis auf den Asphalt zu ziehen.

»He«, hörte er plötzlich.

Gidi saß in seinem weißen Pritschenwagen, die eine Hand lässig aus dem Fenster hängend. Die Kratzer an seinen Unterarmen waren verheilt und hatten nur ein verästeltes Netz feiner weißer Linien auf seiner sonnengebräunten Haut hinterlassen. Er wirkte nicht im mindesten überrascht, Eli zu sehen, als hätte er auf ihn gewartet.

»Was treibst du so?«

»Ach, ich muss meinen Roller aus der Werkstatt holen.«

»Brauchst du eine Mitfahrgelegenheit?«

»Äh …«, Eli schwankte. Zwar hätte er eine Mitfahrgelegenheit wirklich gut gebrauchen können, doch der Gedanke an eine Fahrt mit dem endlos plappernden Katzenfänger versetzte ihn nicht eben in Hochstimmung. Doch da auch er sich heute besonders einsam fühlte, fand er nicht die Kraft für Ausflüchte.

»Okay«, sagte er schließlich.

»Großartig!«, rief Gidi.

Der Katzenfänger stieg aus seinem Tender und öffnete den Laderaum, nahm Eli die Tüten ab und stellte sie neben ein paar großen, gut gefüllten und fest zugeknoteten Müllsäcken ab. Weiter hinten standen noch einige der Plastikboxen mit den Gittertüren, aus denen Katzenaugen linsten.

»Wohin soll's denn gehen?«

»Nach Talpiot«, sagte Eli.

»Kein Problem«, erwiderte Gidi und fuhr los.

»Sag mal ...«, sagte er nach einer Weile.

»Was?«

»Nein, schon gut.«

»Worum geht's?«, wollte Eli wissen, halb verärgert und halb neugierig.

»Ist einfach so, normalerweise arbeiten wir ja zu zweit, aber im Augenblick, bei den vielen Katzen, die eingefangen werden müssen, ist das fast nie der Fall. Und du hast mir vor ein paar Tagen wirklich geholfen. Also dachte ich, vielleicht könntest du auf einen Sprung kurz mitkommen, außerhalb der Stadt, aber nicht weit? Ich bräuchte da nur ein bisschen Hilfe bei einer kleinen Sache und danach setze ich dich im Nu bei der Werkstatt ab. Versprochen.«

Eli seufzte. Er hätte nicht fragen sollen.

»Eine Stunde hin und eine zurück, Maximum. Wir würden auch so die meiste Zeit für die Fahrt benötigen, und die Arbeit ist im Handumdrehen erledigt«, versprach Gidi.

Eli fragte sich, warum er überhaupt auf Gidis Angebot eingegangen war, da dieser ihm aufgelauert zu haben schien.

»In Ordnung«, kapitulierte er.

»Großartig!«

Eli ließ den Kopf nach hinten gegen die Lehne des Sitzes sinken und lauschte den sich überlagernden Radiostationen, während Gidi nach Musik suchte, die ihm gefiel. Der Wagen schaukelte seinen Körper sanft hin und her und ließ seine Lider schwer werden.

»Du kannst ruhig die Augen zumachen«, sagte Gidi.

Dankbar empfing Eli die bleierne Müdigkeit und nickte ein. Gidi summte derweil leise das Lied vom Munitionshügel mit, das das Musikcorps des Zentralen Befehlsabschnitts gerade im Radio anstimmte.

Zum Kreischen der Handbremse wachte er auf, wusste nicht, wie lange er geschlafen hatte. Im Radio lief längst ein anderes Lied.

»Wir sind da!«, verkündete Gidi.

Eli öffnete die Tür und setzte den Fuß auf einen morastigen Boden. Er sah sich um, hatte keine Ahnung, wo er sich befand. Dieses Kiefernwäldchen war ihm von seinen Kurierfahrten in Jerusalem nicht bekannt. Am Rande des Wäldchens stand das Gerippe eines Hauses, das noch im Bau zerstört worden war und jetzt wie ein Denkmal zur Erinnerung an sich selbst dort aufragte. In der Luft hing der intensive Geruch gegorener Orangen.

»Hast ein Nickerchen gemacht, was?«

»Wo sind wir?«

»Da hinten, da beginnt das Adjami-Viertel«, Gidi deutete in Richtung des zerstörten Gebäudes.

»In Jaffa?!« Eli war sprachlos. »Du hast gesagt, es wäre nicht weit.«

»Das war ein Katzensprung, es war überhaupt kein Verkehr«, rechtfertigte sich Gidi.

Er öffnete den Laderaum und holte ein Paar graue Gummistiefel heraus, balancierte gekonnt abwechselnd auf einem Bein, schlüpfte in die Stiefel und stülpte sie sich bis über die Knie. Dann zog er einen der großen grauen gefüllten Müllsäcke heran, hob ihn wie einen Säugling mit beiden Armen an seine Brust und ging damit zu einer morastigen Fläche zwischen den Kiefern. Vorsichtig beugte er das Knie, bis es den Boden berührte, und legte den Sack behutsam neben einer Holzlatte ab, die offenbar die Umgrenzung von etwas markierte, das wie ein Beet aussah, nur ohne Blumen. Schließlich zog er aus seinem Gürtel ein Teppichmesser und schlitzte damit den Sack auf. Ein riesiger weißer Labrador ergoss sich aus dem Schlitz und glitt in den Schlamm. Abgesehen von der heraushängenden Zunge hätte man meinen können, er schliefe. Der vordere Teil seines Körpers war unversehrt, der hintere jedoch bis auf die Knochen abgenagt. Nur der Schwanz war nicht angerührt worden. Er wirkte wie zwei Hunde, ein lebender vorn und ein toter hinten, die im Hüftbereich zusammengeschweißt waren.

»Auch wenn es so aussieht, als ob das Katzenvolk jetzt schon die ganze Stadt beherrscht, heißt das noch lange nicht, dass es keine Hunde mehr gibt...«, sagte Gidi und streichelte über den Schädel des Labradors.

»Was ist mit ihm passiert?«, fragte Eli, den der Anblick des Hundes verstörte.

»Ist nicht klar. Seine Besitzer haben ihn draußen frei herumlaufen lassen. Und eines Tages ist er nicht mehr nach Hause gekommen. So hat man ihn gefunden. Wir nehmen an, er wurde von Hyänen angegriffen.«

»Hyänen? In Jerusalem?!«

Gidi zuckte nur mit den Achseln.

»Soll es alles schon gegeben haben.«

Aus einem nahen Bretterhaufen zog er eine Latte, drückte diese so nah wie möglich und ohne das verbliebene Fell zu beschädigen zu dem Hundekadaver ins Erdreich und schuf so eine Art schmale Grabparzelle.

»Ist das hier so etwas wie ein Tierfriedhof?«, fragte Eli.

»Kann man sagen.«

»Und wie viele liegen hier begraben?«

»Sicher einige Hundert. Vielleicht Tausend. Wenn eines Tages hier Ausgrabungen stattfinden, wird keiner verstehen, was dieser Ort mal war«, grinste der Katzenfänger.

Gidi fixierte das Brett mit Hilfe kurzer Eisenpflöcke, die er aus seinem Gürtel zog. Als er damit fertig war, kehrte er zum Wagen zurück, nahm eine Schaufel und hängte sich eine Polaroidkamera um den Hals. Wieder zurück an der Grabstelle bedeckte er die untere, zerfleischte Hälfte des Labradortorsos mit Erde, baute sich dann breitbeinig über ihm auf und fotografierte ihn aus zwei unterschiedlichen Einstellungen.

»Das mach ich nur nebenbei, als kleines Zubrot«, erklärte er. »Die Leute wollen sehen, dass ich mit ihrem Hund wirklich das mache, was ich ihnen versprochen habe. Sie wollen wissen, dass ihr Tier sich irgendwo an einem netten Fleckchen befindet und nicht in einem Müllcontainer oder einer Verbrennungsanlage gelandet ist. Und das ist doch ziemlich nett hier, würd' ich sagen. Nicht unbedingt ein echter Tierfriedhof, aber sehr viel günstiger.«

»Gehört dir das Gelände?«, fragte Eli.

»Nein, das war mal eine Zitrusplantage, die einem Araber gehörte. Der Jüdische Nationalfonds hat Teile davon gepachtet, jedes Mal ein bisschen mehr, bis dem Araber nichts mehr blieb. Dort drüben sollte mal ein Krankenhaus gebaut werden.« Er deutete auf den eingestürzten Rohbau. »Aber am Ende haben sie den Plan aufgegeben und stattdessen Kiefern hier gepflanzt.«

»Und weiß jemand, was du hier machst?«

Gidi zuckte mit den Achseln.

»An ihrer Stelle würde ich es auch nicht wissen wollen. Aber guck mal, wie das alles hier wächst und gedeiht, das ist der beste Dünger, den es gibt!«

Er begann, eine kleine Grube neben dem weißen Labrador auszuheben.

»Tu mir mal einen Gefallen und hol noch einen Sack aus dem Wagen.«

Von der Grabstelle bis zum Pritschenwagen waren es nur ein paar Meter und die Aufgabe, mit der Gidi ihn bedachte, eigentlich nicht der Rede wert. Im Unterschied zu ihrem letzten gemeinsamen Abenteuer war er diesmal offenkundig nicht auf Eli angewiesen. Es sei denn als jemand, der ihm zuhörte.

Doch Eli fand sich mit der Situation ab, ging zum Laderaum auf der Pritsche und wählte einen kleinen Sack aus, der so gut wie leer schien. Erst als er ihn anhob, wurde er des Gewichts am Boden des Sackes gewahr. Er spürte wieder die Augen der Katzen, wie sie ihn durch die vergitterten Türchen der Boxen anstarrten, wie Gefangene, die schweigend die Hinrichtung eines Zellengenossen verfolgen.

Gidi nahm ihm den Sack aus der Hand, löste den Knoten und schüttete den Inhalt aus. Ein gräulicher Straßenkater glitt heraus und bettete sich friedlich neben den weißen Labrador. Danach schleppte Eli auch noch die drei verbliebenen Säcke an und schaute zu, wie Gidi die Kadaver großzügig mit Kalk bestreute und schließlich begann, die Grabstätte zuzuschaufeln. Er verteilte die Erdklumpen gleichmäßig auf dem weißen Labrador, dem grauen Kater und einem rotweißschwarzen Trio und klopfte alles fest. Dabei troff ihm der Schweiß vom Kinn und seine Haut schien sich in der Zeit, in der er arbeitete, unter der Sonne noch dunkler zu verfärben.

Als Gidi fertig war, trat er auf die Grabstelle und überprüfte deren Belastbarkeit. Da seine Stiefel nicht mehr einsanken, streifte er die Gummihandschuhe ab, wischte sich mit dem Handrücken den Schweiß von der Stirn und hinterließ einen Kalkstreifen darauf. Kräftig sog er den Duft gärender Zitrusfrüchte ein und schüttelte den Kopf.

»Er verdient nicht eine Agora damit, der Besitzer. Früher war das mal ein einträgliches Geschäft hier, die Orangen. Wahre Goldäpfel. Aber jetzt haben sie ihm Kiefern hingesetzt, und Kiefernzapfen verkaufen sich nun mal nicht so gut wie Orangen.«

Er wandte den Kopf zur Sonne, schloss die Augen und nahm noch einen tiefen Atemzug.

»Am Ende wird bloß der Duft der Orangen bleiben«, sagte er, als könne er die Zukunft schon riechen. »Ich komme viel herum im Land. Es gibt Orte, da waren früher mal Plantagen, und auch wenn da inzwischen nicht ein Baum mehr steht, kann man die noch immer riechen, vor allem abends.«

Er blieb noch eine Weile gedankenverloren wie angewurzelt stehen und sann über das nach, was er soeben gesagt hatte. Eli schaute ihn an, und für einen Moment war sein Herz erfüllt von einer unbestimmten Sehnsucht nach jenen verlorenen Zitrushainen.

Dann machte Gidi kehrt, ging zum Wagen, zog die Gummistiefel aus und schlug sie aneinander, um sie vom Matsch zu befreien.

»Komm«, sagte er, »ich bring' dich zur Werkstatt.«

21

GIDI SETZTE ELI bei der Werkstatt in Talpiot ab und holte ihm sogar noch die Einkaufstüten aus dem Laderaum, der jetzt bis auf die Katzenboxen leer war.

»Danke für die Mitfahrgelegenheit«, sagte Eli.

»Ich danke dir! Wie geht's übrigens deiner Nachbarin?«

Mit einem Mal fielen Eli die Trockenfuttersäcke wieder ein, über die er sich im Laden gewundert hatte, weil offenbar schon eine ganze Weile kein einziger mehr verkauft worden war.

»Ich hab' ihr das Jod gegeben, aber ich glaub' nicht, dass sie es auch benutzt.«

»Na gut, wir haben's versucht«, erwiderte Gidi. »Yallah, ich muss weiter zum Tierarzt, Ware abladen ...« Er grinste. »Noch einen schönen Tag dir!«

»Dir auch.«

Gidi drehte das Radio lauter und fuhr davon.

Eli ging seinen Roller abholen. Als er das Anlasserpedal kräftig durchtrat, sprang der Motor sogleich mit einem wütenden Knattern an, als würde er gleich losstürmen wollen.

Er stellte den Roller vor seinem Haus ab und war unschlüssig, ob er gleich nach oben gehen und die Einkäufe abladen oder zuvor noch auf einen Sprung bei der Katzenfrau vorbeischauen sollte, um zu sehen, wie es ihr ging. Da er noch immer nicht in die leere Wohnung zurückkehren wollte, entschied er sich für die Katzenfrau.

Er klopfte an ihre Wohnungstür, erhielt aber keine Antwort, nicht einmal ein Miauen und Jaulen.

»Schalom! Hier ist Eli, Ihr Nachbar!«, rief er durch die verschlossene Tür. »Ich hab′ Futter für die Katzen!«

Nichts, keine Reaktion.

Er klopfte fester, hämmerte schließlich richtig gegen die Tür.

»Hallo! Sind Sie da?«

Er presste ein Ohr an die Tür und lauschte, konnte aber nichts hören. Am Ende legte er die Hand auf die Klinke und drückte sie vorsichtig nach unten. Die Tür ließ sich problemlos öffnen. Verwesungsgeruch schlug ihm entgegen. Auf dem Holztisch in der Küche drängte sich das rotschwarzweiße Trio aneinander wie eine dreiköpfige Bestie und nagte an dem Kadaver des einäugigen Schwarzen, von dem im Wesentlichen nur noch der Schädel, der Schwanz und eine fein säuberlich ausgelöste Wirbelsäule übrig waren, die beide Enden wie eine überdimensionale Fischgräte miteinander verband. Auf dem Küchenfußboden lagen in Fetzen Trockenfuttersäcke verstreut. Das Jodfläschchen stand noch auf dem Tisch.

Eli schirmte Mund und Nase mit einer Hand ab und spürte, wie sich ihm der Magen umdrehte. Nur mit Mühe konnte er den Drang unterdrücken, sich auf der Stelle zu übergeben.

Er wandte sich zum Schlafzimmer.

»Hallo! Ist jemand da?«

Die Katzenfrau lag rücklings auf dem Bett. Ihre Augen waren weit aufgerissen wie die eines aus dem Wasser gezogenen Fischs und ihr Blick starr zur Decke gerichtet. Zu ihren Füßen lag einer der Grauen und sein Doppelgänger hockte auf dem Sessel in der Zimmerecke. Eli näherte sich zögerlich. Die Katzen ließen ihn nicht aus den Augen. Der Hals der Frau war angeschwollen wie der einer Kröte und ein gewundener Strich zog sich vom Schlüsselbein bis zur Kinnspitze. Die Löcher, die die Katzenkrallen hinterlassen hatten, waren fast schwarz und so tief, dass sie aussahen wie die Nüstern eines Tiers. Er wollte ihren Puls fühlen, wusste aber nicht, wohin genau er die Finger legen musste und ob er überhaupt etwas spüren würde durch die teigige Masse, die den unversehrten Teil ihres Halses unter sich begraben hatte. Schließlich legte er zwei Finger an ihr Handgelenk, als die Katzenfrau plötzlich erzitterte und ihre weit aufgerissenen Augen auf ihn richtete. Eli fuhr zurück und stieß einen kleinen Schrei aus, der gleich darauf lächerlich in seinen Ohren klang. Eine der Katzen antwortete mit langgezogenem Jaulen. Die Katzenfrau verdrehte die Augen und leckte sich über die Lippen wie eine ausgehungerte Katze. Ihm schien, als wollte sie etwas sagen, doch ohne Erfolg. Er eilte in die Küche und suchte dort nach einem Glas oder einer Tasse, doch die leeren Oberschränke gähnten ihn nur an. Schließlich angelte er eine Teetasse aus der von schmutzigem Geschirr und Essensresten überquellenden Spüle, wusch sie ein wenig ab und rieb die Ränder mit dem Finger sauber. Er füllte sie mit Wasser aus dem Hahn und ging zurück ins Schlafzimmer. Die Katzenfrau sah ihn erwartungsvoll an, und er meinte, Erleichterung in ihren Augen zu erkennen. Er hielt ihr die Tasse hin. Ihre Finger flatterten leicht auf dem Laken, doch es war klar, dass sie den Weg von der Matratze zur Tasse nicht zurücklegen konnten. Also hielt er ihr die Tasse an die Lippen und kippte sie vorsichtig. Die Katzenfrau schlürfte das Wasser gierig und benetzte sich die Lippen mit der Zunge. Er wiederholte die Prozedur einige Male und schnipste dann ein paar Tropfen auf ihre Stirn und Wangen.

»Besser?«, fragte er.

Die Katzenfrau zwinkerte einmal lang.

»Haben Sie hier ein Telefon?«

Sie verdrehte die Augen nach rechts und oben, bis die Pupillen fast unter den Lidern verschwanden. Eli sah zu der Kommode neben dem Bett, auf der sich schmutzige Wäsche türmte. Mit den

Fingerspitzen fasste er ein Teil nach dem anderen und ließ es aufs Bett fallen, bis unter dem Haufen ein verstaubter Telefonapparat zum Vorschein kam. Er hob den Hörer ab und presste ihn ans Ohr. Das Wählzeichen meldete sich stark und penetrant wie der Monitor am Krankenbett nach dem Exitus des Patienten. Er wählte die 110 und gab der Telefonistin in der Zentrale die Adresse durch.

»Sie sind gleich hier, in ein paar Minuten«, sagte er zu der Katzenfrau, die mit einem langen Zwinkern bestätigte.

Nach ungefähr zehn Minuten wurde kräftig an die Wohnungstür geklopft.

»Schalom! Haben Sie einen Krankenwagen bestellt?«, rief eine Stimme.

»Wir sind hier, im Schlafzimmer!«, rief Eli zurück.

Augenblicke später kamen ein etwa vierzigjähriger Sanitäter mit Glatze und dicker Brille und ein spindeldürrer, hochaufgeschossener blutjunger Freiwilliger, der einen Notfallkoffer trug, ins Zimmer. Der Sanitäter nahm sogleich die Hand von Mund und Nase, als er die Katzenfrau sah. Der Freiwillige beäugte missmutig die Szenerie.

»Schalom, Verehrteste, wie geht es Ihnen?«, fragte der Sanitäter.

Die Katzenfrau starrte ihn aus weit aufgerissenen Augen an.

»Sie kann nicht sprechen«, sagte Eli.

»Sie können nicht sprechen?«, wiederholte der Sanitäter, als beharrte er, dies mit der Dame des Hauses selbst klären zu wollen.

Die Katzenfrau zwinkerte einmal lang wie zur Bestätigung.

»Wissen Sie, was ihr passiert ist?«

»Eine Katze hat sie vor ein paar Wochen am Hals gekratzt.«

»Ihre Katze?«

»Ich bin nicht sicher“, sagte Eli. »Ist das von Bedeutung?«

»Das hängt davon ab, ob die Katze geimpft war«, erwiderte der Sanitäter. »Sind Sie ein Verwandter?«

»Nachbar.«

»Gibt es jemanden, der sich um sie kümmert?«

»Ich weiß nicht ...« Eli schaute auf die Katzenfrau. Jede Faser ihres Körpers war Beleg genug für ihre Einsamkeit. »Ich denke nicht.«

»Gut, dann werden wir die Wunde mal verbinden und ihr ein Rezept für ein Antibiotikum ausstellen«, meinte der Sanitäter und warf dem Freiwilligen, der mit verschränkten Armen dastand, einen Blick zu.

»Vorwärts!«, befahl er und verpasste dem Mann einen Klaps.

Der Freiwillige schreckte auf, öffnete den Koffer und begann, darin herumzuwühlen.

»Bringen Sie sie denn nicht ins Krankenhaus?«, fragte Eli verwundert.

»Könnten wir, aber wer sollte sie aufnehmen?«

»Was soll das heißen?«

»Wir haben im Moment noch fast zweitausend Kriegsverwundete, die meisten davon hier in Jerusalem. Die würden nicht einmal ein Bett für sie finden; würden sie auf den Flur stellen, und da könnte sie sich zurzeit Krankheiten von hier bis wer weiß wohin einfangen. Und letztlich würden sie ihr da auch nur Antibiotika geben und sie beobachten. Glauben Sie mir, es ist besser für sie, sie bleibt hier.«

»Gibt es denn keine anderen Krankenhäuser?«, unternahm Eli trotz allem noch einen Versuch.

»Gibt es, aber das wäre eine ganz schöne Fahrerei. Das heißt ...«, der Sanitäter senkte den Blick und die Stimme. »Wer soll das bezahlen?«

»Wieso? Wie viel wäre das denn?«, fragte Eli.

»So um die zwanzig Lira«, erwiderte der Sanitäter.

»Zwanzig Lira?!«

»Was kann man machen ...«

Eli schaute zu der Katzenfrau. Ihre Augen irrten ängstlich zwischen ihm und dem Sanitäter hin und her.

»Ich komme dafür auf«, stieß er schließlich hervor und meinte, die Augen der Katzenfrau seien mit einem Mal feucht geworden, während ihre Lippen bebten.

»Vielleicht ins Auguste-Victoria?« Der Sanitäter warf dem Freiwilligen einen fragenden Blick zu, der ausdruckslos zurückstarrte.

»Eigentlich ist das nur für palästinensische Flüchtlinge, aber dort bestünde immerhin die Chance, dass die sie aufnehmen«, antwortete er sich selbst. »Einen Versuch ist es wert!«

Der Sanitäter ging mit dem Freiwilligen hinaus zum Krankenwagen und gemeinsam kehrten sie mit einer Rolltrage zurück. Sie versuchten, der Katzenfrau eine Halskrause umzulegen, gaben den Versuch aber schnell wieder auf. Die teigige Schwellung fixierte ihn auch so. Sie falteten die Trage zu einem Rollstuhl und setzten die Katzenfrau im Bett auf. Ihre Muskeln konnten Körper und Gliedmaßen zwar nicht bewegen, vermochten aber, ihren Körper im Sitzen für einige Augenblicke zu halten. Der Sanitäter zählte laut »eins, zwei u-u-und drei!« und zu zweit wuchteten sie die Patientin in den Rollstuhl. Die Katzenfrau stieß einen Schmerzensseufzer aus, der einem durch Mark und Bein ging. Mit ein paar Handgriffen wurde der Rollstuhl wieder zur Liege, auf der man sie nach draußen rollte. Weil ihr Blick starr nach oben gerichtet war, tröstete Eli sich mit dem Gedanken, dass sie nicht sehen konnte, welches Schicksal ihrem einäugigen Liebling beschieden gewesen war.

»Kann ich mitfahren?«, fragte Eli.

»Ja, aber ich kann nicht versprechen, dass wir Sie auch wieder zurückbringen können, sollten wir unterwegs noch einen Notruf reinbekommen«, sagte der Sanitäter.

»Gut, dann werde ich mit meinem Motorroller hinkommen. Auguste-Victoria, sagten Sie?«

»Ja«, bestätigte der Sanitäter. »Alles klar. Nur sehen Sie mal zu, ob Sie ihren Personalausweis oder sonst irgendein Ausweispapier finden können.«

Dann waren der Sanitäter und sein Freiwilliger auch schon mit der Trage verschwunden. Eli blieb noch eine Weile in der Wohnung. Er suchte alle Räume nach einem Ausweis ab, ohne Erfolg. Schließlich sah er sich um, ob es wohl noch andere Sachen gäbe, die sie im Krankenhaus gebrauchen könnte, doch er konnte nicht einen Gegenstand entdecken, dessen Mitnahme sich gelohnt hätte.

Er wusch das Geschirr in der Spüle ab und machte, so gut es ging, ringsum ein bisschen sauber. Damit sie wenigstens in eine aufgeräumte Wohnung zurückkommt, dachte er, obgleich er wusste, es würde nichts helfen. Die Einsamkeit der Katzenfrau war von den Wänden ihrer Behausung längst aufgesogen worden, und kein noch so gründlicher Hausputz hätte sie mindern können.

Als er fertig war, holte er eine Dose Katzenfutter aus der Einkaufstüte und schwenkte diese vor den Augen der dreiköpfigen rotschwarzweißen Bestie, die ganz darin versunken war, die Knochen des einäugigen Schwarzen blank zu lecken. Den Inhalt entleerte er wie die Katzenfrau einfach in einer Ecke der Küche auf den Fußboden, und sogleich zerfiel die Bestie wieder in drei Katzen, die vom Tisch sprangen und sich um das Futter balgten. Im Nu hatten sich auch die Grauen aus dem Schlafzimmer dazugesellt. Mit einem halbvollen Müllsack, den er im Bad fand, sammelte er den Katzenkadaver ein, der schon leicht an der Tischplatte festklebte. Der Gestank, der ohnehin zu dieser Wohnung gehörte wie die Farbe an der Wand, wurde auf einen Schlag unerträglich. Immerhin ließ sich das schmale Küchenfenster nach kurzem Hader halb öffnen.

Auf dem Weg nach draußen bemerkte er wieder das Foto der flachsblonden Frau mit dem Kind an der Brust und dem Arm des Mannes um sie beide gelegt. Das nahm er mit.

22

ABERMALS QUÄLTE SICH die Vespa die Schulter des Ölbergs hinauf, diesmal jedoch mit der zuversichtlichen Hoffnung einer geschundenen Kreatur, die den Weg kennt und weiß, dass an dessen Ende Erleichterung wartet. Tatsächlich hatten sie schon bald die Anhöhe geschafft, jene Anhöhe, die ihm bei Nacht im kläglichen Licht des Rollerscheinwerfers wie ein dunkler Tunnel vorgekommen war und die sich jetzt, am helllichten Tag, vor ihm ausbreitete. Er fuhr einen Bogen um den Komplex mit der Himmelfahrtskirche und dem Hospiz und steuerte den Roller dann durch das gewölbte Haupttor, das zu beiden Seiten von Zypressen flankiert war, folgte dem Weg hinauf, der zum Krankenhaus führte, das von den Einheimischen nur al-Mutla' genannt wurde, der Ort, an dem der Tag beginnt.

Eli stellte den Roller neben dem Krankenwagen ab, dessen rückwärtige Türen sperrangelweit offenstanden, und betrat das Krankenhaus. Das Hauptportal mit seinem prachtvollen Bogenrelief und der Balustrade darüber mit den beiden Löwenstatuen und dem Kreuz gab ihm das Gefühl, eine andere Welt zu betreten. Eine Gruppe von Ärzten in langen weißen Kitteln, in der Hand Krankenakten, kam ihm gemessenen Schritts entgegen. Er dachte an die nächtliche Begegnung mit dem Mann in der schneeweißen Dschallabija und dem Kater, nicht weit von hier. Wenn sie schon Tiere so rücksichtsvoll behandeln, dachte er, dann ist die Katzenfrau hier in guten Händen.

Eli folgte dem Eingangsflur, der sich zu einer großen, kreisrunden Halle öffnete, der Patientenaufnahme. Er wandte sich zum Empfangstresen, erstarrte jedoch, als eine Schwester in weißem Ornat den Kopf zu ihm hob. Was sollte er ihr sagen, wen er besuchen wolle? Wie sollte er behaupten können, ein Verwandter oder auch nur ein Nachbar der Katzenfrau zu sein, wenn er nicht einmal deren Vornamen wusste?

Er senkte den Kopf, nahm sich eine der Broschüren, die auf dem Tresen lagen, mit einem Bild der Bronzestatue von Kaiserin Auguste Viktoria darauf und Erklärungen zum Krankenhaus in mehreren Sprachen, und begann, darin zu blättern. Plötzlich bemerkte er aus dem Augenwinkel den Sanitäter mitsamt seinem Freiwilligen, die aus einem der Flure kamen, die leere Trage vor sich herschiebend.

»Ah, da sind Sie ja«, rief der Sanitäter. »Sehen Sie, wir haben ein Bett für sie gefunden!«

»Sehr schön«, sagte Eli. »Wie geht es ihr?«

»Gehen Sie und machen sich selbst ein Bild.«

»Kann ich denn so einfach zu ihr, auch wenn ich kein Verwandter bin?«

»Mmm«, machte der Sanitäter und schob sich die Brille zurecht, die ihm bis auf die Nasenspitze gerutscht war. »Kommen Sie mal kurz mit raus.«

Eli begleitete die beiden Männer zum Krankenwagen.

»Warum stehen die Türen offen?!«, entfuhr es dem Sanitäter.

»Damit der Gestank raus geht«, rechtfertigte sich der Freiwillige.

»Gnade dir Gott, wenn was weg ist ...« Mit diesen Worten kletterte der Sanitäter schwerfällig ins Heck des Krankenwagens, schaute sich kurz um und verkündete schließlich: »Da hat einer mehr Glück als Verstand!«

Mit vereinten Kräften hoben sie die Trage zurück ins Fahrzeug und schlossen die Türen.

»Zieh deinen Kittel aus!«, befahl der Sanitäter daraufhin dem Freiwilligen, der ihn begriffsstutzig ansah.

»Na los, vorwärts!«

„Aber es ist doch gar nichts weggekommen«, maulte der blutjunge Bursche, während er sich aus dem Kittel schälte und nur noch im Unterhemd dastand.

»Beruhig dich, du kriegst ihn ja gleich zurück«, beschwichtigte der Sanitäter und hielt Eli den Kittel hin. »Haben Sie ein paar Lira dabei? Als Pfand«, fügte er hinzu.

Eli durchwühlte seine Taschen und zog einen Schein hervor, mit dem er auch gleich die Extratour für den Krankenwagen bezahlte.

»Sie ist in Zimmer 212«, sagte der Sanitäter. »Den Gang runter, rechts. Nur Beeilung, bitte. Wir warten hier auf Sie.«

Eli durchschritt wieder das prächtige Portal mit seinem Heiligenrelief und den beiden in der Höhe thronenden Löwenstatuen, die ihn jetzt an die gewöhnlich vor seinem Haus lagernde Fuchsrote mit der weißen Brust und den schwarzen Perser mit den weißen Pfoten erinnerten. In der kreisrunden Halle angelangt, sah er sich um. Mehrere Ausgänge führten in lange Flure mit Kreuzgewölbe.

»Den Gang runter, rechts, aber welchen?«, fragte er sich.

Ein hoch aufgeschossener Arzt in langem, weißem Kittel schien seine gemurmelte Frage von weitem gehört zu haben und trat zu ihm.

»Vom Roten Davidstern?«, fragte er Eli mit hörbar arabischem Akzent.

»Ja«, sagte Eli. »Ich suche Zimmer Nummer 212.«

»Wie ist der Name des Patienten?«

»Äh, sie ist noch nicht identifiziert.«

Der Arzt nickte verstehend.

»Das ist der Gang dort drüben, das dritte Zimmer rechts«, beschied ihm der Arzt und deutete mit der Hand auf einen der Bogenzugänge.

»Danke.«

Er schritt den langen Gang hinunter, der einen Blick auf den großen, innen liegenden Garten des Krankenhauses bot. Vor den hohen Fenstern ragten Dattelpalmen auf, das Gewölbe der runden Empfangshalle war zu sehen, das sich wie der Bauch einer Schwangeren in den Garten drängte und mit aus dem Mittelalter entlehnten architektonischen Motiven verziert war: steinerne

Reliefe, Ungeheuer aller Art und Bronzestatuen von diesem oder jenem Kaiser, allesamt gewandet nach der klassischen Kreuzfahrermode.

Was für ein absonderliches Krankenhaus, dachte er, und hatte Mühe sich vorzustellen, dass hier wirklich auch Verwundete lagen. Es herrschte die pastorale Stille einer Kirche. Eine Stille des Geistes, nicht des Fleisches.

In Zimmer 212 fand er die Katzenfrau wie eine Mumie in ein schneeweißes Laken gewickelt. Nur ihr Kopf, unverändert starr zur Zimmerdecke ausgerichtet, war unbedeckt. Die teigige Schwellung war auf dem Weg zum Krankenhaus in beängstigender Weise angewachsen, es schien fast, als unternähme ihre Brust den Versuch, in ihrem Hals Zuflucht zu finden. Eli trat vorsichtig an ihr Bett und sah, dass ihre Augen noch genauso weit aufgerissen waren wie zuvor, jedoch schon nicht mehr das leblose Grauen eines Fischs verbreiteten, den es an Land gespült hat. Sie erinnerten eher an den apathischen Ausdruck eines gefangenen Tieres, das sich seinem Schicksal ergeben hat.

»Schalom«, sagte er.

Die Katzenfrau schien für einen Moment verwirrt angesichts des weißen Kittels, den er trug. Sie zwinkerte zur Begrüßung.

»Ich hab′ Ihnen gar nichts mitgebracht«, rechtfertigte er sich, als er die halb verwelkten Blumen auf dem Nachttisch ihrer Zimmernachbarin sah.

»Ah!« Plötzlich fiel ihm etwas ein. Er zog das Bild hervor, das er aus ihrer Wohnung mitgenommen hatte, und baute es auf dem Rollschränkchen neben ihrem Bett auf.

Die Pupillen der Katzenfrau rutschten bis in die Augenwinkel, während sie das Foto musterte. Doch ihre Augen blinzelten nicht ein Wort.

»Ich dachte ...«, sagte er und hielt sogleich inne. Was gab es da zu denken? Was zu sagen?

Er schaute auf den Erkennungsstreifen an ihrem Handgelenk, auf dem nur eine Nummer stand.

»Ich weiß nicht einmal, wie Sie heißen«, sagte er schließlich.

Die Katzenfrau öffnete den Mund und versuchte, wie es schien, ihren Namen auszusprechen. Sie legte die Lippen aneinander und zog sie dann zu einem halben Lächeln in die Breite, brachte aber keinen Laut heraus. Diese Lippenübung wiederholte sie mehrfach. Eli sah sie konzentriert an.

»Shuli? .... Nuli? ...«, versuchte er zu erraten.

Die Katzenfrau zwinkerte verneinend und versuchte es noch einmal. Diesmal gelang es ihr auch, die Zunge gegen das obere Gaumendach zu drücken, als sie ihr Gesicht zu einem halben Lächeln verzog.

»Ti ..., ti ...«, überlegte er laut. »Ruthi!«

Die Katzenfrau zwinkerte bestätigend, und ihre Augen füllten sich mit Tränen wie zwei kleine Pfützen. Eli stellte sich vor, dass es Jahre her sein musste, dass sie ihren Namen aus dem Munde eines anderen Menschen gehört hatte, ja wahrscheinlich war es so lange her, dass sie ihn überhaupt benötigt hatte.

»Ich bin Eli.«

Die Katzenfrau zwinkerte und die Tränen liefen ihr die Wangen hinunter und versickerten im weißen Kopfkissenüberzug, wo sie kleine, feuchte Flecken hinterließen.

Sie sahen sich mit stiller Erwartungshaltung an. Der Moment, nachdem man sich miteinander bekannt gemacht hat, ist immer der schwerste. Außer ihren Namen, so schien es, hatten sich die beiden Nachbarn nichts zu sagen. Warum sollten sie sich in Geschichten von gestern ergehen oder Pläne für morgen schmieden, wenn doch die unzweideutige Gewissheit im Raum hing, dass all dies keine Zukunft haben würde?

Jetzt schaute Eli sie unverwandt an, zum ersten Mal ohne jedes falsche Mitleid mit dem Alter.

Ruthi zwinkerte offen und ehrlich.

Eli streifte seinen Sanitäterkittel ab und nahm an ihrem Bett Platz. Er zog die Broschüre hervor, die er vom Empfangstresen mitgenommen hatte, blätterte ein wenig darin und begann dann, laut vorzulesen. Nie war ihm die Katzenfrau menschlicher erschienen als in diesem Moment, als sie ihm lauschte wie eine Tochter ihrem Vater, der ihr eine Gute-Nacht-Geschichte vorliest. »Im Innenhof des Krankenhauses ist eine Bronzestatue Auguste Viktorias zu besichtigen, die die Kaiserin als eine Reinkarnation der Heiligen Elisabeth von Ungarn allegorisiert, deren Mann, Ludwig IV., Landgraf von Thüringen, sich dem Kreuzzug Friedrich II. nach Jerusalem anschloss. Nach dem Tod ihres Gatten ging Elisabeth nach Marburg, gab ihre Kinder in Pflegefamilien und weihte ihr Leben Gott.«

Als er zu Ende gelesen hatte, stand er auf. »Ich werde die Katzen hin und wieder besuchen«, beschloss er seinen Besuch mit einem Versprechen, dessen zweiten Teil, »bis Sie wieder gesund sind« oder »wenn Sie nicht mehr sind«, er nur dachte. Es war das erste Mal in seinem Leben, dass er mit dem Tod auf Augenhöhe sprach.

Am Empfangstresen in der kreisrunden Halle hinterließ er noch ihren Namen, »Ruthi«. Und er fügte ein »Cohen« hinzu, ein unverfänglicher, weitverbreiteter Familienname. Damit sie wenigstens einen hatte. Auch seine eigenen Personalien ließ er aufnehmen und bat darum, man möge ihn anrufen, sollte sich ihr Zustand ändern, zum Guten oder zum Schlechten.

»Sind Sie der Sohn?«, fragte die Schwester hinter dem Tresen, und ohne groß nachzudenken antwortete Eli: »Ja.«

Auf dem Parkplatz fand er den Sanitäter ungeduldig hinterm Lenkrad sitzend, während sein Freiwilliger auf der Trage ein Nickerchen hielt.

»Na endlich!«, rief der Sanitäter. »Ich dachte schon, die hätten Sie gleich dabehalten.«

»Entschuldigung.« Eli zog den Kittel aus.

»Nicht weiter tragisch«, beschwichtigte der Sanitäter und senkte den Blick.

»Äh, was Ihr Pfand angeht«, druckste er dann. »Wir sind hier in die Kantine gegangen und ...«

»Schon in Ordnung«, sagte Eli, »geben Sie's mir bei Gelegenheit zurück.«

Darauf zückte der Sanitäter eine Visitenkarte.

»Ich bin Ruben, das ist meine Karte, hier, für alle Fälle.«

23

IN DER NACHT konnte Eli nicht einschlafen. Hatte Angst, das Telefon könnte jeden Augenblick klingeln, ihn wecken und ihm mitteilen, Ruthi Cohen sei verstorben. Und als er schließlich doch noch einschlief, träumte er, er würde am Morgen aufwachen und wäre zur Katzenfrau geworden, läge starr auf dem Rücken in seinem Bett, und die Katzen würden an seinem Hals nagen, ohne dass er sich rühren oder auch nur einen Ton herausbringen konnte.

Verstört wachte er auf. Ein gewöhnlicher Albtraum, nichts Besonderes. Aber dennoch höchst verstörend.

Er quälte sich aus dem Bett und streifte unruhig durch die Wohnung. Machte den Kühlschrank auf und wieder zu, schaltete das Licht im Treppenhaus an und spähte eine Weile durch den Türspion. Am Ende blieb er vor dem Küchenfenster stehen. Der Miezenplatz war wie immer um diese Zeit schon recht gut bevölkert von Prostituierten, die wie Schaufensterpuppen aufgereiht dastanden. Es schien, dass die Zahl der ausgehungerten Straßenkatzen, die den Frauen um die Beine strichen, zuletzt zugenommen hatte. Von Zeit zu Zeit hielt ein Wagen am Rande des Platzes, ein Seitenfenster wurde heruntergekurbelt, eine gestikulierende Hand erschien, die zumeist aber irgendwann verächtlich abwinkte und bald darauf weiterfuhr. Eine Hand jedoch, die aus einem weißen Fiat gehalten wurde, willigte jetzt ohne jede Verhandlung ein, und eine Frau glitt durch die ihr von innen geöffnete Beifahrertür in den Wagen. Ihre Freundin, die hinter ihr gestanden hatte, beeilte sich, ihre Position am Rande des Platzes einzunehmen, ja schien unwillkürlich sogar in dieselbe Körperhaltung zu verfallen, die ihre erfolgreiche Vorgängerin zur Schau gestellt hatte.

Im selben Augenblick klingelte das Telefon. Eli schluckte und streckte die Hand nach dem Hörer aus, hob aber nicht ab.

Wenn sie tot ist, dachte er, dann besteht keine Eile, ihr Zustand ist ja stabil, und wenn es Führer war, dann hatte er keine Lust, jetzt mit ihm zu reden. So oder so, wer auch immer es war, er würde sicher morgen noch einmal anrufen.

Das Telefon verstummte.

Eli kroch zurück ins Bett, voller Stolz, dass es ihm gelungen war, die Furcht vor dem Klingeln des Telefons zu überwinden, indem er es ignorierte. Er lauschte auf die satte Stille, die sich wieder in seiner Wohnung breitmachte, und schlief ein.

24

ES FOLGTEN RUHIGE, ereignislose Tage. Das Telefon klingelte weiterhin ein paar Mal am Tag, immer in mehrfacher Abfolge, als versuchte es jemand wieder und wieder, um dann erst nach einigen Runden das Handtuch zu werfen. Doch Eli fand stets einen guten Grund, nicht zu antworten: Er war gerade erst aufgewacht; war vor einer Sekunde erst eingeschlafen; war just in dem Augenblick auf die Toilette gegangen; war exakt in dem Moment bereits mit einem Fuß aus der Tür; hob den Telefonhörer genau dann ab, wenn das Klingeln abbrach.

Jedes Mal, wenn Eli in der Hoffnung zum Laden ging, dort Anna zu treffen, fand er dort nur den Kaugummi kauenden und Kreuzworträtsel lösenden Backfisch vor, der ihm berichtete, Anna passe noch immer auf ihre kranke Tochter auf. Und jedes Mal, wenn er schon im Begriff war, den Laden zu verlassen, fragte sie ihn, ob er zufällig wisse, wie die japanische Währung heiße, drei Buchstaben, der letzte ein N; oder wer denn dieser dänische Prinz sei, dessen Onkel seinen Vater ermordet und dann seine Witwe zur Frau nimmt, vierter Buchstabe ein L; oder wer um alles in der Welt die unbekannte Adressatin von Anne Frank und zugleich auch die Bezeichnung für ein Kätzchen sei, fünf Buchstaben; oder der siebte Generalstabschef der israelischen Armee, mit dem N der japanischen Währung als Endbuchstaben.

Insgeheim begann Eli schon ernsthaft zu glauben, diese Kreuzworträtselfragen würden erst enden, wenn er ans Telefon ginge. Und dann, dachte er, würde auch Anna wiederkommen.

Das Klingeln erwischte ihn diesmal im Hauseingang. Er hastete die Wendeltreppe hinauf. Jede Stufe ein Klingeln, jedes Klingeln ein Herzschlag. Er stieß die Wohnungstür auf, stürzte ins Schlafzimmer, ließ die Hand auf den Hörer fallen und hob ab.

»Eli?«

»Ja.«

»Wo haben Sie gesteckt?!«

»Wer ist da?«

»Perez. Doktor Seev. Sie hätten Ihren Kater vor fünf Tagen abholen sollen! Er ist die ganze Zeit hier in der Praxis im Käfig, und ich wusste schon nicht mehr, was ich mit ihm machen soll.«

»Oh nein!«

»Kommen Sie?«

»Ja.«

»Jetzt gleich?«

»Bin schon unterwegs!«

Eli stürmte die Wendeltreppe hinunter, stürzte auf die Straße und saß mit einem Sprung auf seiner Vespa. Wie konnte das nur geschehen sein? Wie um alles in der Welt hatte er das vergessen können?

Ein verbeultes Blechschild mit der Aufschrift: »Bis auf Notfälle bleibt die Praxis heute geschlossen. Wir bitten um Verständnis,« begrüßte ihn. Er klingelte. Augenblicke später öffnete der Tierarzt die Tür. Seine Hände steckten in blutverschmierten Latexhandschuhen und seine Augen, sonst in ständigem Disput gefangen, hatten ihren Zwist vorübergehend überwunden und sich zusammengetan, um Eli vorwurfsvoll zu fixieren.

»Ist alles in Ordnung mit Ihnen? Ich dachte schon, Ihnen sei etwas zugestoßen«, sagte der Tierarzt mit verhaltenem Ärger.

»Meine Mutter ist im Krankenhaus«, log Eli zur Hälfte.

»Oh, das tut mir leid zu hören.«

»Geht es Abel gut?«

»Ja, ja. Die Operation hat er gut überstanden. Aber wenn ein Tier erwacht, ist es eigentlich wichtig, dass seine Besitzer da sind. Ich musste ihn die ganze Zeit im Käfig lassen und konnte ihm nicht allzu viel Aufmerksamkeit widmen. Ich bin nämlich gerade dabei, Straßenkater zu kastrieren, was ich jedes Wochenende mache, verstehen Sie.« Er hielt die Hände in den blutbesudelten Latexhandschuhen wie zum Beweis in die Höhe.

»Es tut mir leid«, sagte Eli zerknirscht.

»Gut, nicht tragisch. Hauptsache, Sie sind jetzt da. Kommen Sie rein!«

Eli betrat die Praxis, und sogleich stockte ihm das Herz. Auf dem metallenen Behandlungstisch lag ein betäubter Kater, der Abel so ähnlich sah wie ein Tropfen Wasser dem anderen, auch wenn er deutlich magerer war als dieser und gewissermaßen seine Straßenversion darstellte. Die Augen waren weit aufgerissen und die Pfoten mit Schnüren zu den vier Ecken des Tisches gespreizt.

»Die Invasion hat begonnen!«, erklärte Dr. Seev und deutete auf einen ganzen Berg von Plastikboxen mit Gittertürchen in einer Ecke der Praxis.

»Normalerweise bin ich mit den Kastrationen am Freitag durch, benötige maximal noch den halben Schabbat, aber in letzter Zeit muss ich die Praxis auch zu Wochenbeginn geschlossen lassen.«

»Aber woher kommen denn all diese Katzen?«, fragte Eli ungläubig.

»Unterschiedlich. Die meisten sind wohl von der Straße, aber nicht wenige haben auch ein Halsband und eine rote Marke, wie

Abel. Die strömen aus dem Ostteil der Stadt zu uns. Man sieht ihnen an, dass sie nicht mehr gefüttert werden, also kommen sie zu uns herüber. Da braucht es keinen Passierschein und keinen Personalausweis«, sagte der Tierarzt und grinste.

Er führte Eli zu einem Käfig im rückwärtigen Teil der Praxis, in dem Abel lag. Der Blick des Katers war starr auf einen Punkt weiter hinter Elis Schulter gerichtet. Er erinnerte ihn an das Foto in dem Zeitungsartikel, den er gelesen hatte und in dem der Kater resigniert in die Kamera guckt.

»Psss, psss ... Abel«, machte Eli.

Der Kater zuckte mit einem Ohr, als wollte er eine lästige Fliege verscheuchen.

»Er hat vor zwei Tagen aufgehört zu fressen«, sagte der Veterinär. »Das kann eine Folge der Operation sein, kann aber auch ein Anzeichen von Depressionen sein.«

»Depressionen?« Eli war sprachlos.

»Ja. Schauen Sie, aus seiner Warte haben Sie ihn im Stich gelassen. Er sieht die anderen Kater hier in der Praxis und fühlt sich genauso alleingelassen und ausgesetzt wie sie.«

»Und was soll ich jetzt machen?«

»Entschuldigen Sie sich bei ihm, verwöhnen Sie ihn ein bisschen. Am Ende wird er Ihnen verzeihen. Immerhin hat er es besser bei Ihnen als auf der Straße. Glauben Sie mir, das weiß er.«

Wieder flüsterte Dr. Seev Abel etwas ins Ohr und reichte ihn dann an Eli weiter. Der Kater leistete keinerlei Widerstand.

»Die Milch wird nach und nach vom Körper absorbiert werden, und er wird an Gewicht verlieren. Geben Sie acht, dass er eine Woche lang nicht springt oder fällt, bis wir die Fäden ziehen. Das ist eine Legende, dass Katzen immer auf die Pfoten fallen. Wenn überhaupt, stimmt das nur bis zu einem gewissen Grad. Na ja, wie dem auch sei, Abel hat durch seine Scheinträchtigkeit derart zugenommen, dass er auf dem Bauch landen würde«, dozierte der Arzt. »Rufen Sie mich, wenn Probleme auftreten«, fügte er noch hinzu. »Und jetzt entschuldigen Sie mich, ich muss zurück an die Arbeit, sonst komme ich hier erst weiß der Teufel wann raus.«

Und schon versah Dr. Seev das Ohr des betäubten Katers auf seinem Behandlungstisch mit einer Einkerbung, zum Zeichen, dass er kastriert war. Er löste die Fesseln an seinen Pfoten, legte ihn behutsam zurück in eine der Boxen und drehte diese mit der Gittertür zur Wand. Dann holte er aus der Nachbarbox den nächsten Delinquenten, der durch die Spritze, die er vor einer Weile bekommen hatte, schon betäubt war, und band ihn mit den Schnüren an den vier Tischecken fest.

»Tun Sie mir einen Gefallen und reichen mir mal die Schachtel da drüben.« Er wies mit dem Ellbogen auf einen grünen Schuhkarton, der am anderen Ende des Operationstisches stand.

Eli faste die Schachtel nur an einer Seite, wodurch die Gerätschaften darin verrutschten und ihm der Karton fast aus der Hand glitt. Mit großem Getöse schepperten unterschiedliche Skalpelle, Klammern und andere Operationswerkzeuge auf den Metalltisch.

»Oh, Entschuldigung«, stammelte er.

»Nichts passiert«, wehrte Doktor Seev ab und stöberte mit blutrotem Zeigefinger in den Gerätschaften, bis er sich für ein Skalpell entschieden hatte.

»Ist das denn steril?«, fragte Eli besorgt.

»Ich habe alles einmal sterilisiert. Die Keime, die weg sollten, haben das nicht überstanden. Und die, die noch da sind, sind harmlos«, versicherte der Arzt. Und als er die Sorge auf Elis Gesicht sah, beruhigte er ihn: »Keine Angst, bei Abels Operation habe ich natürlich auf vollkommene Sterilität geachtet. Aber bei den Straßenkatern läuft das anders. Das geht hier, wie Sie sehen, wie am Fließband, anders kämen wir gar nicht hinterher.«

Bevor Eli wegschauen konnte, hatte Dr. Seev schon die Hoden des Katers entfernt, der sich trotz Narkose vor Schmerz auf dem Metalltisch zu winden schien.

»Ist er etwa bei Bewusstsein?!« Eli war schockiert.

»Das ist bloß ein Reflex«, erwiderte der Arzt kühl.

Er verödete die blutende Wunde mit Hilfe eines Geräts, das an einen Lötkolben erinnerte. Eine kleine, nach gegrilltem Fleisch riechende Qualmwolke, nicht mehr als ein Zug aus einer Zigarette, stieg vom Tisch auf, verteilte sich im Raum und war im Nu verflogen.

Mit einer eleganten Bewegung machte Doktor Seev eine Kerbe ins Ohr des Katers und sagte zufrieden: »Wie neu!« Er befreite den Kater von seinen Fesseln, packte ihn am Nacken und hielt ihn sich vor die Augen.

»Vor ein paar tausend Jahren haben die Menschen Katzen noch als Gottheiten verehrt. Und jetzt schau sich einer das an ...«, sagte er, gleichermaßen zu sich selbst wie an den Kater gewandt.

Dann begann er die Prozedur von vorn, verfrachtete den Kater wieder in seine Box, drehte diese mit der Drahtnetztür zur Wand und zog eine benommene Katze aus der nächsten. Das Tier war in einem jämmerlichen Zustand und sah aus wie ein Kadaver.

»Aiaiai«, seufzte er, »die werd′ ich wohl einschläfern müssen.«

25

ER TRUG ABEL auf dem Arm die Stufen der Wendeltreppe hinauf als hielte er einen schlummernden Säugling. Der Kater war zwar wach, verhielt sich aber vollkommen passiv und ließ alles geschehen, was Eli mit ihm machte.

Am besten wäre, er würde mich beißen, und wir wären quitt, dachte Eli.

Sanft legte er Abel auf den Fußboden und berührte dabei aus Versehen mit der Hand die Nähte an seinem Bauch. Seine Finger schreckten sogleich zurück. Man hat ihm die Gebärmutter entfernt, dachte er verstört. Oder vielmehr ... ihr?

Er öffnete eine Dose Kaninchenragout und schüttete den Inhalt in Abels Futternapf, doch der Kater schien sich nichts aus der

Fleischmasse zu machen. Er schob den Futternapf näher zu Abel heran, ja hielt ihm das Fressen regelrecht unter die Nase. Doch es war, als führe man einem Blinden da Vincis Mona Lisa direkt vor die Augen und wunderte sich, dass er sich nicht für die Schönheit des Gemäldes begeistert.

»Was kann ich denn für dich tun?«, fragte er schließlich resigniert.

Der Kater wandte sich ab, schleppte sich davon und hockte sich unter das Fensterbrett. Er versuchte gar nicht, mit einem Satz hinaufzuspringen, richtete aber den Blick nach oben.

»Komm, ich heb dich hoch«, sagte Eli, nahm den Kater vorsichtig und setzte ihn auf das Fensterbrett neben die Natter und den Sperling.

»Ruf mich nur, wenn du wieder runter willst.«

Abel schaute nach draußen auf den Miezenplatz und vielleicht zum ersten Mal auch darüber hinweg in die Ferne, in Richtung der Altstadt.

»Hast du Heimweh?«, fragte Eli, doch der Kater blieb bei seinem Schweigen.

Nicht genug, dass ich ihn angefahren und ihm einen anderen Namen verpasst habe, jetzt habe ich ihn auch noch verstümmeln lassen, dachte er. Kein Wunder, dass der Kater aus dem Fenster starrt wie ein Häftling durch die Gitterstäbe seiner Zelle.

Er beschloss, den Tierarzt anzurufen und um Rat zu fragen, doch als er den Telefonhörer abhob, war bereits jemand in der Leitung.

»Hallo? Herr Cohen?« Eine weibliche Stimme kam aus der Hörmuschel.

»Äh, ja«, antwortete er verwirrt. »Wer ist denn da?«

»Seien Sie gegrüßt, hier spricht das Auguste-Victoria-Hospital. Es geht um Ihre Frau Mutter.«

Eli schluckte.

»Ja?«

»Ihrer Frau Mutter geht es sehr schlecht. Ich rate Ihnen, so bald als möglich herzukommen.«

»Ich komme.«

Er legte auf und wusste nicht, was er tun sollte. Er war doch gerade erst nach Hause gekommen mit seinem Kater, den er fünf Tage beim Tierarzt vergessen hatte, und das nach einer solchen Operation. Und jetzt sollte er einfach aufstehen und schon wieder verschwinden?

Doch der Kater schien sich nicht im Geringsten um die An- oder Abwesenheit seines Herrchens zu kümmern.

Also stellte Eli den Futternapf mit dem Kaninchenragout auf die Fensterbank und polsterte den Fußboden darunter mit ein paar Kissen.

»Ich bin gleich wieder da«, versprach er und ging.

Abermals ächzte die Vespa beim Anstieg und seufzte erleichtert, als das Plateau erreicht war. Eli stellte den Roller direkt vor dem Haupteingang des Krankenhauses ab und hastete durch das Reliefportal mit den darüber thronenden Löwen wie ein antiker Krieger, der die Sphinx durch Gewandtheit und nicht durch Verstandeskraft hinters Licht führt. Am Empfangstresen stellte er sich als der Sohn von Ruthi Cohen vor. Die Schwester in ihrer weißen Tracht bat, er möge warten, und griff zum Telefon. Sie sprach auf Arabisch mit jemandem, nickte und legte auf. »Der Arzt kommt sofort«, sagte sie.

Wenige Augenblicke später erschien aus einem der Flure ein hochgewachsener Mann im langen, weißen Kittel. Eli erkannte ihn sofort wieder. Es war der Arzt, der ihm den Weg zum Zimmer der Katzenfrau gewiesen hatte. Eli senkte den Kopf und hoffte, der Arzt würde sich nicht mehr an den Sanitäter vom Roten Davidstern erinnern, der nach einer Patientin gesucht hatte, deren Namen er nicht wusste. Und tatsächlich schien der Andere ihn nicht einmal ansatzweise wiederzuerkennen.

»Es tut mir leid«, sagte der Arzt. »Wir haben Sie angerufen, als sich ihr Zustand gerade dramatisch zu verschlechtern begann. Ihre Frau Mutter weilt nicht mehr unter uns.«

Eli stockte der Atem, als hätte ihm jemand die Luft abgeschnürt.

»Sie können jetzt zu ihr und sie sehen, wenn Sie möchten. Sich von ihr verabschieden.«

»Was?!«, stieß Eli hervor, als weigerte er sich, das Verdikt des Arztes zu akzeptieren. »Durch den Kratzer einer Katze?!«

Der Arzt sah ihn erstaunt an. »Sie wissen doch, Ihre Frau Mutter war beileibe nicht gesund«, sagte er schließlich. »Die Katze allein ist nicht schuld.«

Eli antwortete nicht. Nein, er hatte nicht gewusst, dass sie so krank gewesen war, obgleich er es hätte ahnen können.

»Es tut mir leid«, stammelte er schließlich.

»Mir auch«, sagte der Arzt. »Kommen Sie, ich bringe Sie hin.«

Der Arzt geleitete ihn durch den Gang, der auf den Hof hinter dem Krankenhaus ging und öffnete Eli schließlich die Tür des dritten Raumes zur rechten. »Lassen Sie sich so viel Zeit, wie Sie brauchen«, sagte er.

Eli betrat das Zimmer. Ruthi Cohen lag auf dem Rücken, war wie zuvor bis zum Hals fest in ein weißes Laken gewickelt. Ihre Augen standen offen und waren starr zur Decke gerichtet. Aber nicht mehr angstvoll und weit aufgerissen wie bei einem Fisch, den es an Land gespült hat, oder traurig wie die eines Tieres in Gefangenschaft, sondern erwartungsfroh wie die einer jungen Wanderin, die ihre Augen zur Bergspitze richtet, dorthin, wo es sie hinzieht. An ihrem Handgelenk hing das bereits ausgetauschte Plastikarmband des Krankenhauses mit ihrem Namen, dem Vornamen, den ihre Eltern ihr gegeben hatten, und dem Familiennamen, den sie kurz vor ihrem Tod von Eli bekommen hatte. Vom Nachttisch ihrer Zimmernachbarin hatte jemand die welken Blumen entfernt. Auch die Nachbarin selbst war verschwunden. Neben Ruthi Cohens Bett stand noch das Foto der flachsblonden

Frau, die das Kind mit genau den gleichen Augen wie den ihren auf dem Arm hält, und dem Arm des Mannes, der beide umfangen hält. Eli nahm das Bild in die Hand und betrachtete es von nahem. Am unteren Rand der Aufnahme stand etwas: »Foto Illustration.« Er legte das Bild umgedreht ab und küsste Ruthi Cohen auf die Stirn, die noch ein bisschen Wärme abstrahlte.

»Ich werde mich um die Katzen kümmern«, wiederholte er sein Versprechen, das er ihr gegeben hatte, als sie noch am Leben war.

Als er die kreisrunde Empfangshalle durchquerte und dem Ausgang zustrebte, hörte er eine Stimme, die nach ihm rief.

»Herr Cohen? Herr Cohen?«

Er drehte sich um und sah die Schwester in der weißen Tracht, die jetzt hinter ihrem Tresen hervorkam und gleich darauf bei ihm war.

»Haben Sie Ihre Frau Mutter gesehen?«

»Ja.«

»Mein Beileid.« Sie senkte den Kopf, verharrte einen Moment so und sagte dann: »Sie kümmern sich um das Begräbnis?«

»Äh«, er stockte, überlegte für eine Sekunde zu gestehen, dass er genau genommen gar nicht der Sohn der Verstorbenen sei, sondern nur ein besorgter Nachbar, der bloß hatte nachschauen wollen, wie es ihr ging, und am Ende nicht anders konnte, als sich ihrer anzunehmen. Genau wie beim Kater, den er überfahren hatte. Doch er hatte sich längst viel zu tief im Gespinst seiner eigenen Lügen verstrickt, um sich jetzt noch daraus befreien zu können. Und überhaupt, was brächte das noch? Es gab ja wohl keine Angehörigen, die sich um ein Begräbnis kümmern würden, und dann hatte es das Schicksal eben so gewollt, dass ein mit Kriegsverwundeten hoffnungslos überbelegtes Krankenhaus nicht einmal seinen Personalausweis sehen wollte.

»Ich weiß, es ist gewiss nicht leicht, jetzt darüber zu sprechen«, fuhr die Schwester fort, »aber ich fürchte, das ist unvermeidlich.

Das Krankenhaus kann Ihnen dabei behilflich sein, wenn Sie möchten. Steht bereits ein Termin für die Beisetzung fest?«

»Nein«, gestand er.

»Wir haben kaum Erfahrung mit der Bestattung von Juden, aber wir könnten uns kundig machen. Oder möchten Sie sich lieber selbst um alles kümmern?«

»Äh, was .... Das heißt, wie viel ...?«

»Das hängt von allen möglichen Posten ab«, sagte sie und begann, an den Fingern abzuzählen: »Der Friedhof, die Überführung dorthin, die Art des Grabsteins ...«

26

DAS BEGRÄBNIS fand ohne jeden Pomp statt, zog Eli aber dennoch gut zweihundert Lira aus der Tasche, Geld, das in seinem jungen Leben noch nichts geleistet hatte und doch schon mit Ruthi Cohen verscharrt wurde. Niemand wohnte der Zeremonie bei, bis auf ein paar Vertreter der Chewra Kadischa, der Beerdigungsbruderschaft, und einige gewöhnliche Sterbliche, die von ersteren überredet worden waren, um einen Minjan, das zehnköpfige Gebetsquorum, zusammenzubekommen.

Eli, der gegen seinen Willen in den Stand eines Eli Cohen versetzt worden war, beharrte vergeblich darauf, nicht der Sohn der Verstorbenen zu sein, denn als angeblicher Abkömmling der Tempelpriesterkaste war er so gezwungen, die Beisetzung von außerhalb des Friedhofs zu verfolgen, wie der Grabredner, ein Greis mit langem Bart, welcher annähernd ein Drittel seiner Körperlänge ausmachte, ihn zurecht gewiesen hatte: »Auf dem Friedhof liegen auch andere Sterbliche begraben, und einem Cohen ist untersagt, sich an ihnen zu verunreinigen, weshalb der Cohen vor dem Tore des Friedhofs zu stehen hat!«

Von seinem Platz aus hatte Eli Mühe, das Geschehen zu verfolgen. Der Grabredner im schwarzen Anzug mit passendem breitkrempigem Hut hielt einen kurzen, aber sehr persönlichen Nachruf, als hätte er die Verblichene noch zu Lebzeiten gekannt und sei über ihren Fortgang jetzt zutiefst betrübt. Danach verlas er die Buchstaben des Vornamens der Verstorbenen nach Abschnitten aus dem Psalm 119:

R – Regenten verfolgen mich grundlos, aber nur vor deiner Rede erschrak je mein Herz.

U - Und kommen mögen mir, DU, deine Hulden, dein Befreiertum gemäß deinem Spruch.

T - Tu an deinem Knecht gemäß deiner Huld, deine Gesetze lehre mich!

H - Harfenweisen werden mir deine Gesetze in meiner Gastschaft Haus.

I - Ich tat Recht und Wahrhaftigkeit, überliefre mich nie meinen Bedrückern!

Hernach wurden auch noch die Buchstaben des Wortes »Neshama«, Seele, gemäß den Versen des Psalms vorgetragen, dann trat Stille ein. Die Trauergemeinde sah Eli von weitem erwartungsvoll an. Der Grabredner schwenkte sein Gebetsbuch durch die Luft, als wollte er etwas signalisieren, doch Eli verstand nicht, was er wollte. Worauf der Greis einem der auch schon recht betagten Betenden etwas ins Ohr flüsterte und dieser sich schlurfend auf den Weg zu Eli machte. Bei ihm angelangt, blätterte er in seinem Gebetsbuch und legte den Finger auf das Kaddisch, die Lobpreisung Gottes.

Eli, der das Gebet kannte, es jedoch noch nie laut aufgesagt hatte, tat sich schwer, die Worte in babylonischem Aramäisch auszusprechen, da ihm die Punktierung fremd war. Mehr schlecht als recht brachte er das Gebet hinter sich und tröstete sich allein mit der letzten Zeile, die er ganz verstand: »Der Frieden stiftet in seinen Himmelshöhen, er stifte Frieden unter uns und ganz Israel. Sprecht: Amen.«

Mit kläglichem, aber einstimmigem »Amen« antwortete von ferne das zehnköpfige Gebetsquorum. Der Vorbeter bat die

Verstorbene um Vergebung, als vier aus der Beerdigungsbruderschaft mit größter Mühe die Bahre anhoben und sie zur Grabgrube neigten. Ruthi Cohen glitt ohne weiteres in die Tiefe. Eli hoffte, dass sie auch dort, im Schoß der Erde, mit dem Gesicht nach oben läge und ihren Blick zum Firmament richten konnte.

Die Zeremonie war beendet.

Das Grab wurde zugeschaufelt und die kleine Trauergemeinde setzte sich in Marsch und kam als Kolonne zu Eli. Einer nach dem anderen drückten sie ihm die Hand und sagten, »Möge der Allmächtige dich zusammen mit allen Trauernden Zions und Jerusalems trösten und dir kein weiteres Leid zuteil werden lassen.« Danach wuschen sie sich am Wasserhahn beim Ausgang die Hände, ohne diese zu trocknen, und verließen den Friedhof auf einem anderen Weg als dem, auf dem sie gekommen waren.

27

DIE AUSZEIT, die der Hinterbliebene von seinem Alltag nimmt, und die damit einhergehenden Rituale sollen ihm ermöglichen, die Trauerzeit zu überstehen, sich allmählich von seinem Schmerz zu befreien und zurück ins Leben zu finden, wenn die tiefe Wunde sich schließt und zur Narbe wird. Doch Ruthi Cohen hatte keine Hinterbliebenen, einmal abgesehen von ihren Katzen, und die schienen nicht im mindesten betrübt über die Abwesenheit der Hausherrin, solange nur ihr Futternachschub nicht zum Erliegen kam.

Die Trauerwoche über war Eli jeden Tag in ihrer Wohnung, fütterte die Katzen und machte ein bisschen sauber. Seine Ausgaben stiegen exponentiell mit der Zahl der Tage und der Zahl der Katzen. Dennoch suchte er sie Tag für Tag in ihrer Behausung auf.

Im Verlauf jener Woche teilte sich sein Leben auf in Besuche in Ruthi Cohens Wohnung, nächtliche Einsätze an der Klagemauer, hektische Einkäufe im Laden, in dem Anna weiterhin fehlte, und fortwährende Versuche, das Herz seines Katers zurückzuerobern, der sich die Fensterbank zum Wohnsitz und den Sperling und die Natter zu Nachbarn erwählt hatte.

Am Abend des siebten Tages, als endlich die drei Sterne am Nachthimmel zu sehen waren, öffnete Eli die Tür zu Ruthi Cohens Wohnung und lud ihre Katzen mit einer Spur aus Katzenfutter, die er aus der Wohnung bis auf die Eingangsveranda legte, in die Freiheit ein. Und als das rotschwarzweiße Trio und die beiden Grauen noch damit beschäftigt waren, sich den Schatz einzuverleiben, den sie auf der Veranda gefunden hatten, einen Sack Katzenfutter, aus dessen Riss Trockenfutterhappen wie Goldstücke kullerten, schloss Eli die Tür hinter ihnen, streichelte zum Abschied diejenigen, die es zuließen. »Von nun an seid ihr wieder Straßenkatzen«, erklärte er ihnen wortlos im Weggehen.

Wieder in seiner eigenen Wohnung steckte er Abel in die Transportbox und fuhr mit ihm zum Tierarzt.

Das Schild mit der Aufschrift »Bis auf Notfälle bleibt die Praxis heute geschlossen. Wir bitten um Verständnis« hing unverändert schief an der Praxistür. Doktor Seev öffnete ihm wie ein Mondsüchtiger, mit tiefschwarzen Ringen unter den Augen.

»Er hat einen Termin zum Fädenziehen«, sagte Eli.

»Mein Gott, ist schon eine Woche rum«, seufzte der Tierarzt zerstreut.

Die eine Wand des Behandlungszimmers war vom Boden bis in Hüfthöhe mit Plastikboxen zugestellt, von denen die meisten mit der Gittertür nach vorne standen und nur wenige zur Wand gedreht waren. Unzählige Katzenaugen funkelten aus dem Dunkel der Boxen. An der gegenüberliegenden Wand lehnte eine Leiter, mit deren Hilfe Dr. Seev Boxen bis an die Decke gestapelt hatte.

»Was ist denn hier los?«, fragte Eli.

»Ich habe eine Ausschreibung gewonnen«, antwortete der Veterinär säuerlich. »Irgendwann konnten die Tierärzte, die Kater freiwillig und ohne Bezahlung kastriert haben, nicht mehr umsonst arbeiten. Also hat die Stadtverwaltung endlich unsere

Klagen erhört und eine Ausschreibung gemacht. Wir haben zu dritt den Zuschlag bekommen. Erst habe ich gedacht, das ist ein Geschenk des Himmels, aber in Wahrheit ist es ein Albtraum, den der Teufel sich ausgedacht hat.« Er nahm die Brille ab und rieb mit beiden Fäusten kräftig seine Augenhöhlen.

»Auf jede Katze, die Sie hier sehen«, er deutete fahrig mit der Hand auf die Boxen, »kommen tausend, die frei auf der Straße herumlaufen und sich vermehren wie die Karnickel. Eine ausgewachsene Katze kann zwischen fünf und zwölf Junge in zwei Würfen gebären. Und diese Zahl kann sich ohne weiteres innerhalb eines Jahres multiplizieren. Ohne kontrollierte Kastrationen und Sterilisationen sind wir bald ein Katzenstaat. Ist Ihnen nicht aufgefallen, dass die Biester überall zu finden sind?«

»Nein«, gestand Eli.

»Na, Sie können sich ja selbst eine Straße denken, bevölkert von hundert, zweihundert Katzen. Oder fünfhundert, tausend – da sieht man keinen Unterschied«, sagte der Arzt und entfernte mit einer kleinen Schere, die er aus dem Schuhkarton voller medizinischer Gerätschaften gefischt hatte, die Fäden aus Abels Bauch. Dann kontrollierte er die Narbe, die sich inzwischen geschlossen hatte.

»Bestens!«, rief er. »Und wie geht's ihm sonst?«

»Er frisst so gut wie nichts«, klagte Eli. »Sitzt den ganzen Tag auf dem Fensterbrett und starrt nur nach draußen.«

»Mmm«, machte Dr. Seev. »Eine postoperative Depression ist nichts Ungewöhnliches. Stimmt außerdem noch irgendetwas nicht mit ihm?«

»Nein, ich denke nicht.«

»Gut, kein Grund zur Sorge. Lassen Sie ihn ab und zu mal raus, damit er ein bisschen jagen kann«, riet der Arzt und kraulte dem Kater die Ohren.

»Und keine Bange, Katzen sind territoriale Tiere. Er wird allerhöchstens einen kleinen Streifzug unternehmen und ist in ein, zwei Tagen wieder da.«

Auf dem Nachhauseweg fiel Eli auf, dass er seit dem Krieg nicht einen Hund mehr auf der Straße gesehen hatte. Nicht, dass Hunde vorher das Straßenbild geprägt hätten. Immer schon hatte es in Jerusalem mehr Katzen als Hunde gegeben. Doch von Zeit zu Zeit war ihm so ein Köter über den Weg gelaufen, der sein Fell wie den mottenzerfressenen Pelz eines anderen Tiers trug und Eli mit traurigem, schweigsamem Blick anschaute.

Nachdenklich betrachtete er unterwegs die Katzen, die dürren Straßenjäger, mit denen Abel, hätte er ihn nicht aufgenommen, jetzt gewiss um die Häuser streichen würde, dreckig und mager, ohne Namen und Geschlecht. Wenn er nicht, was so gut wie sicher war, schon längst tot wäre.

Auf den Straßen gab es keinen freien Fleck mehr, die geschmeidigen Bewegungen der Katzen waren längst Teil des allgemeinen Erscheinungsbilds geworden. An der Straßenecke Shlomzion Hamalka und Sira hatte sich einer mit in die Höhe gereckter Hinterpfote von der Meute abgesondert und leckte sich; und dort schlich sich eine vom Mamila-Friedhof, während ihre Brüder und Schwestern sich dort gegen Abend versammelten; und auf der Hillelstraße klebten in unregelmäßigen Abständen graue Fellfetzen von schon vor einer Weile überfahrenen Katzen wie schmutziger Kaugummi am Asphalt. Wahrscheinlich wäre Eli das vollkommene Fehlen der Katzen eher aufgefallen als deren wachsende Präsenz.

»Ein Katzenstaat«, dachte er, und hob seinen Blick wieder auf die Höhe von Menschen. Und da erst nahm er den Ruf des Muezzins wahr, der ihn schon seit einigen Minuten begleitete, während seine Ohren und seine Augen ganz auf die Rinnsteine und Gullys der Straße gerichtet waren.

Ein Muezzin? Aber hier in der Nähe gab es doch gar keine Moschee, und dass der Ruf des Muezzins von der Al-Aqsa-Moschee oder der Omar-Moschee herüberschallte, war auch unmöglich. Er fuhr weiter die Straße hinab und lauschte auf den monotonen Klang, der jetzt aus der Joël-Moshe-Salomon zu kommen schien, doch als er dorthin abbog, meinte er, die Stimme käme aus der Hillel, und als er den Roller wieder dorthin lenkte, glaubte er, das Geräusch aus der in Gegenrichtung gelegenen Menashe-Ben-Israel zu hören.

Und dort, mitten auf dem Miezenplatz, zwischen den Beinen der Huren, saß der schwarze Perser mit den weißen Pfoten und spielte mit dem starken Echo, das aufgrund der gerundeten, unterschiedlich hohen Niveaus des Platzes, zu den in der Platzmitte Stehenden zurückgeworfen wurde. Wie ein Herold, der alle Katzen des Viertels rief, sich dort einzufinden, stand er da.

Nach und nach versammelten sie sich bei ihm: der, der sich an der Ecke Shlomzion und Sira so selbstvergessen geleckt hatte, und die, die vom Mamila-Friedhof gehuscht war, dazu unzählige Graue, die Söhne und Töchter der auf den Asphalt geplätteten Fellfetzen. Die meisten von ihnen »Unrat«, einige aber auch mit blauer oder roter Impfmarke um den Hals. Und Stummelschwänzige, Einäugige, Dreibeinige und solche, die das alles auf einmal waren.

28

AM NÄCHSTEN MORGEN, nach einer weiteren durchwachten Nacht, die Abel auf der Fensterbank verbracht hatte, beschloss Eli, dem Rat des Tierarztes zu folgen und dem Kater ein bisschen Auslauf zu gönnen. Er wartete bis zum Nachmittag, als die Sonne ihren Zenit überschritten und der Verkehr auf den Straßen nachgelassen hatte.

Er trug den Kater die Stufen der Wendeltreppe hinab und setzte ihn auf den Bürgersteig.

»Halt dich nur von der Straße fern«, sagte er. »Nicht, dass du wieder überfahren wirst.«

Abel drehte sich zu ihm um und bedachte ihn mit einem fragenden Blick.

»Vorwärts!«

Abel machte ein paar Schritte vom Hauseingang weg und kehrte dann flugs zu ihm zurück, wie jene Menschenaffen, die man nach langer Zeit in Gefangenschaft zurück in die freie Wildbahn entlässt und die sich nicht von ihren Pflegern trennen mögen. Oder sollten sie etwa Angst vor dem haben, was sie im Dschungel erwartete …

»Geh schon!«, befahl Eli.

Der Kater wandte den Blick zur Straße, blieb jedoch wie angewurzelt stehen.

»Guck mal!« Eli zog den schwarzen Kabelbinder aus der Tasche und wedelte damit vor der Nase des Katers hin und her.

»Hopp, hoppa!«, rief er laut und tat, als würde er den Plastikstreifen wegschleudern.

Abel schoss los und hetzte die Straße hinunter. Schließlich wurde er langsamer und begann, auf der Suche nach dem Kabelbinder den Gehweg abzuschnüffeln, und als er den Betrug durchschaut hatte, drehte er sich wieder um und sah Eli von ferne an.

»Mach schon«, bedeutete ihm Eli mit der Hand.

Abel schaute ihn noch mehrere Sekunden lang an, jaulte schließlich, doch war es aufgrund der Entfernung schwer zu entscheiden, ob es ein »Leb wohl« oder ein »Bis später« war.

Dann drehte er sich um und ging seines Weges.

Eli kehrte zurück in seine Wohnung und beobachtete den Kater durchs Fenster. Abel lief zum Miezenplatz und war schon bald in der Katzenmenge, die sich dort zwischen den Beinen der Huren drängte, verschwunden. Plötzlich ging ein Zittern durch den pelzigen Teppich. Einige Katzen brachen unvermittelt in einen gewaltigen Sängerstreit aus, während alle anderen ringsum sie anzuspornen oder niederzubrüllen schienen, bis das Jaulen und Kreischen wie eine Polizeisirene klang, wie die Sirenen bei einem Bombenangriff im Krieg oder wie das Crescendo einer Opernsängerin – eine richtige Katzenmusik nach allen Regeln der Kunst.

»Sie fressen ihn bei lebendigem Leibe auf!«, entfuhr es Eli.

Er hastete zurück auf die Straße und eilte zum nahen Platz. Sein Schatten wurde von dem der Katzen geschluckt, die den Fußweg schwarz färbten und sogleich begannen, kaum dass er stehengeblieben war, ihm um die Beine zu streichen, als sei nichts geschehen. An die Stelle des Jaulwettstreits war jetzt ein vielstimmiges, sonores Schnurren getreten. Er schaute sich um, doch es waren viel zu viele Katzen von Abels Sorte, einige darunter sogar mit Halsband und roter Marke. Abel unter ihnen ausfindig zu machen, war schier aussichtslos.

»Verzeihung«, Eli wandte sich an eine der Prostituierten, die aussah wie ein gerupfter Pfau. »Haben Sie zufällig meinen Kater gesehen?«

»Sicher«, meinte die Pfauendame, noch ehe er dazu kam, Abel zu beschreiben. »Fünf Lira mit der Hand, zehn mit'm Mund, fünfzehn im Auto und zwanzig inner Wohnung.«

»N-nein«, stotterte Eli. »Ich suche meinen Kater, er war gerade noch hier, so ein Hauskater.«

»Zu Hause – zwanzig Lira«, sagte die Pfauin. »Wo wohnst'n du, Schätzchen?«

»Nein, schon gut«, sagte er und drehte ab.

»Wohin so schnell? Kitty macht's dir billiger, zehn zu Hause. Wo wohnst du, Süßer?«

»Schon gut, Verzeihung«, murmelte er und machte ein paar Schritte zurück, wobei er über einige der Katzen steigen musste, die gerade wieder begonnen hatten, zu jaulen und zu kreischen. Tatsächlich, von den Knien der Prostituierten abwärts tobte ein Existenzkrieg ganz anderer Art.

Jetzt fiel ihm ein, dass Abel aus der Altstadt kam und er über den Miezenplatz hinaus dorthin unterwegs sein könnte.

Also machte er kehrt, ging nach Hause, griff sich eine Dose Katzenfutter, sprang auf seinen Motorroller und knatterte los.

Er stellte die Vespa am Mughrabiviertel ab. Einzelne Straßenschilder hingen wundersamerweise noch an den kümmerlichen Überresten dieser oder jener Hausfassade oder an Pfählen, die aus den Trümmern ragten. Jetzt wiesen die Straßennamen nach unten, auf den schuttübersäten Boden, oder nach oben in den Himmel. Einige Kadaver von Hunden waren zu sehen, mit denen es das Schicksal nicht gut gemeint hatte.

»Abel!«, rief er laut, doch es standen dort nicht mehr genug Hauswände, die seinen Ruf hätten widerhallen lassen können.

Von weitem sah er zwei Jungen, die barfüßig auf dem gegen Abend noch warmen Pflaster des zwischen den Trümmern freigeräumten Pfads liefen und einen Esel hinter sich herführten, der zu beiden Seiten mit festgezurrten Bündeln bepackt war. Er ging auf sie zu.

Die beiden Jungen blieben stehen, schauten ihn an, doch der Esel trottete einfach weiter. Einer der beiden, der größer war als sein Freund und vielleicht dreizehn sein mochte, schlug darauf dem Esel mit einer Eisenkette gegen die Flanke. Der Esel stieß einen Schrei aus, der sich wie das Kreischen einer Bremse anhörte, und blieb abrupt stehen. Zwischen seinen müden Augen leuchtete ein Fellfleck in der Form eines Diamanten, strahlend weiß wie das Firmament eines gleißend hellen Tages und streng eingefasst wie ein Diadem. Oder aber wie ein biblisches Mal – auf dass der Todesengel diesen Esel übergehen sollte.

»He«, rief Eli, dem der Esel leidtat.

Der Dreizehnjährige und sein kleinerer, vielleicht sieben Jahre alter Begleiter beachteten ihn nicht und gingen einfach weiter. Nach ein paar Schritten senkte der Esel plötzlich den Kopf und begann, trockenes Gras zu fressen, das kümmerlich zwischen den Steinen wuchs. Der Dreizehnjährige schwang die Kette wie ein Lasso und schlug damit wieder auf dieselbe Stelle in der Flanke, wo schon kein Fell mehr wuchs, sondern nur noch ein blutiges Auge klaffte, dessen Ränder sich aufwölbten wie ein Schlund.

Der Esel stieß ein herzzerreißendes Wiehern aus.

»He!«, brüllte Eli in einer Stimmlage, die alle überraschte, auch ihn selbst, da sie nicht nur höchst vorwurfsvoll, sondern auch sehr oberlehrerhaft klang, ein Register, das ihm noch nie zuvor über die Lippen gekommen war.

»Fi mushkila – gibt's 'n Problem?«, blaffte der Dreizehnjährige.

»Was machst du da?!«, brüllte Eli, als wollte er überprüfen, ob der Ton anhielt.

»Yallah, ruch – hau ab!«

»Siehst du nicht, dass du ihm weh tust?!«

»Was da, ya Chmar, tu ich dir weh?« Der Junge wandte sich an den Esel, holte erneut mit der Kette aus und schlug damit demonstrativ wieder in die Flanke, so dass zwei Glieder der Kette für einen Moment in dem Wundauge verschwanden und im nächsten Augenblick wieder herausgerissen wurden. Das Tier gab ein fürchterliches Brüllen von sich und bleckte die Zähne, als hätte es keine Lippen mehr. Die beiden Hinterläufe knickten für einen Moment ein und strafften sich dann zitternd wieder.

»Hör auf!«, brüllte Eli.

»Und wenn nicht, was machste?«, höhnte der Junge.

»Dann rufe ich die Polizei!«

Der Dreizehnjährige schaute zu dem Siebenjährigen und sagte »Shurta«, und beide brachen sie in hämisches Gelächter aus.

»Und die ruft dann zu Hause bei deinen Eltern an«, fuhr Eli fort, schien damit aber bloß einen noch gelungeneren Witz gelandet zu haben.

»Tfadal – bitte«, grinste der Dreizehnjährige ihn an und deutete mit der Hand auf die Ruinen. »Hü!«

Wieder schwirrte die Kette durch die Luft und der Esel wieherte um Gnade, doch ehe das Eisen sich erneut ins Fleisch schnitt, war Eli mit einem Satz bei dem Jungen und verpasste ihm eine schallende Ohrfeige.

Der Junge ließ die Kette fallen und hielt sich mit beiden Händen die brennende Wange. Seine Augen füllten sich mit Tränen, und Eli sah, dass er etwas sagen wollte, etwas erwidern, jedoch Angst hatte, den Mund aufzumachen, um nicht loszuheulen wie ein Mädchen.

»Sibi Djachsh – lass den Idioten!«, zischte der Siebenjährige giftig.

Der Ältere wandte ihnen den Rücken zu und stakste davon wie ein besiegter Soldat. Als er genug Abstand gewonnen hatte, begann sein Rücken zu beben und in Wellen zu zittern.

»Rachat alek – das war's für dich!«, drohte er den Tränen nahe.

»Ich wollte das nicht«, rief Eli, der das Ganze schon bereute.

Plötzlich umfing ihn der Kleinere von hinten und schob die Hände in seine Taschen. Erschrocken versuchte Eli, ihn abzuschütteln. Der Siebenjährige löste sich von ihm, schloss zu seinem Kumpan auf und flüsterte dem etwas ins Ohr, worauf beide Jungen abermals loslachten und verschwanden.

Allein mit dem Esel, der keinerlei Anstalten machte, ihm Dankbarkeit zu erweisen, blieb Eli zurück. Ja, der Graue schien nicht einmal zu begreifen, dass etwas geschehen war; dass sein Herr gewechselt hatte; dass sein neuer Herr ihn von seinen bisherigen, grausamen Besitzern erlöst hatte; und dass sein neuer Herr nicht sein Besitzer war. Der Esel stand einfach nur da wie ein lebendiges Tragegestell, dem man zu beiden Seiten Bündel und Pakete aufgeschnürt hatte.

Das ist ein Transportesel, begriff Eli mit einem Mal, er ist ihr Motorroller.

Zu spät. Das Rad ließ sich nicht mehr zurückdrehen.

»Erst zur Polizei oder erst zum Tierarzt?«, fragte er sich und schaute den Esel an, der nicht antwortete und offensichtlich vorhatte, weiter zu schweigen.

»Zum Tierarzt – erst die Gesundheit, danach die Bürokratie!«

Er klopfte dem Esel sachte aufs Hinterteil, doch der rührte sich nicht.

»Hot!«, rief er erst und dann: »Hü!« Er schien selbst peinlich berührt von dem pathetischen Versuch, das Tier so anzusprechen.

Der Esel blieb wie versteinert stehen. Offenbar war die einzige Sprache, die er verstand, die der Eisenkette.

Eli hob die Kette vom Boden auf und näherte sich damit dem Esel.

Ein Zittern lief durch das Fell des Tieres. Würde der neue Herr der Kette noch schlimmer sein als sein Vorgänger?

»Hü!« Eli schwang die Kette durch die Luft, bis sie ein Sirren in seinen Ohren erzeugte und beinahe dem Esel die Stirn einschlug, da die Kettenglieder, je weiter sie von der Faust, die sie gepackt hielt, entfernt waren, umso weniger gehorchten.

»Na komm schon, man will dir doch nur helfen«, versuchte er, dem Esel gut zuzureden, doch vergebens.

Die einsetzende Dunkelheit ließ gebrochene Schattenrisse aus den Ruinen wachsen. Es war bald Zeit für seine Arbeit. Also beschloss er, sich zur Klagemauer aufzumachen und zurückzukommen, sobald er da fertig wäre. Der Esel würde schon nicht weglaufen.

Er öffnete die Büchse Katzenfutter und hielt sie dem Esel hin. Der Graue näherte sich mit den Nüstern der Dose und begann, mit Lippen und Zunge Fleischbrocken herauszulösen. Eli entleerte das Hirschragout auf den warmen Sand und streichelte dem Tier die Blässe, während es fraß.

»Alles wird gut, ich bin gleich wieder da«, sagte er. »Ich muss nur kurz zur Mauer, eine Kleinigkeit erledigen.«

Der Soldat mit dem Oberlippenbärtchen und dem schütteren Backenbart begrüßte ihn in dieser Nacht wie einen alten Freund und schien besonders erfreut, ihn zu sehen. Seine Waffe hing von der Hüfte hinunter, und seine Knie waren aneinandergedrückt.

»Könntest du wohl hier Wache für mich halten, während ich kurz mal wohin muss?«, fragte er gepresst.

»Sicher«, sagte Eli.

»Prima, danke!« Und weg war er.

Was hätte er wohl gemacht, wäre ich jetzt nicht gekommen, fragte sich Eli.

Er baute sich am Tor auf und sah sich um. Erste Sonnenstrahlen strichen über die Felsquader der Mauer und der Platz davor war menschenleer und friedlich. Es war dies die seltene, vollkommene Stille der Natur, zwischen dem nächtlichen Zirpen der Zikaden und dem ersten Zwitschern der Vögel. Jetzt war Eli wirklich und wahrhaftig der einzige Mensch an der Klagemauer. Der Wächter an der Schwelle, nichts weniger als das. Mehrere Katzen strichen zwischen seinen Beinen an ihm vorüber und schlüpften durch das Tor, ohne um Erlaubnis gefragt zu haben, gesellten sich zu der Katzengesellschaft, die dort schon auf sie wartete, die meisten von ihnen Straßenkatzen, einige auch mit Halsband, an dem eine blaue oder eine rote Marke hing.

»Du kannst loslegen!«, rief ihm der Soldat zu, der angetrabt kam. Er wirkte jetzt sichtlich gelassener und entspannter.

Eli trat auf den Vorplatz und ging zur Mauer, verteilte die Zettelchen gleichmäßig zwischen den Felsblöcken, wie er es sich angewöhnt hatte. Als er zum Tor zurückkehrte, nickte er dem Soldaten zu.

»Sag mal«, fragte dieser, »könnte ich dich vielleicht bitten, noch mal für ein paar Minuten hier zu übernehmen? Zeit fürs Gebet.«

»Okay.«

»Du tust ein gutes Werk!« Er entfernte sich einige Meter, lehnte sein Gewehr an den Zaun und zog aus einer der Taschen seiner Kampfweste einen Gebetsbeutel, dem er Gebetsschal und Gebetsriemen entnahm. Er hüllte sich in den Schal und begann, die Riemen um seinen Unterarm zu wickeln, wobei er flüsternd das Gebet murmelte.

Eli lehnte sich gegen den Torbogen und steckte die Hände in die Taschen. Doch etwas war ungewohnt, es war die vertraute Wölbung in der rechten Tasche, die auffiel, weil sie fehlte und den Weg für seine Hand bis zur untersten Naht ohne jeden Widerstand freigab.

Das Portemonnaie!, dachte er. Diese verteufelten Rotzbengel!

Als der Soldat endlich zurückkam, eilte Eli wieder zum Mughrabiviertel, um dort nach seiner Geldbörse zu suchen. Doch er fand nur den Esel, auf der Seite liegend, dort wo er ihn zurückgelassen hatte. Mehrere Mitarbeiter der Stadtverwaltung standen um den Körper des Tieres, darunter auch der kleinwüchsige Polizist, der das Taxi angehalten hatte – ein Menschenauflauf, der zu dieser Tageszeit ein wenig fehl am Platze wirkte, zumal der Esel mausetot war. Nur die Wunde in der Flanke zeigte noch Zeichen von pulsierendem Leben, denn dort vergnügte sich ein Fliegenschwarm, speiste, paarte sich und legte Eier, schuf neues Leben am unbelebtesten Ort der ganzen Straße.

29

AM SCHABBAT fiel Eli endlich morgens um viertel vor fünf in sein Bett. Doch eine Flut von Gedanken belastete ihn und raubte ihm den Schlaf. Schuldgefühle nagten an ihm wie die Fliegen an dem Wundauge des Esels. In seiner Einbildung ließ er den Film der Ereignisse rückwärts laufen, in dem verzweifelten Versuch, sich von den Gedanken zu befreien, die ihn beherrschten: Die Fliegen schwirrten summend über der Flanke des Esels und schlossen die klaffende Wunde mit einem winzigen Fleischfetzen nach dem nächsten, bis der auf der Seite liegende Esel mit einem Mal wie von einer Sprungfeder getrieben auf die Beine kam und ein triumphierendes Iah von sich gab; Eli ging weiter zurück zu dem älteren der beiden Jungen, streichelte sanft seine brennende Wange und saugte so im Nu die Rötung heraus, worauf sich die Tränen des Jungen zurück in die Augenwinkel verflüchtigten, sein Zorn sich legte und jeder wundersame Schlag der Kette die Flanke des Esels genesen ließ; und schließlich schwang sich Eli wieder auf seinen Roller und fuhr den ganzen Weg nach Hause zurück, lebensfroh und unbeschwert.

Als er erwachte, wurde der Albtraum mit dem Esel von den irdischen Fragen über sein eigenes Leben abgelöst. Eli musste sich eingestehen, dass er, auch wenn er sich jetzt wünschte, manches anders gemacht zu haben, doch nicht bereit war, auf einige Ergebnisse der Ereignisse zu verzichten: den Kater, der seine Einsamkeit vertrieben hatte; die Arbeit, die seinem Leben einen wenn auch obskuren Sinn gab; und natürlich die gelegentlichen, flüchtigen Gespräche mit Anna.

Da klingelte das Telefon. Apathisch griff Eli nach dem Hörer. Was auch passieren würde, sollte geschehen, und was gewesen war, blieb zurück.

»Herr Ehrlich?«

»Ja?«

»Schalom, ich habe Ihr Portemonnaie in der Altstadt gefunden«, sagte eine angenehme Stimme mit leicht arabischem Akzent.

Unwillkürlich fuhr Elis Hand zur Hosentasche, obgleich er noch im Pyjama war.

»Ah, wie schön!«, sagte er und machte sich sogleich Vorwürfe, die Jungen des Diebstahls bezichtigt zu haben.

»Ich würd's Ihnen gerne zurückgeben.«

»Vielen Dank. Äh, haben Sie zufällig nachgeschaut ...«

»Ich glaube, es ist alles da, keine Sorge. Nichts fehlt.«

»Ach, phantastisch!«

Na bitte, ein bisschen Glück muss der Mensch haben, und alles kommt in Ordnung, dachte Eli.

»Wenn Sie mir Ihre Adresse geben, könnte ich's Ihnen vorbeibringen.«

»Das wäre sehr nett von Ihnen.« Er gab dem Anrufer seine Adresse, und sie verabredeten sich für den Nachmittag.

Eli beschloss, dem ehrlichen Finder ein paar Lira für seine gute Tat zu geben, und sank endlich in einen erholsamen Schlaf.

Diesmal beherrschten keine Bilder seine Träume, sondern ein Geräusch. Es klang wie von einem Fingernagel, der über eine sich drehende Schallplatte kratzt und so eine sonderbare Melodie erzeugt, die Tonspur seines Lebens. Als er aufwachte, war das Geräusch noch immer zu hören, vor der Tür seines Zimmers, vor der Wohnungstür.

Er öffnete die Tür einen spaltweit und lugte nach draußen. Im nächsten Moment spürte er etwas an seinem Bein vorbei streichen und fuhr erschrocken zurück. Abel schlüpfte in die Wohnung und lief zu seinem Futternapf.

»Abel!«, rief Eli freudig.

Der Kater miaute, doch war das kein »Hallo« oder ein »Ich-hab-dich-vermisst«, sondern bloß ein »Fleisch!«.

»Hauptsache, du bist wieder da«, sagte Eli und öffnete eine Büchse Katzenfutter.

Er bückte sich und strich dem Kater über den Rücken, während dieser sich daran machte, das Entenklein noch schneller als gewöhnlich zu verschlingen, als plötzlich ein Klopfen an der Tür zu hören war.

Erst der Kater, jetzt das Portemonnaie, dachte Eli. Das Schicksal hat schon überraschende Wege, um alles ins Lot zu bringen, sogar finanziell.

»Augenblick«, rief er.

Doch kaum hatte er die Tür geöffnet, bereute Eli es schon. Denn unwillkürlich wähnte er sich mit etwas ringen, das von draußen hereindrängte, etwas Vexierendes, das ihn einmal küsste und dann wieder ohrfeigte, etwas, das wirkte wie das Schicksal. Vor der Tür stand ein Mann, der weniger aussah wie der Vater des Sieben- und des Dreizehnjährigen, sondern eher wie deren älterer Bruder oder aber wie eine irritierende Kombination aus beiden Jungen.

»Sie sind Eli«, sagte er und durch die Luft schwebte das fehlende Fragezeichen, das den Satz zu einer Feststellung machte.

»Ja, der bin ich.«

»Bitte«, sagte der Bursche und streckte ihm das Portemonnaie hin.

Eli nahm die lederne Börse, die ein bisschen ramponiert aussah, und kontrollierte ihren Inhalt. Es war alles da, bis auf seinen Personalausweis.

»Sie sehen genau so aus wie auf dem Bild«, stellte sein Gegenüber fest und reichte Eli nun auch den Ausweis, der in seiner Hemdtasche gesteckt hatte.

Eli blätterte durch die Geldscheine im Portemonnaie und wählte erst einen Fünfer aus, nahm dann aber doch einen Zehner, zog den Geldschein heraus und hielt ihn dem jungen Araber hin.

»Ich danke Ihnen«, sagte Eli.

»Wollen Sie gar nicht fragen, wo ich es gefunden habe«, entgegnete der Andere, ohne das Geld zu nehmen.

»Die Hauptsache ist doch, dass Sie es gefunden haben«, sagte Eli und hielt ihm erneut den Geldschein hin.

»Die Jungs sagen, es ist Ihnen rausgefallen.«

Eli ließ den Schein sinken. Die Wahrheit würde ihn teurer zu stehen kommen.

»Danke für das Portemonnaie«, sagte er und wich einen Schritt zurück, doch der Abstand wuchs nicht, da der Bursche just einen Schritt vor machte. Jetzt stand er unter dem Türsturz. Noch ein Schritt und er würde in der Wohnung sein.

»Hören Sie, ich muss gleich zur Arbeit.«

»Am Schabbat?«

Eli wusste nicht, was er tun sollte. Noch ein Schritt rückwärts und der Andere würde die Schwelle zu seiner Wohnung überschreiten; ein Schritt vor, und sie kämen sich so nah, dass ihre Nasen sich fast berührten. Er stand wie erstarrt.

»Was arbeiten Sie denn?«

»Kurierfahrten«, antwortete Eli.

»Ich bin auch Kurier«, sagte der Andere und schlug sich klatschend mit der Rechten auf den linken Oberschenkel. »Schufte wie ein Esel!«

Eli schluckte. Bloß keine hektischen Bewegungen machen, bläute er sich ein. Zitternd zog er sämtliche Geldscheine aus dem Portemonnaie und hielt sie dem jungen Mann hin.

»Das steht Ihnen zu.«

Auch diesmal nahm der Andere das Geld nicht.

Abel hatte in der Zwischenzeit das Gänseklein verputzt und strich Eli jetzt buckelnd um die Beine.

»Psss, psss«, machte der Araber und bückte sich, um den Kater zu streicheln.

»Was für eine niedliche Katze«, sagte er, hob Abel vorsichtig hoch und kraulte ihm das Fell am Hals.

»Meine Neffen würden sterben für eine Katze.«

Abel schnurrte genüsslich. Der Bursche machte einen Schritt zurück. Jetzt hätte Eli die Tür vor ihm zuschlagen und der Sache ein Ende bereiten können. Aber was würde dann mit Abel geschehen?

Eli machte einen Schritt nach vorn und streckte die Hand nach dem Kater aus.

»Er mag es nicht, wenn man ihn hochhebt«, sagte er.

»Warum? Ich hab´ eher den Eindruck, er genießt es ...«, gab der Besucher zurück. »Stimmt's?«, fragte er Abel und kämmte mit den Fingern kräftig durch dessen Fell.

Der Kater gab ein Miauen von sich, das irgendwo schwankte zwischen »Ja« und »Nimm dich in acht«.

»Sehen Sie«, bekräftigte Eli, »er hat das nicht gern.«

»Nein?« Der Andere grinste hämisch und bohrte seine Finger kräftig in den Hals des Katers.

Abel fauchte und versuchte, sich aus dem Griff zu winden, doch der junge Mann hielt ihn fest am Hals gepackt.

»Lassen Sie ihn los!«, herrschte Eli ihn an.

»Was ist denn? Ich spiel´ doch nur mit ihm«, erwiderte der junge Araber ungerührt und grub seine Finger noch tiefer in den Hals des Tieres.

Abel wand sich, schnappte nach dem Daumen seines Peinigers wie nach einem der schwarzen Kabelbinder und biss zu.

»Verdammtes Vieh!«, zischte der Araber und ließ den Kater fallen, schob sich schmerzverzerrt den Daumen in den Mund und spuckte Blut. Abel versuchte derweil zu entkommen, doch der Bursche trat ihm auf den Schwanz und nagelte ihn so am Boden fest. Der Kater stieß einen Schmerzensschrei aus, schnappte nach dem Knöchel des Mannes und bohrte seine Fangzähne hinein. Der Araber versuchte, das Tier mit einem Tritt abzuschütteln, doch Abels scharfe Zähne hatten sich tief ins Fleisch gegraben. Jetzt hüpfte der Bursche wild auf einem Bein und trat mit dem anderen in die Luft, bis er Abel schließlich derart heftig traf, dass der Kater weggeschleudert wurde und gegen den Türpfosten prallte, während er selbst das Gleichgewicht verlor, mit den Händen um sich schlug, vergeblich versuchte, etwas zum Festzuhalten zu greifen, wo nichts zum Festhalten war, dann rücklings die Wendeltreppe hinabstürzte und wie ein schwerer Sessel, der einem Möbelpacker aus der Hand gerutscht ist, die Stufen hinabpolterte. Der erste Schlag, der ihn im Nacken traf, ließ seinen Schrei jäh verstummen, sodass sich der Sturz von da an relativ leise vollzog, als hätte sich sein Körper mit der neuen Lage, in die er geraten war, abgefunden und das Urteil erschlafft und in vollkommener Ergebenheit akzeptiert.

Eli stand fassungslos da. Das ganze Geschehen hatte bloß drei, vier Sekunden gedauert, von dem Moment, als der Bursche seine Verwünschung ausgestoßen hatte, bis zu dem Augenblick, in dem Totenstille herrschte, nicht die Stille eines menschenleeren Ortes, sondern die eines Theaterpublikums, das gebannt auf der Kante des Gestühls sitzt und sich die Hand vor den Mund hält, atemlos vor Anspannung, was der Held als nächstes tun wird.

Abel saß auf dem Treppenabsatz an der Tür und leckte seinen ramponierten Schwanz, der, gerade erst von dem Unfall erholt, jetzt schon wieder plattgetreten worden war.

Zögernd, als führte sie ins Jenseits, stieg Eli die Treppe hinab. Er ging auf Zehenspitzen, andächtig, wie einer, der fürchtet, die Toten aufzuwecken. Er kam an den verriegelten Türen der Tagesstätte für Leute mit besonderen Bedürfnissen und der Schauspielschule vorbei. Die Stufen unter seinen Füßen gaben nichts preis von der Tragödie, deren Zeuge sie soeben geworden waren.

Am Fuße der Treppe, an die Wand gelehnt, lag der Mann, als habe er sich bloß hingesetzt, um auszuruhen, nur verkehrt herum: Sein Bauch und sein Kinn waren an die Wand gepresst, während seine Beine in einem Neunziggradwinkel nach hinten geneigt standen und seine Fußspitzen zum Boden zeigten. Er sah aus wie eine Marionette, deren Fäden alle auf einmal durchtrennt worden waren.

Eli erstarrte. Rieb sich die Augen mit den Fäusten, in der Hoffnung, dass, wenn er sie wegnähme und die Augen wieder aufschlüge, sich das Bild verflüchtigt hätte.

Wie war das passiert?! Es war ein Unfall ..., antwortete er sich selbst. Überhaupt war es vielleicht am besten zu schweigen, denn was sonst sollte man im Angesicht des Todes überhaupt tun?

Als er die Augen wieder aufschlug, saß der junge Bursche noch immer dort, nur mit dem winzigen Unterschied, dass seine Schulterblätter sich für einen Moment dehnten, als wollte er aufstehen, und aus seinem Mund ein Seufzer kam, der unmissverständlicher nicht hätte sein können: Das war der letzte Atemzug eines Menschen. Dann erschlaffte er vollends und sackte zusammen.

Eli hastete wie von Sinnen die Stufen der Wendeltreppe hinauf, stürzte zum Telefon und wählte die 100.

»Schalom, Polizeidirektion, wie können wir Ihnen helfen?«, kam die näselnde Stimme der Telefonistin in der Zentrale aus dem Hörer.

Eli erschrak und legte auf. In der Sekunde, in der er ihre Stimme hörte, begriff er, jetzt würde noch jemand anderes involviert sein, und der Gedanke, dass außer ihm jemand von der Leiche erführe, ließ ihn panisch werden. »Tiere sperren sie für weit weniger ein. Und mich, mich werden sie auch einlochen«, dachte er.

Schabbat. Und nur ein einziger Mieter im Haus. Und ein Leichnam. Jeden Augenblick konnte auf der Straße jemand vorbeikommen und den jungen Burschen mit gebrochenem Hals im Hauseingang liegen sehen. Und dieser Passant würde sogleich zum nächsten öffentlichen Fernsprecher laufen und die Polizei rufen, die dann die Wendeltreppe hinaufgestürmt käme und an jede Tür klopfen würde, bis sie bei Eli angelangt wäre, dem einzigen Bewohner des Hauses – und wie sollte er sie dann davon überzeugen, dass er mit dem Sturz nichts zu tun hatte? Ihm blieben nur zwei Möglichkeiten: entweder die Leiche verschwinden lassen oder selbst zu verschwinden.

Abermals stieg er hinab ins Erdgeschoss, packte den jungen Araber unter den Achseln und begann, ihn die Treppe hinauf zu schleifen, wobei er erleichtert feststellte, dass er keine Blutspur oder irgendeine andere Körperflüssigkeit hinterließ. Nur die störrische Zwiebel, die ihm irgendwann aus der Einkaufstüte gefallen und die Treppe hinabgekullert war und die in der Zwischenzeit schon einen grünen Stängel ausgebildet hatte, lag genau dort, wo der Bursche zuvor gelegen hatte, ein plattgedrücktes Zeugnis der Tragödie, die sich hier zugetragen hatte.

30

DER JUNGE ARABER, dem es zu Lebzeiten nicht vergönnt gewesen war, Elis Wohnung zu betreten, lag jetzt mitten darin, die Wange am Fußboden klebend. Arme und Beine waren seitlich abgespreizt, wie die Gliedmaßen eines Katers vor der Kastration beim Tierarzt, die aussehen, als seien die Muskeln unter der Haut bis zum Zerreißen gespannt, aber in Wahrheit vollkommen erschlafft sind.

Abel hockte neben dem Toten und leckte sich weiter sorgsam den Schwanz, der von dem Burschen plattgetreten worden war. Dem »Burschen« – denn ihn nach seinem Namen fragen konnte Eli nicht mehr.

Er beschloss, vor allem anderen den Mann so umzudrehen, dass er mit dem Gesicht zu ihm läge. Gesagt, getan. Alles in allem wirkte der Tote, als schliefe er bloß, sah man einmal von seiner Wange ab, die auch jetzt, da sie schon nicht mehr am Fußboden klebte, flach wie eine Pfanne und noch immer ein bisschen gerötet war. Der weite Schlag seiner Hose gab einen glatten und erstaunlich blassen, fast weiß glänzenden Knöchel preis, offenbar die Hautfarbe des Toten zu Lebzeiten. Oberhalb der Achillessehne waren zwei rote Bissmale deutlich erkennbar.

Was sollte er tun?, überlegte Eli. Doch die Polizei rufen? Grundsätzlich war er davon überzeugt, dass dem Leben derart viele Zufälle nicht gestattet sein sollten, um am Ende einen so unvorhersehbaren Tod eintreten zu lassen. Er versuchte, mit seinem Kopf Ordnung zu schaffen, rechnete nach den bekannten Formeln zurück. Hätte ich das nicht gemacht, wäre jenes nicht passiert, und der Mann hier am Boden würde gleich putzmunter aufspringen. Doch diese Formeln lieferten nur Lösungen für die unverrückbare Vergangenheit, was er aber brauchte, war ein Plan für die Zukunft.

Also ging er ins Bad, drehte den Wasserhahn auf und stellte sich unter die Dusche, von der er sich versprach, als ein anderer wieder herauszukommen. Er stand unter dem warmen Wasserstrahl und malte sich aus, wie das wohltuende Nass alle Sorgen und Ängste von ihm abspülte. Eine warme Dusche sollte ja Wunder bewirken können.

Dann versuchte er, sich seine Aussage auf dem Polizeirevier auszumalen: Der wachhabende Beamte würde ihn durch die dicken Gläser seiner Brille anstarren, einen Moment lang zögern und dann »Tod durch Kater« zu Protokoll nehmen. Eli würde darum bitten, »versehentlicher Tod« hinzuzufügen, worauf der

Beamte ihn mit einem fragenden Blick mustern würde und Eli wiederum zwei Möglichkeiten blieben: Entweder er behauptete, das Todesopfer nicht zu kennen – dann würde er erklären müssen, was der junge Mann in dem Haus gesucht hatte, in dem er als einziger Mieter wohnte. Oder er gab an, der junge Araber sei gekommen, um wegen der Sache mit seinen Neffen und dem Esel abzurechnen. Doch damit würde er dem Polizisten nur geben, wonach dieser suchte, jenen schwer zu greifenden Begriff, von dem jeder gerechte Prozess seinen Ausgang nimmt: das »Motiv«. Doch es war vielmehr das wohlklingende Wort »Alibi« – jener lateinische Terminus, der »an einem anderen Ort war ich« meint –, auf das er sich jetzt konzentrieren musste.

Eli wendete die verschiedenen Möglichkeiten in seinem Kopf hin und her, von Anfang bis zum Ende und vom Ende zurück zum Anfang, gelangte aber immer nur zu dem einen Schluss: So oder so würden die Behörden den Toten mit dem Sieben- und dem Dreizehnjährigen in Verbindung bringen, die ihrerseits aussagen würden, Eli habe sie geschlagen und den Tod ihres Esels verschuldet, und dann wäre es nur noch ein kurzer Weg vom »Alibi« zum »Motiv«. Wie ein Hühnerknöchelchen steckte ihm der Tote im Hals, ihn zu schlucken erschien ebenso wenig ratsam wie ihn auszuspeien. Mithin, es blieb ihm keine Wahl: Er musste ihn loswerden, musste jedwede Verbindung mit dem Fall bestreiten und hoffen, dass der Tote seinen Neffen nicht seine Adresse oder seinen Namen mitgeteilt hatte. Ob sie das Hebräische auf seinem Ausweis lesen konnten, solange sich dieser noch in ihren Händen befunden hatte, erschien immerhin fraglich.

Doch wie? Er hatte keinerlei Erfahrung in solchen Dingen. Ja, wo sollte eine solche Erfahrung auch herstammen?

Das perfekte Verbrechen, dachte er, beruht nicht auf der Ausführung der Tat, sondern im Verwischen aller Spuren. Er hatte hier in der Wohnung einen leidlich unversehrten Mann, der zwar tot war, aber sehr wohl noch Volumen, Gewicht und Präsenz besaß. Es würde nicht lange dauern, bis er irgendjemandem fehlte.

Und es würde nicht allzu viel Zeit vergehen, bis sein Körper, der im jetzigen Zustand bar aller Anstandsregeln war, anfing, absonderliche Gerüche und Geräusche von sich zu geben. Ja, es blieb nicht mehr viel Zeit, während der er ihn hier allein in der Wohnung zurücklassen konnte, um wie ehedem seinen Besorgungen und Angelegenheiten nachzugehen.

Er trug jetzt Verantwortung für diesen Mann, ja, war nicht weniger Eigentümer des Toten als Besitzer des Tiers, das seinen Tod verursacht hatte.

31

DA ELI NIEMANDEN ermordet hatte, lastete auch die moralische Bürde der Tat nicht auf ihm. Wobei, im Grunde genommen hatte auch Abel niemanden ermordet. Es war Notwehr. Hätte der Kater bei der Polizei eine Aussage machen und zum Beweis seinen lädierten Schwanz präsentieren können, wäre davon auszugehen, dass man seine Version akzeptiert und ihn in Ruhe gelassen hätte.

Und da keinerlei moralische Bürde auf ihm lastete, blieb Eli nichts anderes, als das Problem kaltschnäuzig anzugehen, auch wenn die Sache eine gewisse Dringlichkeit hatte. Doch Panik und Überstürzung haben noch nie Lösungen hervorgebracht, die der Menschheit dienlich gewesen wären. Logik und Geduld hingegen, auch wenn sie zuweilen kühl und abgeklärt sein mochten, zeitigten manchmal Erfolge.

Also fasste Eli einen solchen kühl durchdachten Plan und begann, wie es seine Angewohntheit war, den Weg zum gewünschten Ergebnis von hinten aufzuzäumen. Und sowie es ihm gelungen war, alle Ereignisse, Entscheidungen und Schritte vom gegenwärtigen Augenblick an zu rekonstruieren, blieb ihm nichts anderes, als auf den Stuhl in der Küche zu steigen, seinen riesigen Armeeseesack aus der Zwischendecke darüber zu hieven und die paar Sachen, die sich darin befanden, herauszuräumen. Wie er vermutet hatte, machten die Knochen des Toten, die an unzähligen, für seine Absichten vorteilhaften Stellen gebrochen waren, es möglich, ihn zusammengerollt wie einen Fötus in dem Sack zu verstauen. Nur sein Schädel, der in einem Stück geblieben war, schaute oben heraus und machte es unmöglich, den Sack zu schließen. Und wenn er den Toten umdrehte, würde sein Hintern herausschauen, und nichts wäre gewonnen.

Auf Zehenspitzen stehend spähte Eli in die Tiefen der Kammer. Dort, an der gegenüberliegenden Wand staubte die Lösung vor sich hin. Er stieg vom Stuhl, schob den Küchentisch unter die Kofferkammer, stellte den Stuhl darauf und kletterte auf die wacklige Konstruktion. Dann kroch er bis zur Hüfte in den dunklen Verschlag und zog von ganz hinten einen alten Stahlhelm hervor, den er geübt unter dem Kinn des jungen Arabers festschnallte, sodass der Helm nun den Kopf darin verbarg, selbst aber ganz natürlich und sogar vorschriftsmäßig oben aus dem Seesack herausschaute.

Er wartete, bis es ganz Nacht geworden war, und schleifte dann den Sack die Wendeltreppe hinab, Stufe um Stufe, als stellte er den Sturz des anderen in Zeitlupe nach und verwischte gleichzeitig seine Spuren.

Die Entfernung vom Haus zu seinem Ziel schätzte er auf einen Marsch von zwei Minuten ohne Seesack und großzügig bemessen sechs mit. Er stapfte los, als plötzlich grelles Licht seine Augen blendete. Ein Taxi, das etwas weiter die Straße hinunter still wartend gestanden hatte, glitt nun leise auf ihn zu.

»Was denn, haben sie dich eingezogen?« Es war Jom-Tovs Stimme, die aus dem offenen Fenster der Fahrerseite dröhnte.

»So was in der Art«, antwortete Eli, der nicht im Entferntesten an ein solches Szenario gedacht hatte.

»Wo musst du denn hin?«

»Äh, ist ein ganzes Stück.«

»Yallah, steig ein!«

»Schon in Ordnung, ich werd' abgeholt.«

»Und warum gehst du dann zu Fuß?«

Eli zögerte.

»Steig schon ein, geht auf mich!«, bot Jom-Tov an.

»Ich fahr' mit meinem Trupp«, erwiderte Eli und wies in die Richtung, in die er ging. »Die sammeln mich an der Kreuzung ein.«

»Dann mal los«, sagte Jom-Tov mit einem Anflug von Enttäuschung. »Und passt auf euch auf!« Damit kurbelte er die Seitenscheibe hoch und gab Gas.

Eli atmete erleichtert auf. Improvisieren ließ sich eben nicht in Formeln fassen.

Er schleifte den Seesack hinter sich her die Straße hinunter und war nach kaum sechs Minuten vor dem Haus von Ruthi Cohen angelangt. Ein zerfetzter Sack Trockenfutter stand noch auf der Eingangsveranda, aber weit und breit war keine Katze mehr zu sehen. Die Wohnung lag leer und verlassen, wie eine Welt, die ihren Schöpfer verloren hat. Nach mehreren Anläufen gelang es ihm, den Inhalt des Seesacks auf dem Bett im Schlafzimmer zu entleeren und den Toten mit allen Laken und Decken zu umwickeln, die er finden konnte, bis der junge Mann gänzlich seine Form verloren hatte und aussah wie eine übergewichtige Mumie.

Teil eins seines Plans war damit erfolgreich abgeschlossen.

Er suchte in der Küche nach Streichhözern, ging damit zurück ins Schlafzimmer, riss ein Streichholz an der Schachtel an und warf es auf die unförmige Mumie. Die Flamme leuchtete hell auf und erlosch gleich wieder, hinterließ aber nur ein winziges, schwarz gesäumtes Loch auf dem Laken. Eli riss ein weiteres Streichholz an, steckte damit die ganze Schachtel in Brand, hob sie über den Kopf, um sie aufs Bett zu schleudern, als ihn plötzlich ein Gedanke durchfuhr: Auch wenn es ihm gelingen sollte, die Wohnung in Brand zu stecken, würde die Feuerwehr in den Trümmern die verkohlte Leiche finden. Und sicher würde die Polizei Ermittlungen aufnehmen, in deren Verlauf die Identität der Wohnungsinhaberin – Ruthi Cohen oder wie auch immer sie in Wahrheit geheißen hatte – herauskommen musste. Und dann konnte man getrost davon ausgehen, dass sie die Angaben mit dem Krankenhaus und mit der Beerdigungsbruderschaft abgleichen würden, bis irgendjemand am Ende den Mund aufmachen und Eli erwähnen musste, der rein zufällig auch noch ganz in der Nähe wohnte. Auf diese Weise würde er sich also selbst die Polizei ins Haus holen, und dann würde seine Unschuld allein danach bemessen werden, wie gut es ihm gelänge, seine Taten durch Lügen zu kaschieren.

Nein, besser war, wenn er den Leichnam überhaupt nicht mit Ruthi Cohens Wohnung und deren Nachbarn in Verbindung brachte.

Doch wie sollte er das anstellen? Er hatte keinen Wagen, und das Gepäckstück, das er durch die Gegend schleppte, drohte früher oder später Verdacht zu wecken.

Er würde jemanden um einen Gefallen bitten müssen. Jemand, der eine Leiche transportieren konnte. Jemand, der so etwas gewohnt war und keine überflüssigen Fragen stellte.

Die Antwort ergab sich von selbst. So ist das, wenn man die Frage richtig formuliert, lächelte er zufrieden und trat die brennende Streichholzschachtel mit dem Fuss aus, hob dann den Telefonhörer ab und wählte die Nummer auf der Visitenkarte, die der Sanitäter ihm gegeben hatte.

»Ja?«, meldete sich eine verschlafene Stimme.

»Ah, Schalom, Ruben? Hier spricht Eli. Ihr habt meine Nachbarin vor ein paar Tagen ins Auguste-Victoria gebracht. Und Sie haben mir Ihre Visitenkarte gegeben.«

»Ah ja, ich schulde Ihnen noch das Restgeld. Ich hab's nicht vergessen, bloß ...«

»Vergessen Sie das Restgeld, aber ich bräuchte einen kleinen Gefallen von Ihnen.«

»Okay.« Ein Gähnen war zu hören.

»Könnten Sie nochmal zu derselben Adresse kommen?«

»Jetzt?«

»Ja.«

»Ist es eilig?«

»Ziemlich.«

»Das ist ein Nachteinsatz. Nur damit Sie Bescheid wissen.“

»Kein Problem«, sagte Eli.

»Ich hab′ auch keinen Freiwilligen dabei«, warnte Ruben.

»Umso besser.«

»Na gut. Bin unterwegs.«

Die nächsten zehn Minuten bis zum Eintreffen des Sanitäters verbrachte Eli damit, die Wohnung aufzuräumen, obgleich ihm diesmal nicht klar war, für wen überhaupt. Zu seiner Überraschung fand er in einem der Schränke eine Taschenlampe mit Batterien, die noch funktionierte, und eine nagelneue Schaufel, bei der das Preisschild noch am Griff hing.

Dann erschien Ruben und sah sich erstaunt um.

»Alle Achtung! Sie haben ein bisschen saubergemacht, was?«

Er begleitete Eli ins Schlafzimmer und fuhr zurück, als er die auf dem Bett liegende Mumie sah.

»Was ist denn das?!«, rief er erschreckt.

»Sie ist im Schlaf gestorben«, sagte Eli.

»Oh nein, warum hat man sie überhaupt aus dem Krankenhaus gelassen?«

»Sie wollte zu Hause sterben.«

»Ich verstehe«, sagte Ruben. Er ließ einige Sekunden verstreichen und setzte dann hinzu: »Sagen Sie mal, warum ist sie denn so eingewickelt?«

Doch Eli überging die Frage einfach. »Hören Sie«, sagte er, »ich habe eine besondere Bitte. Sie wollte nicht auf einem Friedhof beerdigt werden, und Familie oder Freunde hat sie auch nicht. Sie hat mich beschworen, sie neben ihren Katzen zu begraben.«

»Was?!«

»Ich spaße nicht.«

»Sind Sie verrückt? Wer soll sie Ihnen denn zusammen mit Katzen begraben?«

»Das mache ich. Ich hab's ihr versprochen. Das Einzige, worum ich Sie bitte, ist, dass Sie mich da hinfahren, das ist alles.«

»Ich werd' Sie nirgendwo hinfahren«, wehrte Ruben sofort ab.

»Ich kann Ihnen auch was zahlen ...«

»Bedaure.«

»Sie hat mir fünfzig Lira gegeben«, sagte Eli und zog ein paar Geldscheine aus der Tasche. »Vielleicht können Sie mir ja einen Kollegen empfehlen?«

Rubin linste nach dem Geld und dann nach der Mumie.

»Das war ihr echt wichtig, was?«

»Es war ihr letzter Wunsch.«

»Wissen Sie was? Ich wär' bereit, Ihnen zu helfen. Aber das muss unter uns bleiben!«, sagte er in ernstem Ton.

»Klar, was denken Sie denn«, gab Eli unschuldig zurück.

»Gut, wo ist er denn, der ... Ort?«

»Ich sag' Ihnen, wie Sie fahren müssen.«

Gemeinsam hoben sie die Mumie auf die Trage und rollten sie zum Krankenwagen. Eli ließ sich auf den Beifahrersitz fallen.

»Fahren Sie Richtung Adjami«, gab er Anweisung.

»Was denn? Doch nicht etwa bis nach Jaffa?!« Ruben war fassungslos.

»Ich bin von einer längeren Fahrt ausgegangen«, gab Eli zurück und zog noch einen Geldschein aus der Tasche.

»Was denn? Woher hatte sie denn so viel Geld?«

»Eine Erbschaft.«

Eine gefühlte Ewigkeit später stellten sie den Wagen endlich neben dem Gerippe des Krankenhauses ab, das am Rand des Viertels eingestürzt war, und hoben die Trage aus dem Krankenwagen.

»Besser, Sie sehen nicht, wohin ich gehe«, sagte Eli.

»Da haben Sie wohl recht", bekräftigte Ruben. „Augenblick, wollen Sie die Trage etwa mitnehmen?«

Eli zog weitere zwanzig Lira aus der Tasche und steckte sie Ruben zu.

»Warten Sie hier zwanzig Minuten auf mich, dann bekommen Sie noch mal zwanzig.«

»In Ordnung«, brummte Ruben. »Nur geben Sie mir bloß auf die Trage acht, das Ding ist teuer!«

Eli stieß die Trage vor sich her, die weniger rollte als durch das Erdreich pflügte und zwei parallele Furchen hinterließ. Mit der Taschenlampe bahnte er sich seinen Weg durch die dicht stehenden Kiefern, bis er die Grabstelle des Katzenfängers erreicht hatte. Dort grub er so tief er konnte, stieß dabei auf von Löschkalk bedeckte Hunde- und Katzenkadaver und ganze Wurm- und Madenkolonien. Das Erdreich wimmelte und wogte. Schließlich kippte er die Trage, die Mumie rutschte hinunter und landete in ihrer Grabkammer.

Es gibt viele Wege, zum Tier zu werden, dachte er, während er die Grube mit feuchter Erde wieder zuschaufelte, und das ist wohl einer davon.

Er wollte noch etwas sagen, ein kurzes Gebet sprechen, aber ihm fiel nichts ein. Am Ende murmelte er: »Derjenige, der Frieden stiftet in seinen Himmelshöhen, ER stifte Frieden unter uns und ganz Israel. Sprecht: Amen.«

»Ja, was ist das denn?!« Ruben war sprachlos, als er die vollkommen verdreckte Trage sah. »Alles voller Schlamm!«

Eli zog den versprochenen Zwanziger aus der Tasche und packte noch einmal fünfzig oben drauf.

»Das dürfte doch wohl alles abdecken?«, fragte er.

»Hören Sie, ich weiß nicht«, erwiderte Ruben, dem mit einem Mal unbehaglich zumute schien. »Die ganze Geschichte gefällt mir nicht.«

»Wäre es Ihnen lieber, wenn wir zur Polizei gehen und denen erzählen, dass wir sie in Ihrem Krankenwagen transportiert und sie außerhalb eines Friedhofs beerdigt haben?«, fragte Eli arglos.

Der Sanitäter starrte ihn an, ein Blick, aus dem der Betrug sprach. Mit finsterer Miene pflückte er die Geldscheine aus Elis Hand.

32

IN DEN DARAUFFOLGENDEN Tagen ereignete sich nichts Beunruhigendes. Und selbst wenn, es wäre gegenüber den dramatischen Ereignissen der Tage zuvor wahrscheinlich verblasst. Jeden Tag las Eli aufmerksam die Zeitung von vorne bis hinten und hörte die Nachrichten im Radio. Er suchte nach einer Überschrift wie »Leiche eines Unbekannten in Kiefernhain bei Jaffa gefunden«, und dann würde wenig später eine folgen, die verkündet: »Polizei ratlos« – oder aber: »Polizei hat erste Spur«. Doch die Zeitungsspalten waren auch weiterhin voll von Geschichten über Heldentaten im Krieg, von Porträts im Kampf gefallener Soldaten oder vagen Berichten über Flüchtlingslager. Offenbar sorgte der Tod Einzelner bloß für Aufmerksamkeit, wenn sie sprichwörtlich mit dem Schwert in der Hand gestorben waren. Und der Tod vieler war nur für Schlagzeilen gut, wenn der Zähler mindestens drei Ziffern erreicht hatte, bevor er stehenblieb. Eine alte, missliche Angewohnheit der Menschheit war das, diese Toten einfach links liegen zu lassen und sie nicht zu sehen. Der im Kiefernhain verscharrte Araber hatte doppelt Pech gehabt.

Ja, der Tod stieß wohl seinen Stecken ins Getriebe des geregelten Lebensablaufs und störte dessen Fortgang, doch schnell hatten die Zahnräder das morsche Holz zermalmt, und die Fahrt ging weiter, mit mehr oder minder unveränderter Geschwindigkeit. Am Ende hat es noch nie in der Geschichte der Menschheit den Todesfall eines einzelnen oder ganzer Völker gegeben, der den Gang der Dinge verändert hätte.

Eli versah seine Erledigungen – Büro, Klagemauer, Tierarzt und Einkäufe im Laden um die Ecke – wie bisher, wirkte dabei aber abwesend wie ein Geist. Er war weder traurig noch fröhlich, schien ebenso wenig verängstigt wie ruhig und gelassen. Ja, er war wie ein Tonkrug, der darauf wartet, dass man eine Flüssigkeit hineingibt, ihn mit etwas befüllt. Seine Existenz hatte sich auf einen Schlag geleert, zusammen mit seinen Taschen, doch während letztere sich zusehends erholten, blieb erstere beschädigt. Er war nicht einmal Luft in diesem Krug, sondern Leere, soweit Leere tatsächlich etwas ausfüllen kann; er wusste, dass er jeden Augenblick Mund, Ohren oder Nase aufsperren konnte, um auf der Stelle mit etwas bis obenhin gefüllt zu werden. Doch was, wenn dieses Etwas das Falsche wäre?

Ungewollt sann er wieder und wieder darüber nach, was jetzt mit dem Menschen geschah, den er dort im Kiefernhain verscharrt hatte. Ob das Ungeziefer ihn restlos vertilgte oder noch etwas von ihm übrigließ? Ja, gewiss würden Knochen und vielleicht auch ein Paar behaarte Hände übrigbleiben. Und die Knochen – was würde aus ihnen am Ende? Wie viel Zeit musste vergehen, bis auch sie ihre Form verloren und zu Staub wurden? Jahrzehnte? Hunderte von Jahren? Tausende?

Nur die tägliche Dusche war eine Art Niemandsland, in dem Eli über seine Lage nachzudenken vermochte. Zwischen den Wassertropfen fand er so etwas wie friedvolle Ruhe.

Und so geschah es, dass, während er gedankenverloren unter dem warmen Wasserstrahl stand, Abel plötzlich auf den Klodeckel gesprungen kam und ihn fast zu Tode erschreckte. Elis Hände fuhren reflexhaft erst zur Lendengegend und den Bruchteil einer Sekunde später an die Wand hinter ihm. Schon glitt er rutschend an den Kacheln ab, bis die Reibung sich schließlich so gütig zeigte, sein Leben zu retten. Wie gekreuzigt und tropfnass lag er in der Wanne, ließ die Arme über den Wannenrand hängen und fühlte sich nach dem Sturz wie der einzige Überlebende in einem Rettungsboot, der allerdings auch nicht weiß, an welches Eiland es ihn spülen wird, wenn überhaupt.

Abel machte einen Satz von der Toilette auf den Wannenrand und beäugte seinen nackt darin liegenden Besitzer. Etwas in den Augen des Katers ängstigte Eli bis ins Mark. Die bernsteinfarbene Iris schien verwirbelt und sich in die Pupillen zurückgezogen zu haben, als hätte jemand das Wasser abgelassen, sodass nur zwei übergroße schwarze Löcher zurückgeblieben waren, die ihn anstarrten.

Eli wandte vor Grauen den Blick vom Kater ab. Vielleicht war es auch kein Grauen, sondern bloße Scham. Scham, die einige Sekunden lang anhielt, vielleicht auch eine Minute, am Ende aber nicht verflog, wie es für gewöhnlich der Fall ist, sondern von einer anderen Scham abgelöst wurde – Eli schämte sich, sich geschämt zu haben.

Dieser Kater hatte es sich von dem Tag an, da er bei ihm eingezogen war, zur Gewohnheit gemacht, seinen Besitzer auf der Toilette zu überraschen, wieso also schämte sich Eli jetzt, wenn Abel ihn duschen sah? Warum um alles in der Welt schämte er sich, wenn ein Haustier ihn nackt sah? Als liefe sein Mitbewohner nicht den ganzen Tag nackt durch die Gegend, egal ob in der Dusche oder außerhalb davon; als ob er … Er oder sie? War er nun ein Kater oder genau genommen doch eine Katze?

Hatte der Kater bisher seine Einsamkeit vertrieben, so flößte er ihm jetzt Schamhaftigkeit ein. Und während Einsamkeit schwindet, je mehr man sie mit anderen teilt, desto mehr wächst Scham in Gesellschaft anderer. Die Einsamkeit ist Herrin ihrer selbst, während die Scham nach Publikum giert.

Ohne Abel anzusehen sprang Eli aus der Badewanne, trocknete sich ab, zog sich an und sah zu, dass er nach draußen und auf die Straße kam. Die Augustsonne schlug ihm mit aller Kraft entgegen und trocknete sein Haar im Handumdrehen. Doch etwas in seinem Inneren brannte noch stärker als die Sonne: der Drang, sich nach seiner Tat über seine Lage klar zu werden. Er hatte sich keines Mordes schuldig gemacht, denn er hatte den jungen Araber ja nicht die Treppe hinabgestoßen. Und auch nicht der Beihilfe zum Mord, da ein Kater wohl kaum vorsätzlich morden kann. Letztlich war es objektiv gesehen legitime Selbstverteidigung gewesen, die zu dem höchst bedauerlichen Unfall geführt hatte.

Die Unfähigkeit, seine Lage nach der trockenen Sprachregelung der Rechtsprechung zu fassen, brachte ihn fast um den

Verstand. Denn schließlich wollte er wissen, ob, wessen und wie sehr – wenn überhaupt – er sich schuldig gemacht hatte. Oder einfach gesagt: Er wollte wissen, wer er war. War er nach der Tat noch immer derselbe oder war er ein anderer geworden?

Tatsächlich hätte er viel dafür gegeben, ein anderer Mensch zu sein, jemand, auf dessen Schultern nicht diese schwere Last lag und der nicht von Schuldgefühlen gequält wird. Er ertappte sich dabei, jeden Mann und jede Frau, jedes Mädchen und jeden Jungen zu beneiden, die ihm auf der Straße begegneten. Führer, Jom-Tov, ja sogar das Schwarzhemd kamen ihm plötzlich so rein und makellos vor wie Neuschnee. Wäre ich doch nur an ihrer Stelle, wünschte er.

Gehetzt strich Eli durch die Straßen. Klapperte die vertrauten Stationen seines Alltags ab, den Miezenplatz, den Laden, die Tierarztpraxis, doch alle diese Orte waren jetzt fremd in seinen Augen, abweisend. Er wusste nicht, wohin noch. Hatte das Gefühl, es gäbe weit und breit keinen Punkt mehr, zu dem er sich wenden könnte, bis er sich schließlich einfach auf eine Bordsteinkante setzte. Schnell setzte die brennende Sonne seinem Körper so zu, dass er vor der Anstrengung, aufrecht sitzen zu bleiben, kapitulierte und sich rücklings auf den heißen Asphalt sinken ließ. Aus dieser Perspektive sah er die Schuhe der Leute und die Reifen der Autos, sah geplagte Insekten, die von leichtflügligen Vögeln wie nebenbei geschnappt wurden, doch vor allem sah er Straßenkatzen. Aber nicht mehr wogende farbige Teppiche mit erhobenem Schwanz, sondern Antlitze. Jede Katze hatte ihre eigenen, spezifischen Züge, ihren speziellen Gang und unverwechselbaren Geruch, das Attribut »streunend« wollte darum nicht mehr zu ihnen passen. Vielmehr schien ihm, als wollten sie alle mehr vom Leben als nur ihr tägliches Brot. Zum ersten Mal sah Eli, wie traurig sie im Grunde genommen waren.

»Eli?«, hörte er plötzlich eine Stimme von oben.

Die Gestalt einer riesigen Frau mit einem Eis am Stiel in der Hand verdunkelte die Sonne und warf ihren gewaltigen Schatten auf ihn. Neben ihr stand eine noch mächtigere Gestalt, die ihre Hand hielt. Er schaute die Mutter und ihre Tochter an.

»Geht's dir gut?«, fragte Anna und half ihm, sich aufzusetzen. Jetzt war er auf Augenhöhe mit einem vielleicht fünfjährigen Mädchen, das ein hellblaues Sommerkleid trug und an einem Zitroneneis schleckte. Bis auf die ein bisschen abstehenden Ohren war die Kleine eine exakte Kopie ihrer Mutter.

»Was ist mit ihm?«, fragte das Mädchen.

»Vielleicht hat er einen Hitzeschlag.«

»Möchtest du mal lecken?«, fragte die Kleine und hielt ihm das tropfende Eis vor den Mund.

Eli empfand ein leichtes Schwindelgefühl vom abrupten Aufsetzen und wischte sich den Schweiß von der Stirn. Er beugte den Kopf zu dem Eis vor und biss etwas von der Spitze ab. Das Zitronensaure kribbelte auf der Zunge und erfrischte seinen Gaumen. Er spürte, wie das kalte Eiswasser seine Kehle hinabrann und seine Wirbelsäule nachzeichnete, Wirbel für Wirbel. Dann streckte er beide Hände nach vorne und Anna und ihre Tochter halfen ihm auf die Beine. Doch durch den Schwung glitt das Eis vom Stil, löste sich und fiel auf den Bürgersteig.

»Oh nein!«, rief das Mädchen.

Innerhalb von Sekunden war das Eis zu einer winzigen Pfütze geschmolzen.

»Guck mal, Mama, das Eis schmalzt zu Wasser!«, rief die Kleine aufgeregt.

»Schmilzt«, verbesserte Anna.

»Sollen wir dir ein neues kaufen?«, fragte Eli.

»Ich bekomm's umsonst, weil Mama im Laden arbeitet«, verkündete das Mädchen stolz.

Anna strich ihr übers Haar.

»Ich möchte noch mal Zitrone. Welches magst du am liebsten?«

»Äh, Wassermelone«, sagte Eli.

»Auch lecker.« Die Kleine nickte zustimmend.

»Wie heißt du?«, fragte er.

»Tanja«, kam die Antwort. »Und du bist Eli. Weißt du, woher ich das weiß?«

»Woher?«

»Weil Mama dich Eli genannt hat«, kicherte sie.

Zu dritt gingen sie zum Laden. Tanja nahm Zitroneneis, Eli entschied sich für Melone und Anna nahm ein Hörncheneis.

»Schreib mir alles an«, sagte sie zu dem Kaugummi kauenden Backfisch an der Kasse, der das Kreuzworträtsellösen vorübergehend eingestellt zu haben schien.

Danach setzten sie ihren Weg zum Spielplatz fort, und während Anna Tanja auf der Schaukel Anschub gab – »Höher, noch höher! So hoch wie's geht! Und jetzt Eli!« – erzählte sie ihm ein bisschen von sich. Sie war 1962 aus Sibirien ins Land gekommen, mit dem erwachenden jüdischen Nationalbewusstsein unter den Gemeinden der Sowjetunion, oder wie es seinerzeit geheißen hatte, der »Lass-mein-Volk-ziehen-Einwanderung!«. Ihr Mann war begeisterter zionistischer Revisionist, der vor der Familie und Freunden zu tönen pflegte: »Israel oder der Tod!« Sein eigener Vater, der den Bolschewiken nahestand, war bei einem der Pogrome, die mit der Revolution von 1917 einhergingen, getötet worden, und nun setzte sein Sohn alles daran, den »Eisernen Vorhang« hinter sich zu lassen und nach Israel zu gelangen. Jeder, der in jenen Jahren die Sowjetunion verlassen wollte, musste ein Visum und die Einladung eines Verwandten vorlegen, der ihn hier im Land in Empfang nehmen würde. Der Einladende seinerseits verpflichtete sich, seinen Angehörigen zu unterstützen. Eine Großtante, Schwester ihrer Großmutter, war bereits in Israel, und so hatte Anna relativ leicht mit Tanja, die sie in ihrem Bauch trug, ausreisen können. Kurz nachdem sie Staatsbürgerin geworden war, hatte sie dann ihrem Mann eine offizielle Einladung geschickt, damit dieser wenige Monate später zu ihr stoßen sollte, pünktlich zu Tanjas Geburt. Doch als es so weit war, brach der Kontakt zu ihm ab. Monatelang hatte Anna in der Sorge gelebt, das Schlimmste könnte geschehen sein. Sie hatte versucht, über Freunde, die in Sibirien geblieben waren, herauszufinden, was ihrem Mann zugestoßen war, um schließlich zu ihrer eigenen Überraschung zu erfahren, dass ihr Mann sein Verlangen nach der alten, biblischen Heimat gegen das nach einer neuen Frau eingetauscht hatte, die den Gerüchten zufolge bereits sein Kind austrug. Offenbar hatte er, der nie ein besonders attraktiver Mann gewesen war, bei einer kinderlosen Witwe sein Glück gefunden.

Im Verlauf der russischen Revolution waren bei den Pogromen etwa einhunderttausend Juden getötet worden, die große Mehrheit von ihnen Männer. Danach herrschte in den jüdischen Gemeinden Russlands ein beträchtlicher Männermangel und jedes Exemplar, so mittelmäßig es auch beschaffen sein mochte, kam in den Genuss Dutzender williger Werberinnen. »In diesem Sinne ist Sibirien ein Paradies für Männer«, meinte Anna bitter. »Ein Mann kann da schon mal verlorengehen.«

Da ihr Mann sie finanziell nicht unterstützte, waren Anna und ihre Tochter schon bald gezwungen, ihre kleine Wohnung in Talpiot aufzugeben und zur Schwester ihrer Großmutter in eine Ein-Zimmer-Bleibe in Musrara an der Grenze zum Ostteil der Stadt zu ziehen. Doch die Belastung war zu viel für die alte Dame und lange würden sie dort nicht mehr bleiben können.

Zum ersten Mal verstand Eli, was sich hinter der Traurigkeit in ihren Augen verbarg. Als er sie jetzt anschaute, sah er etwas, das wie ein Echo zu der in ihm wütenden Leere war. Vielleicht, weil er sie nun durch seine Augen sah, die nicht weniger traurig waren als ihre.

»Ich hätte vielleicht eine Wohnung für euch!«, verkündete er, ohne groß zu überlegen. Denn die Sache bedurfte keiner Überlegung und erschien ihm vollkommen natürlich.

Anna hob die Augen zu einem Blick voller Erwartung und vorsichtiger Hoffnung.

»Wirklich?«

33

NACH EINEM WAHREN Putzmarathon stand Ruthi Cohens Wohnung endlich bereit, drei neue Gäste aufzunehmen, Anna, Tanja und Rosa, eine blauäugige Siamkatze mit kupiertem Schwanz. Eli hatte Anna erzählt, die Wohnung habe seiner unlängst verstorbenen Großmutter gehört, und die habe verfügt, ihre vier Wände für wohltätige Zwecke zu verwenden. Anna nahm sein Angebot peinlich berührt an, vor allem, weil ihr keine Wahl blieb, und sie versprach, ihn beizeiten dafür zu entschädigen. Als ersten Schritt lud sie ihn ein, von nun an jeden Abend mit ihnen zu essen.

In einer gründlich blankgescheuerten Pfanne bereitete Anna Blinis zu, russische Pfannkuchen mit einer Füllung aus Kartoffeln und Zwiebeln. Eli schnitt Gemüse für einen Salat, presste eine halbe Zitrone darüber aus und bestreute alles mit ein bisschen Salz, und Tanja gab Rosa aus einer Dose Katzenfutter mit Geflügelklein, die Eli ihr als Geschenk mitgebracht hatte, zu fressen.

»Ach, die Wohnung stinkt noch immer!«, stellte Tanja fest, als sie sich zum Essen an den Tisch setzten, und hielt sich ihre Stupsnase mit Daumen und Zeigefinger zu.

»Morgen machen wir noch mal sauber.«

»Das wird auch nichts helfen«, quengelte die Kleine und seufzte so fatalistisch wie eine Erwachsene.

Die Kleine hat einen realistischen Blick für die Wirklichkeit, dachte Eli.

»Ich hab′ eine Idee!« Eli sprang auf, verschwand für einige Augenblicke im Bad und kam schließlich mit einer Holzwäscheklammer wieder, die er Tanja vorsichtig auf die Nase klemmte. Das Mädchen kicherte.

»Wos is dos? Jotzt konn ich nochts mohr rochen!«

Anna und Eli lachten.

Tanja nahm die Wäscheklammer ab und hängte sie Eli, der ergeben den Kopf neigte, ans Ohrläppchen.

»Jetzt hast du einen Ohrring wie ein Mädchen!« Sie war zufrieden mit ihrer Arbeit.

»Mama, schläft Eli heute bei uns?«

»Ah, ich glaube, er schläft besser in seinem Bett«, sagte Anna.

»Kann er nicht bei uns schlafen?«

»Ich denke nicht, Tanitschka«, sagte ihre Mutter und schaute verstohlen in Elis Richtung. »Vielleicht ein andermal.«

»Bei Gelegenheit machen wie eine Pyjamaparty«, bekräftigte Eli.

»Au ja!«, jubelte die Kleine.

Am Ende des Abends überreichte Eli Anna die Wohnungsschlüssel. Ihre Finger verweilten für einen flüchtigen Moment in seiner Hand. Eine gestohlene halbe Sekunde, die eine kleine Ewigkeit in sich barg.

34

»WIE EIN DONNER an einem wolkenlosen Tag«, dachte Eli, als er am anderen Morgen in seinem Bett lag. Nicht »auf den ersten Blick« und nicht »stark wie der Tod«, sondern ein Donner, der plötzlich einen klaren, ruhigen Himmel erzittern lässt, während am strahlenden Blau kein Blitz zu sehen ist. Die Liebe ist Trost in der Stunde der Trauer, Stille im Auge des Sturms, Rast im Moment der Erschöpfung, Hoffnung im Augenblick der Verzweiflung. Der glückliche Mensch wird die Liebe nicht leicht finden; den Unglücklichen wird sie unverhofft treffen wie eine Grippe. Alle Klischees erschienen ihm mit einem Mal zutreffend zu sein.

Er sprang aus dem Bett und machte sich bereit für den neuen Tag. Ein Tag, der nicht mehr zu werden versprach als eine unvermeidliche Brücke, die er nehmen musste, um auf die andere Seite zu gelangen – zum Abendessen mit Anna und Tanja. Doch die Zeit ließ sich nicht einfach überqueren wie eine Straße. Sie musste ausgehalten werden.

Also unternahm Eli einen Abstecher in den Laden und sondierte das Weinregal. Er war unschlüssig, was die Wahl der richtigen Flasche anbetraf, da er sich vorstellte, Anna wüsste die Preise aller Weine auswendig, und selbst wenn nicht, würde sie diese mit Leichtigkeit herausfinden können, weshalb er beim Wein zwar nicht geizen wollte, aber im selben Maße auch nicht zu viel ausgeben durfte, um seine Liebe nicht plump in Form von Lira zu verkünden. Am Ende entschied er sich für eine Flasche Rotwein aus der Karmelkelterei zu einem mittleren bis gehobenen Preis. Außerdem nahm er noch ein paar Dosen Katzenfutter mit, von denen er zwei Tanja schenken wollte, damit sie Rosa füttern konnte, und griff sich an der Kasse eine Ausgabe der Tageszeitung. Das Kaugummi kauende Mädchen war gerade damit fertig geworden, die Kasse mit neuen Münzen aufzufüllen, und tippte jetzt seine Einkäufe gewohnt langsam ein. Doch diesmal störte es Eli nicht, dass sie seine Zeit verschwendete.

Mittags um zwanzig vor eins öffnete er eine Dose Katzenfutter und schüttete Abel, der dankbar miaute, das Hirschragout in dessen Napf. Die traurige Niedergeschlagenheit nach seiner Operation schien sich allmählich wieder zu legen. Dann schob er zwei Scheiben Brot in die Schlitze des Toasters und drückte auf den Schalter. Konzentriert fixierte er das Gerät und hielt die Hand direkt am Schalter, versuchte genau in dem Moment mit Daumen und Zeigefinger zu schnipsen, in dem der Schalter heraussprang, doch es gelang ihm nicht. Er versuchte es wieder und wieder und war jedes Mal ein bisschen näher daran. Doch mal schnipste er eine Sekunde zu früh, mal eine zu spät, bis es in der ganzen Küche nach verbranntem Brot roch. Abel hatte in der Zwischenzeit das Hirschragout verputzt und verfolgte jetzt verwundert das Treiben seines Herrn. Irgendwann gab Eli den Versuch auf, die Zeit mit den Fingerspitzen zu fassen zu bekommen, und beschloss stattdessen, Abel den schwarzen Kabelbinder apportieren zu lassen. Er warf ihn weit weg und der Kater schoss los und brachte den Plastikstreifen zurück, worauf Eli diesen wieder in eine Ecke warf, ein scheinbar unendlicher Kreislauf, bis der Kater schließlich die Lust verlor, aus dem Spiel ausstieg und sich stattdessen wie gewohnt auf der Fensterbank niederließ.

Eli sah auf die Uhr. Es war drei Minuten vor eins.

Er ging ins Bad, nahm auf der Toilette Platz und blätterte in der Zeitung. Doch nicht eine Schlagzeile erregte seine Aufmerksamkeit. Missmutig sprang er von einer Meldung zur nächsten: »Der neunte Tag des Monats Aw wird in diesem Jahr unter dem Zeichen zeremonieller Umgänge an der Klagemauer stehen«; »Geringer Preisanstieg: Grundnahrungsmittel, Benzin und Wohnungspreise bleiben unverändert; nicht aus dem Sterlingblock importierte Fahrzeuge und Elektroartikel verteuern sich«; »Eine Million gefälschte Lira sind auf den Straßen im Umlauf. Taxifahrer und Ladenbesitzer bringen das Geld in Umlauf und der kleine Bürger gibt es unwissentlich weiter«, »Keine Wetteränderung in den kommenden Tagen – so der Wetterdienst am Morgen«. Doch schnell ließ seine Konzentration nach, und wäre er gefragt worden, was er da gerade gelesen hatte, hätte er nicht einen Satz, ja nicht ein Wort oder Adjektiv wiedergeben können, als wären seine Augen Spiegel, die die Worte reflektierten, sie aber nicht durch die Pupillen ließen, um im Bewusstsein anzukommen.

Jetzt war es sieben Minuten nach eins. Die Zeit schleppte sich nur so dahin, wie man sagt.

Eli hoffte, jemand würde an die Tür klopfen oder dass das Telefon klingelte, auch wenn es sein Boss wäre, der ihn zu irgendeinem strapaziösen Auftrag weiß der Teufel wohin schickte. Doch in seiner Wohnung herrschte bloß unwillkommene Stille. Stille, keine Ruhe.

Schließlich, nachdem Stunden zu Minuten geronnen waren, Minuten sich quälend langsam in Sekunden aufgelöst hatten, von denen jede immer ein bisschen länger zu dauern schien, als ihr eigentlich zustand, war es endlich soweit, sich fürs Abendessen fertig zu machen.

Eli verließ seine Wohnung und ging bewusst langsam zum Haus von Ruthi Cohen, das jetzt Anna, Tanja und die Siamkatze Rosa beherbergte, weil er noch ein wenig Zeit herumzubringen hatte. An einer roten Ampel blieb er stehen, und während er noch darauf wartete, dass es Grün wurde, musste er an jenen Tag denken, an dem er nichtsahnend auf der Ringstraße um die Stadt unterwegs gewesen war, um ein Päckchen auszuliefern, und genau in dem Augenblick, in dem die Ampel für den Verkehr auf Grün sprang, ein Kater einen Satz auf die Straße machte und ihm unter die Räder kam.

Dort, so schien ihm, hatte alles angefangen. Eine Karte aus Wegen, Ereignissen und Zufällen entfaltete sich in seinem Kopf, langgestreckt und verästelt wie Blutgefäße oder Nervenstränge. Schade, dass er nicht schon zuvor daran gedacht hatte, als er noch nach Wegen suchte, die Zeit totzuschlagen, denn das Ablaufen dieser Erinnerungsstrecken nahm eine ganze Weile in Anspruch und wurde erst jäh unterbrochen, als er eine Stimme verärgert rufen hörte:

»Nu ... wird's bald?!«

Er kam wieder zu sich und schaute in Richtung der Stimme. Der Fahrer des ersten Wagens spielte ungeduldig mit der Kupplung, um loszubrausen, sobald die Ampel umsprang. Eli sah das grüne Licht der Füßgängerampel blinken und beeilte sich, unter aufgebrachtem Hupen die Straße zu überqueren.

35

ANNA FREUTE SICH über die Flasche Wein, und Eli meinte in ihren Augen zu sehen, dass er die richtige Preiskategorie gewählt hatte: nicht zu niedrig und auch nicht zu teuer, irgendwo in der Mitte oder vielmehr ein bisschen darüber. Tanja jubelte über die Katzenfutterdosen, machte gleich eine auf und leerte sie auf Rosas Teller.

»Schmeckt dir Ente?«, fragte sie die Katze, die mit der Schnauze in der Fleischmasse wühlte.

»Was sagt sie?«, scherzte Eli.

»Ich höre nichts, weil sie frisst«, antwortete die Kleine sehr ernsthaft.

Anna hatte Blinis mit einer Füllung aus in Salzlake eingelegtem Weißkäse gemacht und dazu Eiersalat mit sauren Gurken und Mayonnaise. Eli entkorkte die Weinflasche und füllte zwei Gläser, und alle drei setzten sie sich an den Tisch.

»Die Wohnung stinkt schon weniger, stimmt's, Onkel Eli?«, wollte Tanja wissen.

Der Ehrentitel »Onkel« traf Eli unvorbereitet. Er tauschte einen Blick mit Anna, die hinter ihrer Gabel lächelte.

»Ja, stimmt«, bestätigte er dann.

»Wir haben richtig sauber gemacht!«, verkündete Tanja stolz.

»Wirklich angenehm, hier zu sitzen«, sagte Eli vielsagend.

Die Kleine schien zufrieden und zerteilte ihren gerollten Blini mit Hilfe der Gabel.

Eli goss Wein nach und stieß mit Anna an.

»Ich will auch Wein!«, rief Tanja.

Eli schaute Anna fragend an. Die nickte und bedeutete mit den Fingern, »nur ganz wenig«. Eli goss nicht mehr als einen Schluck in das Glas des Mädchens, das es sogleich hob und mit ihnen anstoßen wollte.

»Weißt du, warum man anstößt?«, fragte er die Kleine.

»Warum?« Neugierig riss sie die Augen weit auf.

»Früher, wenn ein König mit einem Gast Wein trank, hatte er Angst, der Gast könnte ihn vergiften wollen, und deshalb stieß er immer so kräftig mit ihm an, dass ein paar Tropfen aus seinem Glas in das des Gastes sprangen. Wenn der Gast nun tatsächlich Gift in den Wein des Königs gegeben hatte, dann trank er nicht davon, und so wusste der König, dass sein Wein vergiftet war, und wurde gerettet.« Während seiner kurzen Rede, die ein bisschen konfus zu geraten drohte, rutschte Anna unbehaglich auf ihrem

Stuhl hin und her, und Eli verstand, wenn auch mit ein bisschen Verspätung, dass es nicht die komplizierte Erklärung war, die sie störte, sondern das Thema, das nicht unbedingt passend für eine Fünfjährige war.

»Mmm«, stammelte Eli verlegen. »Aber das kommt nur in Märchen vor.«

Tanja dachte einige Augenblicke lang über die Geschichte nach.

»Und deshalb sagt man auch ›Lechaim – auf das Leben«, fügte Anna schnell hinzu.

»Stimmt«, nickte die Kleine endlich.

Dann hob sie erneut ihr Glas und stieß abermals mit Anna und mit Eli an.

»Auf das Leben!«, verkündete sie, nahm einen winzigen Schluck, den sie sogleich wieder ausspie.

»Igitt, das ist sauer!«

»Du musstest es ja nicht trinken«, sagte Anna.

»Kann ich einen Saft haben«, bat ihre Tochter und rieb die Lippen aneinander, um den Geschmack des Alkohols loszuwerden.

Anna goss ihr Pfirsichsaft in ein neues Glas. Die Siamkatze hatte in der Zwischenzeit das Gänseklein aufgefressen und strich jetzt Eli unter dem Tisch um die Beine, was ihn kurz erschrecken ließ.

»Das ist doch nur Rosa«, lachte das Mädchen.

»Schon in Ordnung, ich bin das gewohnt«, beschwichtigte Eli.

»Hast du auch eine Katze?«

»Ja, eine Katze oder einen Kater ...«

»Was, du weißt nicht, ob du eine Katze oder einen Kater hast?«, staunte Tanja.

»Ich bin nicht sicher.«

«Man hebt einfach den Schwanz hoch und guckt nach.«

»Da hast du recht.«

Am Ende der Mahlzeit stand die Weinflasche leer auf dem Tisch. Tanja bat, Onkel Eli möge ihr eine Geschichte vorlesen und wählte dazu das Buch »Eine Wohnung zu vermieten« aus.

»Kennst du das Buch? Das ist echt lustig!«

Anna sagte etwas auf Russisch zu ihrer Tochter, und die schüttelte trotzig den Kopf.

»Ich will, dass Eli mir etwas vorliest!«, protestierte sie.

Eli sah Anna fragend an.

»Ich habe ihr gesagt, anstatt dass sie Gäste tyrannisiert, kann ich ihr auch etwas vorlesen.«

»Sprichst du etwa Russisch?«, fragte er Tanja.

»Ja.« Um dann hinzuzufügen: »Aber nur mit Mama.«

Eli las der Kleinen die Geschichte über die Abenteuer in einem fünfgeschossigen Mietshaus und über dessen tierische Bewohner vor, deren genau austarierte Beziehungen aus dem Gleichgewicht zu geraten drohen, als die oberste Wohnung frei wird und verschiedene Tiere erwägen, diese zu mieten, sich am Ende aber dagegen entscheiden – wegen der Nachbarn.

Er gelangte zweieinhalb Mal bis in die oberste Etage, ehe Tanja endlich eingeschlafen war. Behutsam glitt Eli aus ihrem Bett. Die Kleine wälzte sich auf die Seite und steckte den Daumen in den Mund.

In Ruthi Cohens Schlafzimmer, das zwar bereits vollkommen verändert aussah, aber noch immer irgendwie an seine vorherige Bewohnerin erinnerte, vielleicht ja dank des verstaubten Telefonapparats, war Anna längst eingenickt. Eli betrachtete sie eine Weile und wusste nicht, was er tun sollte. Er war schon in Begriff das Zimmer zu verlassen, als Anna, ohne die Augen zu öffnen, die Decke anhob und ihn einlud, darunter zu schlüpfen. Er sah, dass sie nur noch T-Shirt und Slip trug. Schnell streifte er die Schuhe ab und glitt neben sie.

»Ya dremliyu ...«, flüsterte sie.

»Was?«

»Ich schlaf ein ...«, murmelte sie und schmiegte sich an seine Brust.

Mitten in der Nacht wachten beide von lauten Schreien auf, die aus Tanjas Zimmer kamen. Die Kleine schrie im Schlaf und Anna, für die das nichts Neues zu sein schien, ließ sich neben ihr nieder und streichelte sanft ihre Wange.

»Krasivaya devushka – schönes Mädchen«, flüsterte sie immer wieder, bis die Kleine sich beruhigt hatte und ihr Traum sie nicht mehr ängstigte.

Die zwei sind so ähnlich, dachte er, setzte sich neben Anna und legte den Arm um beide.

36

JERUSALEM BEGRÜSSTE ERFREUT das Morgenlicht eines angenehmen Sommertags, und die Vögel erwachten und begannen zu zwitschern. Eli aber wurde durch Geräusche geweckt, die aus der Küche kamen – das Brutzeln eines Omeletts und das Pfeifen des Wasserkochers, untermalt von einer Unterhaltung auf Russisch zwischen Anna und Tanja.

»Guten Morgen, du Schlafmütze.« Anna drückte ihm einen Kuss auf die Wange.

»Schlafmütze!«, wiederholte Tanja fröhlich.

»Guten Morgen«, erwiderte er, »wie habt ihr geschlafen?«

»Wie tot«, sagte Anna.

»Wenn Tote schlafen, was passiert dann, wenn sie aufwachen?«, wollte ihre Tochter prompt wissen.

»Du hast recht. Ich hab' geschlafen wie lebendig!«

»Ich auch«, nickte Tanja. Offenbar war der Albtraum, der in der Nacht ihren Schlaf gestört hatte, aus ihrer Erinnerung getilgt.

»Setz dich!«, befahl Anna und servierte Eli ein Omlette und ein Glas Tee.

Sie aßen und unterhielten sich über dies und das. Ein Gespräch, wie es Familien jeden Morgen überall in der Stadt führen.

»Ich gehe heute wieder im Laden arbeiten«, verkündete Anna.

»Und ich gehe in den Kindergarten«, rief Tanja.

»Magst du den Kindergarten?«, fragte Eli.

»Ja«, nickte sie. »Wobei, das hängt davon ab ...«

»Wovon?«

»Ob wir Spaß haben oder nicht.«

»Kommst du nachher vorbei, um im Laden Hallo zu sagen?«, fragte Anna.

Eli nickte.

»Mama hat Streit mit ihrem Boss«, verriet Tanja.

»Tatsächlich?“ Eli horchte auf.

»Das ist gar nichts«, beschwichtigte Anna und strich ihrer Tochter über den Kopf. »Einer unserer Stammkunden hat sich beschwert, er habe bei uns gefälschte Münzen als Wechselgeld bekommen, also habe ich ihm den Betrag in Scheine umgetauscht, und der Besitzer hat sich aufgeregt.«

»Soll ich mal mit ihm reden?«, schlug Eli vor.

»Du bist süß! Aber sorg dich nicht um mich, ich komme immer zurecht.« Sie lächelte.

»Ich komme auch zurecht«, plapperte ihr Tanja nach wie ein Papagei.

»Du bist ja auch schon ein großes Mädchen«, sagte Eli. »Sehen wir uns heute Abend?«

»Wir sehen uns«, posaunte die Kleine.

Als er unter der milden Morgensonne von Annas Haus zu seinem marschierte, überlegte Eli, jeder Mensch sei doch in gleichem Maße einsam, und dass er selbst nicht das Privileg genoss, sich einer außergewöhnlichen, einmaligen Einsamkeit zu rühmen. Daran ist nichts, was es zu begreifen gäbe, dachte er, wenn dir das Leben eine Frau mitsamt Tochter gibt – greif zu!

Er nickte der Fuchsroten mit der weißen Brust und dem schwarzen Perserkater mit den weißen Pfoten zu und trat in den

Hauseingang, wo seine Augen sogleich die zerquetschte Zwiebel erfassten. Eine kleine Welle von Schuldgefühlen kam ihn an, aber wirklich nur eine kleine, erschöpfte, die auf dem besten Wege war, ihr Leben im Sand zu beschließen. Eine schwache Dünung, mehr nicht. Zwar fühlte er sich noch immer schuldig, aber das Gefühl war bereits merklich verblasst. Die Last auf seinen Schultern wog geringer. Oder aber seine Schultern waren kräftiger geworden. Er hob die Zwiebel auf und stieg die Wendeltreppe empor.

Abel begrüßte ihn miauend mit einem »Wo-warst-du-und-was-hast-du-gemacht?« und schnupperte an seinen Hosenaufschlägen.

»Das ist Rosa«, sagte Eli, »ihr werdet euch bald kennenlernen.«

Er legte die zerdrückte Zwiebel auf den Küchentisch, öffnete eine Dose Katzenfutter mit Hühnerklein und strich dem Kater über den Rücken, während dieser die Schnauze in der Fleischmasse vergrub.

Jetzt muss nur noch die Zeit bis zum Abend rumgebracht werden, dachte er, und schob zwei Scheiben Weißbrot in die Schlitze des Toasters. Hielt die Hand unmittelbar neben dem Schalter und verfolgte gespannt die durchsichtigen Hitzeschwaden, die aus dem Gerät aufstiegen und die Dinge dahinter tanzen ließen. Er presste Daumen und Mittelfinger aneinander, konzentrierte sich und schnipste exakt in der Sekunde, in der der Schalter heraussprang. Genau in dem Moment wurde an die Tür geklopft. Eli sprang von seinem Platz auf und verharrte einen Augenblick lang fassungslos über einen solch unglaublichen Zufall. Es war, als hätte jemand vor der Tür durch den Spion gespäht und versucht, sein Klopfen mit dem Fingerschnipsen zu synchronisieren.

Vor der Tür stand der kleinwüchsige Polizist mit der Mütze in der Hand. Hauptinspektor Ziv, ein spitznasiger Rotschopf, der genau bis zur Höhe des Türspions reichte.

»Sind Sie Eli?«

Eli schluckte. Um Gottes Willen, dachte er, das ist mein Ende.

»Darf ich?« Der Polizist deutete mit dem Kinn nach der Küche.

»Sicher, bitte«, murmelte Eli und machte die Tür weit auf. Vielleicht gab es ja doch noch eine Möglichkeit, aus der Sache heil herauszukommen, versuchte er sich einzureden.

Am besten höflich kooperieren.

»Möchten Sie vielleicht einen Tee?«

Eli stellte den Kessel auf die Herdplatte und vergrub seine zitternden Hände in den Hosentaschen. Ich habe ja nichts zu verbergen, sagte er sich insgeheim immer wieder.

Abel roch die schwarzen Lederschuhe des Polizisten.

»Psss, psss«, machte dieser.

»Wie kann ich Ihnen helfen?«, fragte Eli gepresst.

»Ich bin hier, um Sie zu bitten, mit mir aufs Revier zu kommen«, sagte Hauptinspektor Ziv. »Und zwei Stückchen Zucker, bitte.«

»Worum geht es denn, wenn ich fragen darf?«

»Fragen dürfen Sie, aber die Antwort bekommen Sie erst auf dem Revier.«

»Ist etwas passiert?«

»Na sicher. Immerzu passieren Dinge. Dafür gibt es ja die Polizei.« Der Hauptinspektor grinste.

»Ich verstehe nicht.« Eli goss zwei Gläser Tee auf und setzte sich dem Polizisten gegenüber.

»Am besten, Sie kommen einfach mit und machen kein Gewese.«

Eli stand sogleich auf. Doch der Polizist winkte ab.

»Keine Eile, erstmal Tee trinken.«

Eli nahm betont langsam wieder Platz, in dem Versuch, die verdächtige Hast, mit der er aufgesprungen war, zu kaschieren.

»Also, sind Sie alleinstehend?«

»Ja«, erwiderte Eli. Er wusste selbst nicht so genau, was er im Moment war, hielt es aber für besser, Anna und ihre Tochter nicht mit reinzuziehen.

»Das sieht man«, brummte der Hauptinspektor und drehte mit einem Finger die zerdrückte Zwiebel, die auf dem Tisch lag.

Dann begleitete Eli den Polizisten nach unten, oder vielmehr geleitete dieser ihn, und Eli spürte seine groteske und zugleich bedrohliche Gegenwart mit jeder Stufe, die er nahm.

Die Fuchsrote mit der weißen Brust und der weiß bepfotete schwarze Perserkater hatten ihre Stellung aufgegeben. Immer verschwinden sie, wenn jemand von den Behörden sich blicken lässt, dachte er. Vor dem Hauseingang parkte ein Streifenwagen. Hauptinspektor Ziv öffnete Eli die Tür im Fond.

»Ich darf Sie nicht vorne sitzen lassen«, sagte er. »Aber keine Sorge.«

Unwillig stieg Eli ein. Die Rückbank des Streifenwagens war von den Vordersitzen durch ein Gitter getrennt, und die Türen im Fond hatten keine Griffe. Er fühlte sich eingesperrt wie eine der Katzen in den Boxen des Katzenfängers.

Das war's, dachte er wieder, am besten, du gewöhnst dich schon mal daran, in kleinen, beengten Räumen zu sitzen, die sich von innen nicht öffnen lassen. Wie konntest du bloß einwilligen, dass man dich so einsperrt? Wenn du dich wenigstens ein bisschen gewehrt hättest! Und was soll ich Anna sagen? Wie wird sie es Tanja sagen? Und wer kümmert sich um Abel ...?

Die Fahrt zum Polizeirevier dauerte nicht lange. Als sie den Laden passierten, duckte sich Eli beschämt, aus Angst, Anna könnte ihn im Fond eines Polizeiwagens sitzen sehen wie einen ausgemachten Schwerverbrecher.

»Da wären wir!«, sagte der Polizist schließlich und stieg aus, um Eli die Tür zu öffnen.

»Und, nicht weiter schlimm, oder?«

Eli stieg aus und atmete erleichtert auf. Diesmal war er es, der dem kleinwüchsigen Polizisten folgte, der ihn über die Flure des Reviers führte und den Kollegen hier ein Wort und da einen Halbsatz zuwarf. Auf dem Gang standen ein paar Huren vom

Miezenplatz, jedoch ohne Handschellen an den Gelenken. Ja, man konnte denken, sie fühlten sich hier ganz zuhause.

»Sie warten hier«, befahl der Hauptinspektor.

Eli ließ sich auf einer weißlackierten Bank nieder, deren abblätternde Farbe das kühle Metall darunter preisgab, und der Beamte verschwand in einem der Büros. Augenblicke später erschien er wieder in der Tür.

»Kommen Sie rein!«

Eli betrat das Zimmer. Hinter einem mit Aktenbergen und Formularen beladenen Schreibtisch saß ein massiger, vollkommen glatzköpfiger Mann mit routiniert ernstem Gesichtsausdruck, dessen Kehlkopf wie eine zweite Nase vorstand.

»Setzen, setzen«, sagte er.

Eli nahm vor ihm Platz.

»Oberinspektor Ezechiel, was verschafft uns die Ehre?«, fragte der Polizist.

»Ich weiß nicht ...«, murmelte Eli.

»Dann werd′ ich's Ihnen sagen!« Mit diesen Worten griff er sich ein altes Verhaftungsfoto von seinem Schreibtisch und hielt es Eli hin.

»Kennen Sie den Mann?«

Mit geschlossenen Augen beugte sich Eli zu dem Oberinspektor vor, flehte inständig, dass er, wenn er sie aufschlüge, den Mann auf dem Foto nicht erkennen würde. Und tatsächlich, im ersten Augenblick kam ihm der Mann auf dem Bild zwar bekannt vor, doch er hätte nicht sagen können, woher. Es dauerte einen Moment, dann traf es ihn wie ein Schlag. Schließlich hatte er mit dem Mann mehr Zeit verbracht, als er schon tot war, als zu Lebzeiten.

»Äh«, stammelte er.

»Kommen Sie, ich helfe Ihnen. Wir haben seine Neffen erwischt, als sie im Mughrabiviertel hiermit unterwegs waren.« Der Oberinspektor reichte ihm ein zweimal gefaltetes Stück Papier. »Und nachdem wir ein bisschen nachgeholfen haben, haben sie gestanden, das hier einem Mann gestohlen zu haben, der sie geschlagen und ihren Esel getötet hat. Und jetzt sei ihr Onkel ...« – er wedelte mit dem alten Verhaftungsfoto – »verschwunden, nachdem er losgegangen sei, um mit dem Eselsmörder zu reden.«

Eine Adrenalinwelle flutete Elis Körper. Mit zitternden Fingern öffnete er das zusammengefaltete Papier und sah, dass es sich um die Anlage zu seinem Personalausweis handelte.

»Und jetzt frage ich Sie noch einmal: Kennen Sie den Mann?«

»Nein«, erwiderte Eli. Jede andere Antwort hätte die vorherige Beratung mit einem Rechtsanwalt nötig gemacht. Zudem wäre er gar nicht in der Lage gewesen, einen vollständigen Satz zustande zu bringen, ohne dass seine Zunge ins Straucheln geraten wäre.

Oberinspektor Ezechiel massierte sein mächtiges Kinn und fixierte Eli mit stechendem Blick. »Können Sie mir dann sagen, wie das Supplement Ihres Personalausweises in die Hände seiner Neffen gelangt ist?«

»Die haben mir mein Portemonnaie gestohlen«, stieß Eli hervor.

»Ihr Portemonnaie«, wiederholte der Beamte. »Und deshalb haben Sie sie geschlagen?«

»Äh, nein, habe ich nicht«, verteidigte sich Eli. »Sie haben den Esel gequält. Ich wollte nur, dass sie damit aufhören. Und dann sind sie weg und der Esel ist zurückgeblieben, und ich bin nur für einen Moment woanders hin, aber als ich zurückkam, war er schon tot.« Nur mit Mühe gelang es ihm, seine Zunge zu kontrollieren, die Anstalten machte, ihn verraten zu wollen.

»Ich verstehe«, sagte der Oberinspektor. »Und sonst hat es keinen Kontakt zwischen Ihnen gegeben?«

»Wo denken Sie hin? Was habe ich mit denen zu tun?«

»Ich verstehe. Dann sollten Sie wissen, Herr Ehrlich, dass Sie für Ihre kurze Begegnung mit denen einen Preis verdient haben!«

»W-w-was?«, stotterte Eli.

Ein breites Lächeln zerschnitt Ezechiels Gesicht, und da sein Schädel vollkommen kahl war, kam den Zähnen dabei eine besondere Rolle zu. Hauptinspektor Ziv, der die ganze Zeit in Elis Rücken gestanden hatte, grinste.

»Der Mann hier heißt Salim Suleiman«, sagte und schwenkte wieder das Polizeifoto. »Er wird steckbrieflich gesucht, und wir sind schon lange hinter ihm her. Er ist der Kopf einer palästinensischen Bande, die Tiere benutzt, um Waffen und Sprengmaterialien in die Stadt zu schmuggeln. Vielleicht haben Sie ja von dem Kamel gehört, in dessen Höcker man Sprengstoff gefunden hat? Also, dieser Esel, ob zufällig oder nicht ..., auf jeden Fall war es gut, dass Sie den getötet haben! Wir haben zwei Sprengstoffpakete in seinem Bauch gefunden. Sie betäuben das Tier, machen einen kleinen Schnitt am Bauch und packen Sprengstoff, Pistolen und was weiß ich sonst noch hinein. Sogar eine Kalaschnikow haben wir schon gefunden. Sie würden staunen, was da alles reingeht. Uns ist nicht klar, ob der Plan war, den Esel wieder aufzuschneiden und das Zeug rauszuholen oder aber ihn zusammen mit der Ladung in die Luft zu jagen, auf jeden Fall konnte eine Katastrophe verhindert werden. Denn Sie, Herr Ehrlich, haben einen mörderischen Anschlag vereitelt. Alle Achtung, wirklich!«

Eli atmete innerlich auf und versuchte, die Information zu verarbeiten, mit der man ihn gerade überfallen hatte.

Ziv, der hinter ihm stand, klopfte ihm auf die Schulter.

»Im Streifenwagen haben Sie mir ja geschlottert wie ein Frauchen. Aber ein ganzer Kerl ist das!«

»Was haben Sie in der Armee gemacht?«, wollte sein massiger Vorgesetzter wissen.

»Beschaffungscorps«, antwortete Eli.

»Als Offizier?«

»Hauptfeldwebel.«

»Ein Beschaffer«, grinste Ezechiel und warf Hauptinspektor Ziv einen Blick zu. »Wer hätte das gedacht?«

»Doch zurück zu unserer Angelegenheit«, sagte er dann, und seine Miene wurde wieder ernst. »Suleiman hat seinen Neffen gesagt, er wolle zu Ihnen, um über den Esel und die Ohrfeige zu reden. Hat er Kontakt zu Ihnen aufgenommen?«

Eli ließ sich einen Augenblick Zeit. Er war schon versucht, sich damit zu brüsten, dass er, ein kleiner Hauptfeldwebel beim Beschaffungscorps, der mit Ach und Krach durch die Grundausbildung gekommen war, den Oberschurken, nach dem die Polizei vergeblich in jedem Winkel fahndete, zur Strecke gebracht habe. Wenn sie ihn schon wegen der Erledigung des Esels priesen, würden sie ihn erst recht auf Schultern tragen, wenn sie hörten, was dem Gesuchten widerfahren war. Aber der wahre Held in dieser Geschichte war ja, wie er sich eingestehen musste, der Kater. Auch deshalb überlegte er es sich anders und schüttelte verneinend nur den Kopf.

»Falls Sie ihn sehen, geben Sie mir Bescheid, ja? Hier ist meine Karte«, sagte Ezechiel und reichte ihm eine Karte, auf der sein Dienstgrad und seine Telefonnummer vermerkt waren.

»Und passen Sie auf sich auf, Herr Ehrlich, der Mann ist nicht ohne. Wir sind überzeugt, seine Bande nutzt diese Katzeninvasion, die gerade die ganze Stadt überschwemmt. Bei so vielen Katzen lässt sich unmöglich feststellen, welche eine Kastrations- oder Sterilisationsnarbe hat und welche andere Narben. Im Osten knipsen sie ebenfalls die Ohren ein, als Zeichen für eine stattgefundene Kastration, wie es unsere Tierärzte auch machen. Von daher kann man nicht wissen, von welcher Seite der Landkarte die Viecher sind. Sie werden lachen, aber ›Sprengkatze‹ ist ein Begriff, der in letzter Zeit nicht eben wenig bei uns in Gebrauch ist. Stellen Sie sich vor, jede solche Katze ist eine potenzielle Splittergranate!«

Eli versuchte, sich ein Bild davon vorzustellen, vermochte es aber nicht.

»Eine letzte Sache noch, Herr Ehrlich. Die Jüngelchen hängen da auch mit drin, mehr als Sie vielleicht meinen. Sie verstehen, ja?«

»Ich verstehe«, sagte er. »Aber Augenblick ...«

Oberinspektor Ezechiel und Hauptinspektor Ziv fixierten ihn mit ihren Blicken, der eine von vorne und der andere von hinten. Eli bereute schon, seine Zunge nicht im Zaum gehalten zu haben.

»Äh, wenn die Kinder auch mit drinhängen, warum haben sie dann den Esel geschlagen, das heißt, wo er doch den Sprengstoff im Bauch hatte, um ihn dann auch noch bei mir zurückzulassen?«

Die beiden Polizisten tauschten einen schnellen Blick.

»Halten Sie sich etwa auch noch für einen Detektiv?«, fragte der Oberinspektor.

»Nein, nein«, stammelte Eli beschwichtigend.

»Denn Sie stellen da eine ausgezeichnete Frage.«

Wieder hörte er, wie Hauptinspektor Ziv sich in seinem Rücken ein Grinsen verkniff.

»Es ist davon auszugehen, dass die Kinder nicht in alle Einzelheiten der Aktion eingeweiht gewesen sein dürften«, erklärte Ezechiel schließlich. »Sie fungieren nur als Kuriere. Aber das heißt nicht, dass sie nicht genauso viel Verantwortung tragen wie ihr Onkel. Verstehen Sie?"

Eli nickte.

»Sehr schön«, Ezechiel schien zufrieden. »Yallah, fahr unseren Helden hier nach Hause«, wies er seinen Untergebenen an. »Aber lass ihn diesmal vorne sitzen.«

37

ANNA ERSCHRAK, als sie Eli aus dem Streifenwagen steigen sah. Sie konnte nicht wissen, dass der Umstand, dass Eli vorne saß, eigentlich Grund genug war, ihre Sorgen zu zerstreuen. Eli hatte den Polizisten ausdrücklich gebeten, ihn beim Einkaufsladen und nicht zu Hause abzusetzen, als wäre er sein Privatchauffeur.

„Ist alles in Ordnung?" Sie trat aus dem Laden.

„In bester Ordnung", sagte er und nickte dem Polizisten zu.

Dann berichtete Eli ihr alles, was passiert war. Das heißt, alles was mit den Jungen und deren Esel zusammenhing, von der Ohrfeige einmal abgesehen. Über den Besuch ihres Onkels, der so tragisch geendet hatte, verlor er kein Wort.

»Mein kleiner Held!« Sie küsste ihn auf den Mund.

»Unsinn«, wehrte er ab, genoss aber insgeheim die einem Helden zustehende Belohnung.

»Denkst du, dieser Mann wird kommen und nach dir suchen?«

»Das bezweifle ich.«

»Ich werde dich beschützen!« Sie umfing seine Schultern und flüsterte ihm ins Ohr: »Komm heute um sieben und bring etwas Gutes zu trinken mit – ich bereite ein königliches Mahl zu!«

Tatsächlich, von der Fahrt in einem Polizeiwagen, egal ob auf dem Vordersitz oder im Fond, gingen offenbar magische Kräfte aus.

Die Zeit herumzubringen, die bis zum Abendessen blieb, war nicht schwer. Ja, es schien, als verfeinerte sich Elis Zeitbeherrschung immer mehr. Oder lag es an seinem neuen Heldenstatus? Wie auch immer, die Zeit gehorchte ihm und ersparte ihm die Mühe, sich dieses oder jenes törichte Spiel auszudenken, um sie schneller vergehen zu lassen.

Er kleidete sich festlich. Doch als er zum Fenster trat, um sich von seinem Kater zu verabschieden, der wie gewöhnlich auf dem Fensterbrett saß, sah er den weißen Pritschenwagen des Katzenfängers vor dem Haus stehen.

Verdammt!, dachte er. Nur nicht, dass der heute Abend noch etwas von mir will.

Er beschloss zu warten, bis der andere aufgab und wieder fuhr. Wie frustrierend, dachte er, dass ausgerechnet an einem Abend, an dem die Zeit wie im Flug vergangen war, Gidi auftauchen musste und ihn in seinen eigenen vier Wänden gefangen hielt. Es dauerte eine ganze Weile, bis er das satte Blubbern des Motors hörte, und der Pritschenwagen langsam wieder die Straße hinabglitt. Er hielt am Miezenplatz, verhandelte kurz mit einer der Frauen und öffnete ihr dann von innen die Beifahrertür.

Wenigstens ist er heute Abend nicht einsam, tröstete sich Eli. Ein schlechtes Gewissen beschlich ihn, weil er absichtlich Gidi stehengelassen hatte, der zwar etwas anstrengend sein mochte, aber immer nett zu ihm gewesen war.

Mit einer Flasche Crème de Cassis in der Hand stahl er sich aus dem Haus.

Anna öffnete ihm die Tür in einem Kleid, das ihrem Körper sehr schmeichelte, hatte zum ersten Mal Make-up aufgetragen, das ihre Augen noch mehr betonte, und trug blassroten Lippenstift.

»Tanja schläft bei einer Freundin«, sagte sie, ehe er überhaupt Gelegenheit fand zu fragen.

Die Röte stieg ihm in die Wangen. Ein so unschuldiger Satz, und dennoch ...

Sie sah den Cassis und lachte.

»Ich dachte, du bringst Wodka mit.«

»Ich wollte nicht gewöhnlich sein.«

»Aber welcher Held trinkt denn Crème de Cassis«, neckte sie ihn und lächelte ihn dabei verschmitzt an.

Eli ärgerte sich erst, doch im nächsten Moment war der Ärger schon wieder verflogen. So ist das in einer Beziehung, sinnierte er, einer drückt beim anderen gleichzeitig auf mehrere Knöpfe, und die Gefühle wetteifern dann um Beachtung.

Anna füllte ihnen beiden von der violettroten Borschtsch auf, in der Rindfleischstückchen schwammen.

Suppe mitten im August, dachte er verstimmt, sagte aber kein Wort.

»Das sieht ja köstlich aus.«

»Aber erst wird getrunken!«

Sie ging zum Kühlschrank, zog eine Flasche Wodka aus dem Eisfach und goss zwei Gläschen randvoll.

»Lechaim!«, sagte sie und leerte das Gläschen in einem Zug.

Eli tat es ihr nach und schon stiegen ihm die Alkoholdämpfe in die Nase und ließen ihn wild husten.

»Ein schöner Held«, spottete Anna und reichte ihm ein Glas Wasser.

Eli spülte sich den Mund aus und versuchte, den beinahe medizinischen Geschmack des Alkohols loszuwerden. Anna goss ihnen ein zweites Glas ein und gab in Elis einen Spritzer Crème de Cassis dazu. Die durchsichtige Spirituose färbte sich erst dunkelrot und wurde dann nach und nach blasser, je weiter sich die beiden Flüssigkeiten vermischten.

»So geht er leichter runter«, sagte sie und hob ihr Glas. »Auf dein Leben!«

»Auf unser Leben«, sagte Eli und nippte vorsichtig. Anna hatte recht. Es war zwar noch immer kein Genuss, aber durchaus erträglich. Die Mischung hatte den Geschmack einer gesüßten Kinderarznei.

»Besser?«

Eli nickte.

»Dann essen wir jetzt.«

Die kochendheiße Suppe weitete die durch den Alkohol bereits angeregten Adern, und schon bald hatten Elis und Annas Wangen die Farbe der Borschtsch und des Cassis angenommen. Bis die Suppe aufgegessen war, stand auf dem Tisch bereits eine zur Hälfte geleerte Wodkaflasche, und das, obgleich Eli noch nicht einmal sein drittes Gläschen geschafft hatte. Anna dagegen wirkte vollkommen entspannt. Ohne die Sorge um die Tochter schien eine Last von ihren Schultern genommen. Jetzt trug sie ihnen einen Braten, dazu eine dicke Soße mit Champignons und jeweils zwei Kartoffeln auf.

»Die Soße ist für die Kartoffeln«, befahl sie.

Nach nur zwei Bissen fühlte sich Eli schon reichlich gesättigt, während Anna den Braten mit einem Heißhunger genoss, der mit jedem Bissen größer zu werden schien. Eli leerte sein drittes Gläschen, und die brennende Flüssigkeit bahnte sich einen Weg durch die Speisen in seinem Magen und machte Platz für weitere. So machten sie weiter, eine nächste Gabel voll und nach jedem Bissen ein Schluck, bis der Teller leer war und mit ihm die Flasche. Zum Dessert servierte Anna noch ein Kompott aus in Rotwein gekochten Aprikosen. Dann räumte sie das Geschirr ab und ging ins Bad. Als sie zurückkam, setzte sie sich auf Elis Schoß und gab ihm einen heißen Kuss auf die Lippen. Ihre Hände, die noch ein bisschen feucht waren, kühlten seine in Flammen stehenden Wangen. Eli war schwindelig. Die Suppe brodelte in seinen Adern, das Fleisch wälzte sich durch seinen Magen, der Alkohol flutete sein Gesicht, und warme Tränen begannen, aus seinen Augen zu rinnen.

»Nicht, dass du mir ohnmächtig wirst ...«, sagte Anna und half ihm auf die Beine.

Sie führte ihn in die Küche und holte eine Flasche mit kaltem Wasser aus dem Kühlschrank. Dann nahm sie ihn an der Hand, zog ihn mit sich ins Schlafzimmer und ließ ihn aufs Bett sinken. Eli lag rücklings da, neben seinem Kopf der alte Telefonapparat. Es ist noch immer Ruthi Cohens Wohnung, dachte er, während Anna sein Hemd aufknöpfte und ihm ein großes Glas Wasser eingoss.

»Trink!«, befahl sie.

Eli trank, während sie sich behutsam auf ihn setzte und ihm half, ihr das Kleid von den Schultern zu streifen. Dann beugte sie sich über ihn, und ihre kleinen Brüste drängten sich gegen seine Brust, als sie begann, seinen Hals zu küssen. Ihr Körper strahlte noch mehr Hitze aus als der seine und gab dem Zimmer etwas von dem Leben zurück, das ihm genommen worden war.

Mitten in der Nacht wachte er auf. Sein Körper war verspannt. Annas Kopf ruhte auf seiner Brust. Auf seinen Lenden lag Rosa, die Siamkatze, und schlief, untermalt von leisem, monotonem Schnurren. Eli fiel ein, dass er aufstehen und zur Arbeit gehen musste. Denn ungeachtet all der aufregenden Ereignisse des zurückliegenden Tages, musste er schließlich auch sein Brot verdienen. Vorsichtig ließ er sich aus dem Bett gleiten.

Anna gab ein protestierendes Seufzen von sich.

Eli küsste sie auf die Wange, worauf sie auf die Seite rollte und sich den Daumen in den Mund schob. Rosa erwachte und ließ sich auf ihrer Besitzerin nieder.

Eli knöpfte sein Hemd zu, betrachtete die beiden zufrieden.

38

»WAS DENN, BIST DU ETWA BESOFFEN?«, fragte Führer sofort, ohne den Telefonhörer aus der Hand zu legen, als Eli ins Büro kam.

»Äh«, machte Eli.

»Auf deine Verantwortung!«, bellte sein Boss noch ins Telefon und warf den Hörer auf die Gabel. »Hör zu«, fuhr er ansatzlos fort und fixierte Eli. »Ich benötige einen Gefallen von dir. Ein Vögelchen hat mir geflüstert, irgendjemand holt unsere Zettel aus der Mauer, nachdem du sie dort deponiert hast. Vergeht sich am Allerheiligsten.«

Eli sah seinen Boss erstaunt an. Bis gerade war er sicher gewesen, das Schwarzhemd sei Teil der »Führer & Partner«.

»Das ist nicht gut fürs Geschäft. Leute zahlen teures Geld dafür, dass ihre Zettel in die Mauer gesteckt werden, und so entsteht der Eindruck, sie zahlen für nichts und wieder nichts. Erst hab' ich gedacht, es sei dieses Soldatchen, das da Wache schiebt. Der hatte in letzter Zeit eine kleine Glaubenskrise. Aber er ist es nicht.«

»Wie wollen Sie das wissen?«, fragte Eli.

»So wie ich weiß, dass du es ebenfalls nicht bist«, erwiderte Führer in herablassendem Ton und wirkte recht zufrieden mit sich.

»Aber der Soldat müsste doch sehen, ob jemand da rein- und rausgeht, oder?«, erwiderte Eli.

»Wer auch immer das ist, er weiß, was er tut.«

Plötzlich musste Eli an Jom-Tov, den Taxifahrer, denken, der in der Nacht, in der er den Seesack zu Ruthi Cohens Wohnung geschleift hatte, wie aus dem Nichts vor seinem Haus aufgetaucht war, obwohl er bei ihrer ersten Begegnung noch gesagt hatte, er arbeite nur tagsüber.

»Was soll ich machen?«

»Ich will nur, dass du herausfindest, wer das ist. Fahr hin und warte auf ihn, guck, wohin er geht. Um den Rest kümmere ich mich dann«, sagte Führer und unterstrich seine Worte mit einem gebieterischen Kopfnicken.

»Das lohnt sich auch für dich«, fügte er noch hinzu. »Selbstverständlich.«

»In Ordnung.« Eli willigte ein, mehr aus Neugier als aus Gehorsam, auch wenn die Worte seines Bosses ihn ein gewisses Unbehagen empfinden ließen.

Führer bückte sich unter seinen Schreibtisch und kam mit vier grasgrünen Schuhkartons wieder zum Vorschein.

»Von jetzt an wird es mehr Bumerangpäckchen geben. So ist das nach einem Krieg. Hoffnung und Verzweiflung. Einerseits mehr Zettelchen und andererseits ...« Mitten im Satz brach er ab. Schien seine Worte abzuwägen und sagte schließlich nur: »Ich setze auf dich!« In einem Ton, der mehr nach einer Drohung als einem freundlichen Zuspruch klang.

Eli machte Anstalten zu gehen. Führer hob den Telefonhörer wieder ab und wählte eine Nummer.

»Und vergiss die Zettelchen nicht.« Mit dem feisten Kinn deutete er auf einen großen Karton, der neben der Tür wartete.

39

DER MOTORROLLER QUÄLTE sich mit den Paketen beladen die steile Straße zum Ölberg hinauf, und Eli drehte kräftig am Gasgriff, als gäbe er einem müden Esel, der eine schwere Last zur Bergkuppe schleppt, die Fersen. Endlich hatte er die Anhöhe erreicht und fuhr in normaler Geschwindigkeit weiter, bis er bei den ausgebrannten Command Cars angelangt war.

Der Mann in der schneeweißen Dschallabija kam ihm entgegen und hinter ihm schwänzelte der schwarze Kater her, der ihm bereits ein fester Begleiter geworden schien.

»Tisbach ala-l-cheir – mögen Sie wohlbehalten erwachen«, grüßte der Mann.

»Ahalan, grüße Sie«, erwiderte Eli und händigte ihm die schweren Kartons aus. »Sagen Sie, was ist eigentlich ...«, begann er, verstummte jedoch sogleich. Denn er war nicht sicher, ob er es überhaupt wissen wollte.

Der Araber nickte bloß und ging zurück zu dem Command Car. Der schwarze Kater strich Eli noch ein bisschen um die Beine, ehe er seinem Herrn folgte.

Den ganzen Weg den Berg hinab musste Eli das Fußbremspedal getreten halten, damit die Vespa mit den schweren Paketen, die der Araber ihm zurückgebracht hatte und die hinten im Korb wie Bleiplatten lagen, nicht zu viel Tempo aufnahm. Was mag bloß darin sein, fragte er sich und überlegte, dass es ihm bis jetzt gelungen war, seine Neugierde zu zügeln und ihr nicht zu gestatten, ihm bei der Arbeit in die Quere zu kommen. Du willst das gar nicht wissen, sagte er sich. Wenn du es wüsstest, wärst du mehr als nur ein Kurier.

Er stellte den Roller am Tor zum Platz vor der Klagemauer ab und nahm sogleich wahr, dass sich etwas verändert hatte. Der Soldat, der am Tor Wache stand, war ein anderer. Eli näherte sich ihm vorsichtig. Es war ein hoch aufgeschossener, hagerer Typ mit dunklem Teint und Schläfenlocken, die zu beiden Seiten des Kopfes hinabhingen und aussahen, als seien sie fest mit dem Helm verbunden.

»Guten Abend«, grüßte der Soldat.

»Guten Abend. Wo ist denn …?«, fragte Eli und dehnte die Frage in die Länge, da er den Namen des anderen Soldaten nicht wusste.

»Im Krankenstand«, erklärte der Vertreter.

»Geht's ihm gut?«

»Psychoparagraph, ist ein bisschen abgedreht …« Er ließ den Zeigefinger an der Schläfe kreisen. »Aber ich kenne das Prozedere. Du kannst rein«, sagte er.

Eli trat auf den Vorplatz. Etliche Katzen dösten in Grüppchen entlang der Mauer, erinnerten an Fellpfützen, und Eli störte sie nur ungern. Er gab sich größte Mühe, zwischen den Katzen durchzustaksen, und als er aus Versehen einer von ihnen auf den Schwanz trat, wachte die ganze Schar auf und begann zu fauchen und zu miauen. Auch das Nachbargrüppchen erwachte und schickte sogleich einen Abgesandten los, um zu klären, was da vor sich ging. Worauf ein Emissär des ersten Grüppchens loslief und seinen Gegenpart auf halbem Wege traf. Beide fielen nun in einen jaulenden Sängerwettstreit, während ihre jeweiligen Fraktionen im Hintergrund versuchten, sich stimmlich zu übertrumpfen. Die Mauer gab ihr Gejaule als Echo verstärkt weiter, bis es klang, als käme dieses aus allen Richtungen gleichzeitig.

»Was ist denn da los?«, rief der Soldat vom Tor.

Eli beeilte sich, seine Arbeit zu beenden, und sah zu, dass er wegkam.

»Warum hast du sie aufgeweckt?!«, wollte der Soldat verärgert wissen.

»War keine Absicht«, rechtfertigte sich Eli.

»Die Biester machen mich wahnsinnig.«

»Jaulen die denn immer so viel?«

»Wenn's nur das wäre. Die kommen und gehen, wie's ihnen gefällt, fressen Vögel und Mäuse und lassen die Kadaver überall herumliegen, verdrecken damit den ganzen Platz. Und hinterher gibt man mir die Schuld.«

»Hast du das schon gemeldet?«

»Machst du dich lustig über mich? Wem soll ich das denn melden, dem Generalstabschef etwa?«

»Na gut, es sind ja letztlich auch bloß Katzen«, sagte Eli.

»Ich bin allergisch gegen die Viecher«, entgegnete der Soldat säuerlich.

»Sag mal«, fiel Eli ein, »hast du vielleicht zufällig hier ein Taxi herumfahren sehen oder jemanden mit einem schwarzen Hemd?«

»Ich hab′ gar nichts gesehen«, blaffte der Soldat verärgert.

Eli schwang sich auf seinen Roller und fuhr ein Stück weg, zu einem Punkt, von dem aus er den ganzen Vorplatz überblicken konnte. Die Scheinwerfer auf dem Platz warfen die Schatten der Katzen gegen die Klagemauer, doch jetzt, da sie sich dicht in Grüppchen zusammendrängten, sahen sie nicht mehr aus wie Panther, sondern eher wie eine schwarze, Unheil verheißende Wolke, die über den Platz zog.

Er wartete eine Zeit lang, doch niemand erschien. Wie konnte das Schwarzhemd wissen, dass es sich ausgerechnet heute Nacht besser nicht blicken ließ, fragte er sich. Vielleicht bin ich gar nicht derjenige, der hier observiert, sondern der, der observiert wird? Vielleicht ist mein ganzes Leben nichts als eine Fußnote im Leben von jemand anderem, der mich aus der Ferne beobachtet?

Alarmiert sah er sich um, aber da war niemand.

Schließlich gab er auf und stieg wieder auf seinen Roller. Wenn er sich beeilte, würde er schon bald wieder neben Anna ins Bett schlüpfen können und gemeinsam mit ihr am Morgen aufwachen, als sei nichts geschehen. Er drehte den Gasgriff bis zum Anschlag, sodass die schweren Pakete im Korb hinter ihm zu tanzen begannen, und schoss die Ma'ale Hashalom hinunter in Richtung der Yitzhak Kariv. Dann querte er den Mamila-Friedhof und hielt auf den Miezenplatz zu, als plötzlich ein Laternenmast in sein Blickfeld geriet, der gekrümmt wie eine biegsame Nachttischlampe dastand und einen weißen Pritschenwagen beschien, dessen Front so wirkte, als sei er um den unteren Teil des Mastes geschweißt. Eli verlangsamte seine Fahrt und kniff die Augen zusammen, als plötzlich eine Katze vor ihm auf die Straße sprang. Er verlor das Gleichgewicht, hechtete im allerletzten Moment vom Sitz der Vespa und wurde so Zeuge seines eigenen Unfalls, da der Roller noch einige Meter ohne ihn weiterfuhr, dann träge auf die Seite kippte und die vier Pakete unter metallischem Klimpern und Scheppern auf den Asphalt schleuderte.

Eli zitterte unter dem Adrenalinstoß, der durch seinen Körper schoss und seine Knie weich werden ließ. Er bewegte Zehen und Finger, fuhr sich von innen mit der Zunge über die Zähne und machte abwechselnd die Augen auf und zu. Alles heil!

Mit weichen Knien taumelte er zu dem weißen Pritschenwagen und hatte dabei das Gefühl, als liefe er über einen flauschigen Teppich. Die Straße war von unzähligen Flicken aus verschiedenfarbigen Katzenfellen bedeckt, die davon zeugten, was sich hier zugetragen haben musste: die Katzen – darunter die Fuchsrote mit der weißen Brust, drei Schmutziggraue und ein besonders langhaariger Flicken, schwarz mit weißen Pfoten – hatten sich vor die Räder des Wagens geworfen, der von der Straße abgekommen und gegen den Laternenmast geprallt war. Die Frontscheinwerfer umarmten den Mast von beiden Seiten wie zwei Liebende, die sich zum Kuss einander zuwenden.

Eli näherte sich vorsichtig dem Lichtkegel, den einer der Scheinwerfer auf den Seitenstreifen warf. Das erste, was er sah, war ein Fellmeer, das in gleichmäßigen Wellen wogte wie ein Zirkuszelt, das über Tieren in einer Manege eingestürzt ist, die darunter versuchen, sich zu befreien. Die Katzen schenkten ihm keine Beachtung. Zu beschäftigt waren sie damit, eine Frau zu verzehren, die es durch die Windschutzscheibe des Wagens geschleudert hatte. Die Kreuzform, in der sie sich um ihr Opfer angeordnet hatten, zeugte davon, dass die Katzen dabei waren, die

Frau vom Kopf nach unten und von den Händen zum Rumpf hin aufzufressen, als seien sie darauf aus, zuerst alle Merkmale ihrer Identität zu tilgen. Das zerfetzte Antlitz der Frau zeugte davon, dass Qualen nach dem Tod zuweilen noch schlimmer sein können als der Tod selbst.

Eli schauderte und musste sich fast übergeben, konnte aber den Blick nicht von dem Schauspiel lassen.

Die Bewegung der Katzen glich der einer Meereskreatur, einer Qualle oder eines Königsrochens, dessen Glieder synchron zusammenwirken, um seinen Leib geschmeidig zu bewegen. Es war kaum auszumachen, wo eine Katze begann und eine andere aufhörte; welche zum rötlichen Fellstreifen gehörte und welche zum grauen; welche »Straße« und welche »Rasse« war. Und was wie unzählige Samen aussah, die gegen die harte Schale einer Eizelle anschwimmen, war nichts anderes als unzählige Katzenschwänze, die auf erhobenen Hinterteilen hin und her wogten, während die Mäuler am Leichnam der Frau zerrten.

»He!«, brüllte Eli und begann, wie von Sinnen nach den Katzen zu treten, um sich einen Weg zu der Frau zu bahnen. Doch für jede Katze, die er vertrieb, tauchten sogleich zwei andere, noch hungrigere auf. Das Ganze kam einer verzweifelten Dämonenaustreibung gleich, bei der die ausgetriebenen Geister prompt und ohne Unterlass durch neue ersetzt wurden.

Eli wollte schon aufgeben, als er aus der eingedrückten Fahrerkabine des Pritschenwagens ein leises Schluchzen vernahm. Auf dem Fahrersitz saß der Katzenfänger, den Kopf ins Lenkrad gedrückt. Jetzt hob er den Kopf und ließ ihn wie eine aus dem Gleichgewicht geratene Hantel nach hinten gegen die Rückenlehne des Sitzes sinken. Dünnflüssiges Blut strömte aus seiner zertrümmerten Nase, von der kaum mehr als die Nasenlöcher übrig waren, während seine Augen zu zwei Schlitzen zugeschwollen und seine Schneidezähne herausgefallen waren wie bei einem Milchgebiss. Das er noch am Leben war, kam einem Wunder gleich.

»Gidi?«, fragte Eli ungläubig.

»Wir haben sie überfahren ...«, stöhnte der Katzenfänger tonlos, und es war unklar, ob er eine Frage stellte, oder die Ereignisse des Abends schilderte.

»Bist du okay?«, fragte Eli, der nicht glauben konnte, dass Gidi überhaupt fähig war zu sprechen.

»Die Katzenbrut ...«, murmelte Gidi.

»Bist du okay?«, fragte er noch einmal, obgleich ihm klar war, dass der Katzenfänger nie mehr okay sein würde.

»Wir haben sie überfahren ...«, murmelte dieser im selben apathischen Tonfall.

»Ich geh' Hilfe rufen, bin sofort wieder da«, stammelte Eli und atmete erleichtert auf, als Gidis verunstaltetes Gesicht aus seinem Blickfeld verschwunden war.

»Die Katzenbrut ...«, summte dieser.

Eli hastete zum nächsten öffentlichen Fernsprecher und wählte die 110.

»Schalom, hier spricht die Polizei, wie können wir Ihnen behilflich sein?«, meldete sich die näselnde Stimme der Diensthabenden in der Notrufzentrale.

Eli warf den Hörer wieder auf die Gabel. Mit fliegenden Fingern wühlte er in seinem Portemonnaie, bis er endlich die Karte fand, die der Oberinspektor ihm gegeben hatte.

Zehn Minuten später war ein Streifenwagen da, eskortiert von einem Krankenwagen und einem weißen Fiat. Diesem entstieg Oberinspektor Ezechiel, in Pyjama und Uniformjacke.

»Das war goldrichtig, dass Sie mich angerufen haben«, sagte er und drückte Eli die Schulter. Im Hintergrund waren mehrere Pistolenschüsse zu hören und Katzengeschrei. Eli machte erschrocken einen Satz. Ezechiel zuckte nicht einmal mit der Wimper.

»Morgen früh berufe ich als erstes eine Krisensitzung bei der Stadtverwaltung ein«, sagte er. »Sie sind als Zeuge geladen.«

Einer der Polizisten half Eli, seinen Motorroller, der nur ein paar Kratzer an der Seitenverkleidung abbekommen hatte, aufzurichten. Dann las Eli die vier Pakete, die klimperten wie Sparbüchsen, von der Straße auf und legte sie zurück in den Gepäckkorb, der ein bisschen von seiner viereckigen Form eingebüßt hatte.

Der Morgen graute schon, als er die Vespa vor Ruthi Cohens Haus abstellte. Doch kein Käuzchen schrie und keine Nachtigall trillerte. Er zog sich aus und ließ die Kleidungsstücke auf einem Haufen einfach auf dem Fußboden liegen. Ein kalter Windhauch strich über seinen Körper und ließ ihn erschaudern. Eine Mischung aus vollkommener Erschöpfung und Übelkeit überkam ihn und er spürte, er würde jeden Moment im Stehen einschlafen. Er glitt unter die Decke und schmiegte sich an Annas warmen Körper.

»Du riechst wie eine nasse Katze«, flüsterte sie im Schlaf und ließ ihre Finger durch seine Haare gleiten.

Mit einem geschmeidigen Satz landete Rosa, die Siamkatze, auf dem Bett und setzte sich auf sie beide. Eli verkrampfte kurz, entspannte sich aber gleich wieder. Dann begann er, leise zu schluchzen, doch das Schnurren der Katze übertönte sein Wimmern.

40

AM NÄCHSTEN MORGEN, nach unruhigem, viel zu kurzem Schlaf, fand sich Eli im Sitzungssaal des Rathauses ein. Außer ihm waren noch sechs, auf drei Reihen verteilte Pensionäre anwesend, die offenbar bloß ihre Zeit herumbringen wollten. Einige dösten erschöpft, das Kinn an die Brust gedrückt, vor sich hin, und aus der Reihe vor ihm war leises Schnarchen zu hören. Über ihren Köpfen thronte die mit den zwölf Symbolen der Stämme Israels geschmückte Kuppel des Saals, und der brüllende Löwe, das Wappentier der Stadt Jerusalem, riss über dem noch verwaisten Stuhl des Bürgermeisters sein Maul auf.

Jetzt öffnete sich die Saaltür und der Hausmeister, eine gebeugte Gestalt mittleren Alters mit gehäkelter Kippa auf dem Kopf, schlurfte zum runden Sitzungstisch und verteilte Namensschilder darauf, die nicht mehr waren als in der Mitte gefaltete DIN A4-Blätter, die in durchsichtigen, passenden Kunststoffaufstellern steckten. Die beidseitig beschrifteten Namensschilder waren sowohl zur zu der Sitzung geladenen Öffentlichkeit ausgerichtet, damit diese den unterschiedlichern Rednern folgen konnte, als auch zu diesen selbst.

Dann mühte sich der Hausmeister von einem Mikrofon zum nächsten, drückte an jedem Platz einen Knopf und presste seine Lippen an das Metallgeflecht. »Eins-zwei«, flüsterte er, ließ den Knopf wieder los und wechselte zum nächsten Mikrofon.

Als er fertig war, kamen die fünf Honoratioren herein und nahmen ihre Plätze ein. Eli erkannte Oberinspektor Ezechiel sofort, der seine mit Abzeichen behängte Paradeuniform trug, und Dr. Perez Seev, der den blutbeschmierten Tierarztkittel gegen Tuchhose und Hemd eingetauscht hatte. Die drei anderen Herren – ein schmächtiger Mann in billigem Anzug mit fliehendem Haaransatz, ein junger Mann mit zum Zopf streng nach hinten frisiertem Haar und Ring im linken Ohr und ein gewichtiger Herr in braunem Tweedanzug und mit Brille – ließen sich hinter den Schildern »Zion Shitrit – Leiter des Gesundheitsamts«, »Nathi Regev – Katzenfänger« und »Professor Tannenbaum« nieder.

»Ich möchte hiermit die neunundsechzigste Ratssitzung eröffnen«, verkündete der Leiter des Gesundheitsamts und hieb mit einem kleinen Holzhammer auf den Resonanzblock. »Auf der Tagesordnung: Die sprunghafte Vermehrung streunender Katzen in unserer Stadt, die eine sanitäre und gesundheitliche Gefahr für alle Bewohner darstellt. Das Wort hat der Herr Oberinspektor, der eine dringende Mitteilung zu machen hat.«

Oberinspektor Ezechiel lehnte sich nach vorn zu dem runden Tisch, und die vielen Abzeichen und Orden an seiner Brust klimperten dazu.

»Guten Morgen, Herrschaften. Ich möchte Ihnen von einem tragischen Fall berichten, der sich in der gestrigen Nacht ereignet hat. Ein Katzenfänger der Stadtverwaltung namens Gideon Nachmias wurde in kritischem Zustand ins Sha'arei Zedek Hospital eingeliefert, nachdem sein Wagen mit einem Laternenmast in der Menashe Ben Israel kollidiert war, an der Grenze zum Mamila-Friedhof. Er wird zurzeit auf der Intensivstation behandelt, weshalb es uns noch nicht möglich war, ihn zum Tathergang zu befragen. Aus den Spuren am Tatort geht jedoch hervor, dass der Fahrer die Kontrolle über seinen Wagen verloren haben muss, als er allem Anschein nach versuchte, mehreren Katzen auszuweichen, die auf die Straße gesprungen waren. Wir haben auf jeden Fall eine beträchtliche Anzahl überfahrener Katzenkadaver am Tatort gefunden. Wie gesagt erlitt der Fahrer, der mit einem Beckengurt angeschnallt war, schwere Kopfverletzungen durch den Aufprall auf das Lenkrad. Die Frau aber, die neben ihm saß und nicht angeschnallt war, wurde durch die Frontscheibe ins Freie geschleudert. Als wir am Unfallort eintrafen, stießen wir auf eine große Anzahl von Katzen, die von ihrem Körper fraßen, obschon sie noch am Leben war. Wir sahen uns daher gezwungen, mehrere Schüsse in die Luft abzugeben, um die Tiere zu vertreiben. Als dies nicht half, haben wir zwei Katzen erschossen, der Rest ist geflüchtet. Ich, ich möchte Ihnen nicht näher schildern, in welchem Zustand wir die Frau vorgefunden haben. Noch während der Nacht wurde im Krankenhaus ihr Tod festgestellt. Die Spezialisten des Pathologischen Instituts in Abu Kabir arbeiten zurzeit daran, die Frau zu identifizieren.«

Ein unbehagliches Seufzen kam von den am Sitzungstisch Versammelten.

»Danke, Oberinspektor Ezechiel«, ergriff Zion Shitrit, der oberste Gesundheitsbeamte der Stadt, wieder das Wort. »Wir fühlen natürlich mit der Familie der Verstorbenen und wünschen dem Verletzten baldige Genesung.« Dann machte er eine Pause, die ihm und dem Rest der Runde zu einer verkürzten

Schweigeminute diente, und fuhr schließlich betont sachlich fort: »Ich möchte mich nur auf den zweiten Teil des Berichts beziehen, da der Verkehrsunfall, so bedauerlich er auch sein mag, nichts Ungewöhnliches darstellt. Und irre ich mich, aber gehört die Hauskatze bekanntermaßen nicht zu den Aasfressern, und noch weniger zu den Tieren, die über einen verletzten, aber noch lebenden Menschen herfallen? Ist folglich hier nicht wahrscheinlich eher von Wildkatzen die Rede, die ihren Weg in die Stadt gefunden haben, oder von erkrankten Exemplaren?«

»Die Katzen, die wir zu Kastration und Sterilisation einfangen, bekommen eine Impfung gegen Tollwut, bevor wir sie wieder freilassen«, gab Dr. Seev zu bedenken. »Und die, die krank oder in einem jämmerlichen körperlichen Zustand sind, werden ohnehin eingeschläfert. Die einzige Krankheit, die bei Tieren ein derart aggressives Verhalten hervorrufen kann, ist Tollwut und das auch nur in bestimmten Fällen. Oft sondert sich ein erkranktes Tier im Gegenteil aber ab und meidet die Nähe zu Menschen oder anderen Tieren. Wie auch immer, sollte hier tatsächlich von Tollwut die Rede sein, was ich ausdrücklich bezweifeln möchte, würden infizierte Tiere höchstens sieben bis zehn Tage überleben. Sicherheitshalber aber sollten die Kadaver auf jeden Fall an das veterinärmedizinische Institut in Beit Dagan geschickt werden, für eine pathologische Untersuchung.«

»Und was ist mit der Bewegung in großen Gruppen?«, fragte Shitrit. »Ist das nicht eine für Wildtiere typische Verhaltensweise?«

»Ich nehme an, die Frage richtet sich an mich«, ergriff nun zum ersten Mal der Professor das Wort, worauf sich die anderen vier am Tisch ihm zuwandten. »Vielleicht sollte ich mich kurz vorstellen, denn es ist das erste Mal, dass ich gebeten wurde, an Ihrer Sitzung teilzunehmen. Mein Name ist Jaakov Tannenbaum, und ich bin Professor für vergleichende Ethologie, eine Wissenschaft, die sich der Erforschung des Verhaltens von Tieren widmet und dem Verwandtschaftsgrad zwischen Tieren, die gewissen systemischen Gruppen angehören. In meinem Fall sind es Katzen und

Hunde. Ich wurde gebeten, an dieser Sitzung als geladener Experte teilzunehmen, ohne meine persönliche Meinung für oder gegen Ihre jeweilige Entscheidung zum Ausdruck zu bringen. Entsprechend habe ich auch kein Stimmrecht.«

Die anderen vier Sitzungsteilnehmer schauten den Professor mit beinahe identischer Miene an, die ahnen ließ, dass sie noch nicht genug von ihm wussten, um sich ein positives oder negatives Urteil über ihn zu bilden.

»Was die Frage von Herrn Shitrit betrifft«, fuhr der Professor jetzt fort, »so handelt es sich bei der Wildkatze um ein sehr scheues Tier, das man nur äußerst selten zu Gesicht bekommt, weshalb ich die Möglichkeit ausschließen möchte, es handle sich hier um ein Vordringen von Wildkatzen in den urbanen Raum. Andererseits, da die Hauskatze eng mit der Wildkatze verwandt ist, hat sie kein Problem, sich mit dieser zu vermehren. Über die Jahre sehen wir mehr und mehr Wildkatzen, die sich mit Hauskatzen gekreuzt haben, wenn auch bisher nicht in städtischen Regionen.«

»Das waren ganz gewöhnliche Straßenkatzen«, warf Oberinspektor Ezechiel ein, »einige von denen wirkten sogar ganz proper und gepflegt, hatten ein Halsband um.«

»Auch die vielen Tiere, die zur Behandlung bei uns landen, sind einfache Straßenkatzen«, pflichtete der Tierarzt bei. »Ich habe bisher kein Anzeichen für Mischlinge gesehen.«

»Eine weitere Möglichkeit wäre demnach«, fuhr der Professor fort, »dass hier von Straßenkatzen die Rede ist, die zu regelmäßigen Jagdzügen aus der Stadt in die Wildnis aufbrechen, Katzen also, die ›verwildert‹ sind. Wenn sie von dort zurückkehren, bringen sie ein entsprechendes Verhalten mit in die Stadt und verdrängen Schwächere.«

»Ich möchte darauf hinweisen«, sagte der Katzenfänger Nathi Regev zögernd, »dass wir in den letzten Tagen viele Hinweise auf mehrere hundert Katzen bekommen, die in den Abendstunden den Miezenplatz bevölkern, dort lärmen und Unrat hinterlassen. Die Prostituierten füttern die Tiere für gewöhnlich. Sie haben mir berichtet, die Zahl der Katzen auf dem Platz sei zuletzt stark gestiegen und dass die Tiere aggressiver geworden seien; zwei der Damen sind sogar durch Katzen leicht verletzt worden, als diese ihnen das Essen aus der Hand reißen wollten. Man ist dort ziemlich geschockt – und bedenken Sie, das sind Frauen, die sich für gewöhnlich nicht so leicht aus der Fassung bringen lassen …«

Aus der vordersten Reihe war ein vernehmliches Grinsen zu hören, wo einer der Pensionäre inzwischen aufgewacht schien und seinem Nachbarn ein Gedicht zum Besten gab, das er auswendig kannte. Da sowohl der Rezitator als auch sein Adressat halbtaub waren, wurde das Stück gut vernehmlich vorgetragen:

»Katzen setzen Mäusen nach,
wenn einer hängt der Magen brach.
Frauen, die nach einem Mannsbild spi-i-itzen,
werden mutig und schamlos wie die Miezen!«

»Schsch!«, machte ein anderer Pensionär empört, während alle anderen fröhlich applaudierten.

»Meine Herren, kommen Sie, reißen Sie sich zusammen«, rief der Gesundheitsamtsleiter ungehalten und schlug mit seinem Hämmerchen auf das Pult. »Wir haben es hier mit einem ernst zu nehmenden Fall zu tun, und bitte vergessen Sie nicht, wir reden hier noch immer über Katzen!«

»Ich möchte die Brisanz des uns vorliegenden Ereignisses auch gar nicht bestreiten«, sagte Dr. Seev. »Und der Hinweis sei erlaubt, dass ich mich sehr wohl zu den Katzenfreunden zähle, doch bei einer derartigen Vermehrung von Straßenkatzen stehen uns noch weit größere Probleme ins Haus. Ich beziehe mich hier auf die letzte Publikation der amerikanischen Vogelschutzbehörde, in der es heißt, amerikanische Katzen würden derzeit beinahe drei Milliarden Vögel und weitere etwa zehn Milliarden Kleinsäugetiere im Jahr töten. Streunende Katzen zeichnen dabei für zwei Drittel dieses Blutzolls verantwortlich, während Hauskatzen das verbleibende Drittel besorgen. Diese Schätzungen machen Katzen zur Todesursache Nummer eins für Kleinsäugetiere und

Vögel in den Vereinigten Staaten. Mehr als alle Fahrzeuge, Schädlingsbekämpfungsmaßnahmen oder auch Flugzeugtriebwerke, welche Vögel ansaugen. Oder gar Kriege. Bislang bestand hier bei uns noch kein Grund für derartige Sorgen, da die Zahl der Katzen hierzulande bei unter einer Viertelmillion lag, doch jetzt kämpfen wir mit einer neuen Größenordnung. Ich fürchte, der uns hier vorliegende Fall ist nur so etwas wie eine erste Schwalbe.«

»Sie haben zu einhundert Prozent recht!«, richtete Professor Tannenbaum das Wort aufgeregt an den Veterinär. »Im Jahre 1894 entdeckte eine neuseeländische Hauskatze namens Tibbles auf einer Insel mit dem Namen Stephen Island eine ihr bis dahin unbekannte Art beinahe flugunfähiger Singvögel, die später unter dem Namen Stephenschlüpfer bekannt wurde. Tibbles entwickelte eine Vorliebe für diese Vögel, die die letzten Exemplare ihrer zuvor auch anderswo verbreiteten Art waren, und brachte ihrem Besitzer, dem Leuchtturmwärter der Insel, hin und wieder ein Exemplar. Ein Jahr nach Entdeckung dieser Vogelart hatte Tibbles höchstpersönlich die ganze Art ausgerottet, weshalb sie zum Symbol für das Vernichtungspotential von Katzen wurde. Die Katze jagt nicht bloß, um zu fressen, meine Herren. Sie jagt, weil dies ihre Natur ist. Wenn sie ihrem Besitzer die Beute bringt, denkt sie nicht unbedingt daran, diese fressen zu können. Sie will ihm einfach sagen: ›Schau, wie gesund und stark ich bin.‹ Für Katzen ist das eine Sache der Selbstdarstellung.«

»Ich freue mich über die lebhafte Diskussion, die sich hier entwickelt«, sagte Shitrit, der oberste Gesundheitsschützer. »Aber ich sehe mich doch genötigt, die Diskussion zurück auf eine grundlegende Schiene zu lenken: der fürchterliche Zwischenfall, der sich gestern Nacht zugetragen hat, und die auf unseren Schultern lastende Verantwortung, eine Lösung für dieses Problem zu finden. Ich bitte daher darum, dass wir alle uns ausschließlich auf für unsere gegenwärtige Situation und unseren Schauplatz relevanten Vermutungen konzentrieren. Wir alle wollen doch dasselbe: dass alle domestizierten Katzen im Haus sind und alle nicht domestizierten draußen. Aber einer solchen Zunahme von Katzen, wie sie in unserer Stadt zu verzeichnen ist, können wir unmöglich weiter tatenlos zusehen.«

»Ich möchte doch noch eine weitere Vermutung anstellen«, gab Professor Tannenbaum zurück. »Infolge des Krieges und des Zugewinns von Gebieten zu unserem Staatsterritorium ist es zu einer Situation gekommen, in der Besitzer von Hauskatzen gezwungen waren, ihre Wohnungen in aller Eile zu verlassen, und infolge dessen sind die Tiere zu Zehntausenden ausgesetzt worden. Zusätzlich sind Zehntausende, ja vielleicht gar Hunderttausende Straßenkatzen aus Judäa und Samaria und dem Ostteil der Stadt über Nacht zu ›Flüchtlingen‹ geworden, weil sich ihre Lage schlagartig verschlechtert hatte. Die Katze mag von Natur aus vielleicht kein umherziehendes Tier sein, doch sie ist auf jeden Fall ein Tier, das zu überleben weiß. Und angesichts der ihnen aufgezwungenen Nahrungsverknappung haben die Katzen eben begonnen zu wandern und ihren Weg nach Jerusalem gefunden. In der Stadt ist jedoch die Zahl derjenigen, die Katzen füttern, nicht analog angewachsen. Das Ganze ist eine Extremsituation, die innerhalb relativ kurzer Zeit neue Verhaltensformen hervorbringen kann. Möglich, dass wir gerade Zeugen eines Katzenverbunds werden, in dem Hierarchie und Arbeitsteilung herrschen. Eine solche Verhaltensweise, auch wenn sie unter Katzen nicht verbreitet sein mag, unterscheidet sich dennoch nicht wesentlich von der ihrer Artgenossen, der Löwen. Die Familie der Katzen, vom Löwen bis zur Hauskatze, ist eine Familie exzellenter Jäger. Sie sind gewandt, stark, listig und in der Lage, beinahe alles zu fangen, was ihnen unter die Augen kommt: im urbanen Umfeld – Nagetiere und Insekten; an Wasserquellen – Vögel und Fische. In diesem Fall lernen sie sogar zu schwimmen, ganz im Gegensatz zu dem verbreiteten Vorurteil über ihre Spezies.«

Oberinspektor Ezechiel rutschte jetzt ungeduldig auf seinem Stuhl hin und her. Dr. Seev und der Katzenfänger Nathi Regev gaben die interessierten Zuhörer und Shitrit spielte mit seinem Hämmerchen.

»Wenn wir bereit sind, diese Erklärung zu akzeptieren«, fuhr der Professor ohne Pause fort, »dass nämlich die Katzen, die seit Kriegsende in die Stadt vorgedrungen sind, Verhaltensmerkmale mit eingeschleppt haben, die – zum Beispiel – zu dem von uns hier und heute erörterten Unfall geführt haben könnten, dann ist es nicht abwegig anzunehmen, dass sich dieses Verhalten darauf zurückführen lässt, dass sie bereits sämtliche Mäuse, Insekten und Vögel an dem Ort, von dem sie ursprünglich stammen, eliminiert haben und jetzt zu größeren Beuteobjekten übergehen, solchen, die sich nur im Rudel erjagen lassen. Es würde mich daher nicht erstaunen, sollten ihnen auch Hunde oder gar noch größere Säugetiere bereits zum Opfer gefallen sein.«

Stille machte sich um den Tisch breit, kaum dass der Professor geendet hatte. Shitrit besann sich als Erster.

»Ich verstehe nicht, die problematischen Katzen, sind die jetzt von uns oder von denen?«

»Das lässt sich nicht unterscheiden. Alle Katzen miauen gleich«, dozierte der Professor.

»Das könnte die zerfleischten Straßenköter erklären, die wir in letzter Zeit vermehrt finden«, überlegte der Katzenfänger laut.

»Man darf getrost annehmen, dass unsere Straßenkatzen, ja sogar die Hauskatzen, die häufig auf der Straße unterwegs sind, gar keine andere Wahl haben, als sich den Rudeln anzuschließen oder gefressen zu werden«, fuhr Professor Tannenbaum fort, ermutigt durch die Indizien am Tatort, die seine These stützten. »Ein ähnliches Phänomen ist in einem deutschen Zirkus Ende der Dreißigerjahre zu beobachten gewesen, als ein Löwendompteur gezwungenermaßen einige Tiere ersetzen musste, die bei einem Unwetter in ihrem Käfigwagen ertrunken waren, und sich mit von ihm dressierten Hauskatzen behalf. Schnell hielten sich die Katzen für Löwen und machten bei der Vorführung mit, während die übriggebliebenen Löwen sie ohne weiteres als ihresgleichen akzeptierten. Es wurden sogar Paarungsversuche dokumentiert.«

»Es ist tatsächlich so, dass wir in den letzten Wochen immer mehr auf große Gruppen von Katzen stoßen, die als Rudel unterwegs sind und das Einfangen einzelner Tiere erschweren«, bestätigte der Katzenfänger in einem Ton, der zunehmend an Sicherheit gewann. »Ich bin ja Kratzbürstigkeit gewohnt durch Katzen, die sich gegen das Einfangen wehren, aber eine solche Aggressivität habe ich noch nicht erlebt.«

»Aber erklärt das auch, was am Unfallort zu sehen war?«, fragte Shitrit.

»Ich fürchte, nein«, gab Oberinspektor Ezechiel zurück. »Wir haben zwar auf der Straße eine ganze Menge frischer Katzenkadaver gefunden, doch selbst wenn ich, im Sinne von Professor Tannenbaums Vermutungen, meiner Fantasie freien Lauf ließe, kann ich kaum glauben, dass sich die Katzen vorsätzlich unter die Räder des Wagens geworfen haben, um diesen von der Straße abkommen zu lassen.«

»Ich möchte nur präzisieren«, meldete sich der Professor erneut zu Wort, »das, was Sie als ›vorsätzlich‹ bezeichnen, ist für die Katze ein bloßer Überlebenstrieb.«

»Sagen wir, dem wäre so«, hakte Shitrit, der oberste Gesundheitsbeamte, neugierig nach. »Warum sollten sie so etwas tun?«

»Erlauben Sie mir einen anderen Erklärungsversuch«, mischte sich jetzt Nathi, der Katzenfänger ein. »In der Vergangenheit ist es schon mehrfach vorgekommen, dass es einer Katze gelungen ist, sich während der Fahrt aus dem Käfig zu befreien – entweder, weil der Verschluss beschädigt war, oder der Fänger diesen nicht richtig zugemacht hatte. Und eine Katze, die dich während der Fahrt anspringt, das ist kein Spaß, das könnte sogar zu einem derart schweren Unfall geführt haben. Auch können die Katzenkadaver, die Sie auf der Straße gefunden haben, schon zwei, drei Tage alt gewesen sein und nicht alle vom gestrigen Abend stammen. Das wäre nichts Außergewöhnliches für die Gegend, in der sich Scharen von Katzen herumtreiben und zudem viel Verkehr herrscht.«

»Das klingt schon plausibler«, bestätigte Oberinspektor Ezechiel.

»Und zu Ihrer Frage ...« Das war Dr. Seev, der Tierarzt, der unaufgefordert das Wort an Zion Shitrit richtete. »Die Tiere sind schlicht und ergreifend hungrig. Und im Rudel stehen ihre Chancen besser, eine große Beute zu erlegen und diese, einer bestimmten Hierarchie folgend, unter sich aufzuteilen. Sollte hier tatsächlich von Katzen die Rede sein, die das Verhalten eines Löwenrudels angenommen haben, wie mein Kollege, der Herr Professor überzeugt ist – und ich gestehe, dies ist eine ebenso originelle wie verlockende, zugleich aber wohl auch höchst unwahrscheinliche Theorie –, dann müsste sich unter ihnen ein dominantes Männchen finden, ein ›Alphatier‹, dessen Aufgabe darin besteht, die Weibchen zu beschlafen und das Rudel vor äußeren Bedrohungen zu schützen.«

»Wenn es so sein sollte, dann müssten wir einfach dieses Alphamännchen ausmachen und es vom Rudel trennen?«, fragte Shitrit.

»Das würde nicht helfen«, wandte Professor Tannenbaum ein. »Erstens, weil sich das Alphatier in der Regel nicht an der Jagd beteiligt, es sei denn, das Rudel jagt einen großen Paarhufer, einen Büffel zum Beispiel im Falle der Löwen. Von daher wird das Alphamännchen aller Wahrscheinlichkeit nach irgendwo liegen und zuschauen, während ein Rudel aus Weibchen für ihn jagt, weshalb es schwer sein dürfte, es auszumachen. Zweitens, auch wenn es uns gelänge, das Alphamännchen zu fangen, würde es schnell durch eines der jüngeren Männchen ersetzt werden, die es ohnehin irgendwann aus seiner Stellung verdrängen, wenn es zu alt geworden ist. Und drittens möchte ich Ihre Aufmerksamkeit auf eine neue, höchst interessante Studie lenken, die zu dem Schluss kommt, dass zwar das Alphamännchen dem Rudel vorsteht, in Wahrheit aber das Alphaweibchen, diejenige, mit der er sich als erstes paart, bestimmt, in welche Richtung sich das Rudel wendet. Sie veranlasst dies mittels einer leichten Kopfbewegung, die dem Männchen und damit dem gesamten Rudel den Weg weist.«

»Wollen Sie uns damit im Grunde genommen sagen«, die Ungehaltenheit sprach aus Shitrits Worten, »dass, wenn wir Ihre Theorie akzeptieren, wir im selben Atemzug auch die Tatsache akzeptieren müssen, in dieser Sache überhaupt nichts unternehmen zu können?«

»Ich bin nicht in der Position, darüber zu entscheiden, ob in dieser Sache etwas unternommen werden sollte oder nicht«, gab Professor Tannenbaum merklich pikiert zurück. »Ich wurde eingeladen, um als vergleichender Ethologe meine Einschätzung des Geschehenen abzugeben, und das ist es, was ich tue, nach bestem Wissen und Gewissen.«

»Was ist mit einer geordneten Fütterung aller Katzen?«, gab der Katzenfänger zu bedenken. »Die fremden Katzen werden genauso versorgt, als seien es unsere eigenen Straßenkatzen.«

»Dagegen verwahre ich mich entschieden!«, protestierte der Leiter des Gesundheitsamts. »Schlimm genug, dass jede ältere Dame in ihrem Hinterhof dreißig Katzen füttern kann, nur weil es keine gesetzliche Vorschrift gibt, die eine Genehmigung erforderlich macht, um Straßenkatzen zu füttern. Dieses krankhafte Phänomen von Leuten, die in bestimmten Ortschaften ganze Katzenrudel füttern, ist weit verbreitet und erhält leider durch Firmen, die entsprechendes Futter herstellen oder importieren, Vorschub. Und natürlich auch durch Menschen, in deren Augen das Leben einer Straßenkatze wichtiger erscheint als das eines besonderen Wildtiers wie etwa der syrischen Gazelle oder eines Wiedehopfs, unseres Nationalvogels. Eine Situation, in der wir dieses Phänomen gutheißen oder gar durch behördliche Maßnahmen noch vergrößern, darf es nicht geben!«

»Kastration und Sterilisierung sind der einzige Weg«, pflichtete Dr. Seev, der Tierarzt, bei.

»Kastration und Sterilisierung werden zwar in nicht wenigen Ortschaften verfolgt«, wandte der Professor ein, »aber es gibt auch jene, die behaupten, diese Maßnahmen seien nicht wirklich effektiv: Erstens vermehren sich Katzen ohnehin schnell und problemlos, was dann zumindest noch für die nicht gefangenen zutrifft; und zweitens macht das Ganze den Einsatz von Fallen notwendig, denen ausgerechnet die stärksten, geschicktesten und findigsten Katzen entwischen, die sich nicht so leicht hinters Licht führen lassen.«

»Und was, wenn wir eine Unterbringung für alle Straßenkatzen finden und gleichzeitig eine Verordnung erlassen, dass Hauskatzen vorerst nicht ins Freie dürfen?«, schlug Dr. Seev vor.

»Eine solche Verordnung wird niemals kommen«, entgegnete der Oberinspektor säuerlich. »Wir müssen einen Mittelweg finden, eine Koalition bilden aus denen, die den Katzenbestand reduzieren wollen, und allen Katzenfreunden.«

»Ich schlage vor, allen Katzen ein Glöckchen umzuhängen, das ihre Opfer vor dem nahenden Räuber warnt«, meldete sich jetzt der Katzenfänger zu Wort. »So können wir vielleicht nicht ihre Vermehrung verhindern, aber zumindest die Anzahl der von ihnen zur Strecke gebrachten Vögel und anderen Tiere verringern.«

Die vier Köpfe wandten sich ihm zu, unsicher, ob er spaßte oder versuchte, als erster einen praktikablen Vorschlag zu machen.

»Sind Sie auf den Kopf gefallen? Wir würden nachts kein Auge mehr zumachen«, stieß Oberinspektor Ezechiel endlich hervor.

»Studien belegen, dass Katzen mit einem Glöckchen um den Hals mitnichten weniger erjagen. Sie lernen einfach, sich ihrer Beute noch leiser zu nähern«, fügte Professor Tannenbaum hinzu.

»Ich schlage vor, wir machen eine kurze Pause bei unseren theoretischen Erörterungen, so fesselnd diese auch sein mögen, und hören uns stattdessen die Aussage eines Augenzeugen an«, bestimmte der Gesundheitsamtsleiter. »Wenn ich richtig verstehe, haben wir den ersten Unfallzeugen, der die Polizei gerufen hat, hier unter uns?«

Eli erhob sich von seinem Platz auf der Zuschauertribüne, und die fünf Herren am Sitzungstisch wandten sich ihm zu, während die Pensionäre ihren Banknachbarn mit einem erstaunten Blick bedachten.

»Ihr Name?«

»Eli Ehrlich.«

»Erzählen Sie uns, was genau haben Sie gesehen?«

Eli wusste nicht, wie er erklären sollte, was er gesehen hatte. Jetzt, bei Tage, wirkte die Szene mit den Katzen, die den Korpus der Prostituierten fraßen, wie aus einem Low-Budget-Horrorfilm.

»Wie der Herr Oberinspektor ja bereits geschildert hat«, sagte er schließlich, »habe ich gesehen, dass Gidi, also Gideon Nachmias, schwer verletzt war, und ich bin losgelaufen, um Hilfe zu rufen.«

»Haben Sie gesehen, wie der Unfall sich ereignet hat?«

»Nein.«

»Danke, Sie können sich wieder setzen«, sagte Shitrit.

Eli ließ sich wieder auf seinen Platz sinken. Zwei der Pensionäre nickten wieder ein.

»In der gegenwärtigen Situation würde ich gerne über die Möglichkeit abstimmen lassen, Straßenkatzen aus der Stadt zu schaffen. Wer ist dafür?«

Shitrit selbst und Ezechiel hoben die Hand.

»Gegenstimmen?«

Dr. Seev und Nathi Regev hoben die Hand. Professor Tannenbaum enthielt sich.

»Das würde einen Rechtsbruch bedeuten«, sagte Regev. »Die Katze ist ein Reviertier. Schaffen wir diese Katzen in ein fremdes Revier, drohen sie den dortigen Tieren zum Opfer zu fallen. Das käme einem Todesurteil gleich.«

»Und was schlagen Sie stattdessen vor?«, fragte Oberinspektor Ezechiel.

»Ich fürchte, uns bleibt keine andere Wahl«, sagte Dr. Seev und schaute zu dem Katzenfänger. »Wir werden ein neues Protokoll bestimmen müssen für die Wiederaussetzung eingefangener Katzen, und zwar mit strengeren Kriterien als den bisher geltenden. Nur so werden wir die Anzahl der Katzen kontrolliert verringern können und – gewissermaßen als Folge davon – auch die Menge der einzuschläfernden Tiere in den Griff bekommen. Denn anderenfalls, wenn wir ihre Zahl über die die natürliche Selektion ausdünnen lassen, müssten wir Kadaver zuhauf von den Straßen aufsammeln.«

»Auch so gehen wir angesichts der Belastung schon in die Knie«, pflichtete Regev bei.

»Also, damit möchte ich den Vorschlag des Veterinärs zur Abstimmung stellen, die Population der Straßenkatzen auszudünnen«, schaltete sich Shitrit ein. »Wer ist dafür? Vier. Gegenstimmen? Keine. Enthaltungen? Eine. Der Vorschlag ist angenommen!« Und schon krachte das Hämmerchen auf den Resonanzblock.

»Fürs Protokoll, wie soll das Ganze heißen? ›Ausdünnungsaktion‹?«

»Säuberungsaktion!«, tönte der Pensionär in der ersten Reihe und alle anderen grinsten.

»Nein, das klingt nicht gut«, sagte Dr. Seev, bemüht, die Unruhe in der Zuhörerschaft zu übergehen. »So bekommen wir Scherereien mit den Tierschützern.«

»Und mit den Medien«, fügte Oberinspektor Ezechiel hinzu. »Das muss noch überdacht werden.«

»Da stimme ich zu«, sagte Shitrit. »Ich schlage vor, die Ratsentscheidung zur Bezeichnung der Aktion auf das Ende der Sitzung zu verschieben.«

»Und wenn Sie gestatten«, fuhr Ezechiel fort, »da wir alle nun schon einmal hier sind, denn es war nicht leicht, diese Zusammenkunft zu organisieren ... Meiner Ansicht nach sollten wir auch entscheiden, was zu tun ist, sollte sich die Lage verschlimmern und uns einen weiteren Todesfall bescheren, an dem Katzen beteiligt sind.«

»Jeder Fall muss einzeln betrachtet werden«, widersprach Dr. Seev. »Es können unmöglich Entscheidungen auf Grundlage eines hypothetischen Szenarios getroffen werden. Wir werden nicht hier und heute über das Schicksal einer ganzen Spezies entscheiden, nur weil wir alle uns hier eingefunden haben.«

»Ich tendiere dazu, den Worten meines Vorredners zuzustimmen«, stimmte Shitrit zu. »Man kann nicht einfach ins Blaue reden.«

»Tut mir leid, aber ich rede nicht bloß ins Blaue«, polterte Ezechiel. »Diese Geschichten mit Katzen kommen nicht nur hier bei uns vor. In den letzten Wochen erhalten wir ständig Berichte aus weiteren Ortschaften entlang der Grünen Linie. Anfangs haben wir die Meldungen vielleicht nicht allzu ernst genommen, aber inzwischen erscheint das Ganze immer weniger zufällig. Es wirkt eher wie ein Plan.«

»Das meinen Sie doch nicht ernst, Ezechiel«, sagte Shitrit. »Was für ein Plan denn? Eine Katzeninvasion?!«

»Natürlich nicht«, gab der Oberinspektor trocken zurück. »Es handelt sich zwar um vertrauliche Informationen, doch so viel kann ich Ihnen verraten: Wir haben aktuelle Warnungen vor einer Terrorgruppe, die Tiere verwendet, um Sprengstoff in die Stadt zu schmuggeln. Der letzte Fall hat sich vor rund zweieinhalb Wochen ereignet. Wir haben zwei Pakete Dynamit im Bauch eines Esels hier in Jerusalem gefunden. Eine Katastrophe konnte nur dank der vorbildlichen Wachsamkeit eines Bürgers verhindert werden. Kommen Sie, stehen Sie auf«, wandte er sich unversehens abermals an Eli.

Eli erhob sich von neuem verlegen von seinem Platz. Die Herren am Sitzungstisch schauten ihn entgeistert an.

»Schon wieder Sie, mein Herr?«, wunderte sich der oberste Gesundheitsschützer.

»Ein richtiger Held!«, meinte der Katzenfänger.

»Wir danken Ihnen auf jeden Fall für Ihre Wachsamkeit!«, fügte Shitrit gravitätisch hinzu.

Die Pensionäre applaudierten, und der, der hinter Eli saß, klopfte ihm auf die Schulter und sagte feierlich: »Gut gemacht!«

Dann ließ sich Eli wieder auf seinen Stuhl sinken, und die Diskussion ging weiter.

»Katzen sind zwar kleiner, fallen aber aus eben diesem Grund auch weniger leicht auf, zumal sie sich im Augenblick in der Stadt derart stark vermehren«, fuhr der Oberinspektor fort. »Wir müssen uns aber eine Situation vorstellen können, in der sie zu solchen Schmuggelaktionen dienen oder vielmehr missbraucht werden. Und befinden wir uns erst mal in einer solchen Situation, werden wir nicht mehr in der komfortablen Lage sein, hier zu sitzen und stundenlang fantastische Vermutungen anzustellen. Dann werden wir konkrete Entscheidungen treffen müssen und das unter dem Druck des Bürgermeisters, der Presse und – selbstverständlich – der besorgten Bürger. Wir sollten also besser vorbereitet sein. Ich schlage daher vor, jetzt schon eine Grundsatzentscheidung zu treffen. Selbstverständlich können wir die immer noch um ein paar Grad in diese oder jene Richtung drehen, falls nötig, aber eine Entscheidung muss her!«

»Was Sie da sagen, erschüttert mich«, gestand Shitrit. »Aber an Ihren Worten ist etwas dran. Also, lassen Sie uns jetzt erörtern, was die Stadtverwaltung tun sollte, wenn es einen weiteren Todesfall oder sogar nur einen Zwischenfall mit ungewöhnlich anmutenden Verletzungen geben sollte, an dem Katzen mutmaßlich beteiligt sind. Vorschläge bitte!«

»Wenn ich noch fortfahren dürfte«, sagte Oberinspektor Ezechiel gereizt. »Ich denke, die Antwort ist klar, wenn auch nicht leicht zu akzeptieren: Wir werden eine großangelegte Tötungsaktion von Straßenkatzen einleiten müssen und parallel dazu über Presse und Rundfunk Katzenbesitzer auffordern, ihre Tiere für diesen Zeitraum nicht ins Freie zu lassen. Wir müssen leider von der Annahme ausgehen, dass in jeder dieser Katzen, übertragen gesprochen, ein Löwe schlummert. Oder wie das Sprichwort schon sagt: Stirbt die Schlange, verfliegt das Gift. Es tut mir leid, aber ich sehe keine andere Möglichkeit. Wir stehen unter großem Druck, die Öffentlichkeit vor einem – vielleicht gar landesweiten – Terrorangriff zu schützen, und daher bleibt uns keine Wahl. Und ich weiß, der Herr Bürgermeister wird in dieser Frage einer Meinung mit mir sein.«

»Ich fürchte, Sie haben recht«, räumte Shitrit ein, der sich dann an Dr. Seev und den Katzenfänger Nathi Regev richtete: »Ich nehme an, Ihre Vorbehalte sollen im Protokoll vermerkt werden?«

»In Israel ist es auf der Grundlage mehrerer Entscheidungen des Obersten Gerichtshofs nach heutigem Stand untersagt, streunende Hunde und Katzen zu töten, es sei denn, sie stellen eine Gefahr für die öffentliche Gesundheit dar«, wandte der Tiermediziner ein. »Sollten wir jedoch tatsächlich in eine solche Situation geraten und davon ausgehen müssen, dass eine konkrete Gefahr für die Öffentlichkeit besteht und es sich nicht nur um ein – wie mein Kollege, der Herr Professor, überzeugt ist – Problem mit dem Verhalten der Tiere handelt ..., dann sähe ich uns lieber gewappnet für eine humane und kontrollierte Tötung mit unseren eigenen organisatorischen Mitteln, statt diese als Ausschreibung an benachbarte Städte zu vergeben. Und fürs Protokoll: Ich finde diese Lösung furchtbar und denke, dass sie nur als Ultima ratio angewandt werden darf. Denn ich betrachte dies als eine Behandlung der Symptome, nicht aber des eigentlichen Problems. Dennoch fällt die Maßnahme in meinen Verantwortungsbereich als städtischer Veterinärmediziner.«

»Ich stimme mit Dr. Seev überein«, bekräftigte der Katzenfänger, und richtete den Blick auf Professor Tannenbaum. Auch die übrigen drei wandten sich ihm zu und warteten gespannt auf sein Diktum.

»In der Zeit der Inquisition, als man Hexen verbrannte, wurden mit ihnen auch ihre Katzen verbrannt«, begann dieser schließlich. »Manch einer sagt, damit habe man sich das eigene

Grab geschaufelt, denn als dann die Pest ausbrach, die Seuche des Schwarzen Todes, die ja bekanntermaßen durch Ratten verbreitet wurde, gab es nicht mehr genug Katzen – die zumindest teilweise von Natur aus resistent gegen die schreckliche Krankheit gewesen wären –, um den Nagern beizukommen. Und so wurde rund die Hälfte der damaligen Bevölkerung Europas durch Ratten, oder vielmehr die in ihrem Pelz eingeschleppten Flöhe, vernichtet.«

»Also wirklich«, platzte es aus Oberinspektor Ezechiel heraus. »Heute gibt es Antibiotika, gibt es Mittel und Wege, Infektionskrankheiten zu bekämpfen! Herrschaften, bei allem Respekt für Professor Tannenbaum, ich verstehe nicht, warum all diese Anekdoten relevant sein sollen für das, was zurzeit hier passiert. Es gibt einen Vorschlag. Dieser mag nicht sehr angenehm sein, weshalb sicher die Neigung besteht, zu zögern und später erst zu entscheiden. Und zwar später im Sinne von nie. Aber wir können uns keinen Aufschub mehr erlauben. Wir müssen hier und heute zu einer Entscheidung kommen!«

»Mithin, wir haben einen Vorschlag auf dem Tisch«, verkündete Shitrit. »Möchten Sie noch etwas hinzufügen, bevor wir zur Abstimmung übergehen?« Die Frage war an den Professor gerichtet.

»Wir sind mit Tieren durch keinerlei Abkommen oder Vertrag verbunden, die uns verpflichten würden, sie anders zu behandeln als etwa Feinde, die wir in Gefangenschaft nehmen. Und wie jeder Kampf in der Natur ist dies einer bis zum Tod. Die Frage ist nur, wie entscheidet man, wessen Tod«, hob Professor Tannenbaum nachdenklich an. »Meinen Kollegen«, fuhr er fort, »denen ich auch weiterhin Respekt entgegenbringe, trotz aller Geringschätzung, die sie für die von mir hier und heute dargelegten Vermutungen an den Tag legen, möchte ich sagen – und dies sollte auch im Protokoll vermerkt werden -, dass ich nicht eine Annahme vertrete, sondern gleich mehrere. Und dies, ohne eine besondere Präferenz für diese oder jene zu hegen. Aber in der Diskussion hier geht es offenkundig darum, eine Lösung für das Problem zu finden, aber nicht um den Versuch, das Problem zu verstehen. Denn es ist unnötig zu betonen: Wir werden niemals mit Sicherheit wissen, was das Verhalten der Katzen ausgelöst hat.«

»Was das angeht, werden Sie heute hier wohl niemanden finden, der Ihnen widerspricht«, seufzte Shitrit erleichtert und lächelte zum ersten Mal. »Mithin, ich möchte hiermit über den Vorschlag von Oberinspektor Ezechiel abstimmen lassen, eine breit angelegte Aktion zur Reduzierung der Straßenkatzenpopulation zu starten, sollte sich ein Angriff wie der in der gestrigen Nacht wiederholen.« Damit griff er zu seinem Holzhämmerchen. »Wer ist dafür? Vier. Gegenstimmen? Keine. Enthaltungen? Eine. Angenommen!«

Zwei der Pensionäre erwachten zum Knall des Hämmerchens und kamen von ihren Stühlen hoch, im Glauben, die Sitzung sei beendet, weshalb sie einige Schritte in Richtung Saalausgang machten und sich dann prompt wieder hinsetzten, als der Leiter des Gesundheitsamtes einen Schluck aus seinem Glas genommen hatte und fortfuhr.

»Und jetzt lassen Sie uns, so misslich dies auch sein mag, geeignete Wege erörtern, um ... äh, die Zahl der Straßenkatzen zu reduzieren, und zwar möglichst auf null.«

Niemand am Sitzungstisch war der Ansicht, dies sei eine besonders gelungene Formulierung, doch ebensowenig konnte jemand mit einer anderen Wortwahl aufwarten, auch nicht die mehr oder minder verstohlen grinsenden Pensionäre auf der Zuschauertribüne.

»Gift, oder?«, sagte Oberinspektor Ezechiel und sah den Tierarzt an.

»Keine gute Idee ...«, Dr. Seev schüttelte den Kopf. »Wenn wir vergiftetes Futter in der Stadt verteilen, ist nicht auszuschließen, dass auch Straßenhunde, so wenige davon auch noch übrig sein mögen, und freilaufende Haushunde davon fressen. Das aber müssen wir um jeden Preis verhindern. Davon abgesehen, dass dies ein moralisches Desaster wäre, würden wir auch die

Unterstützung der Bevölkerung verlieren, sobald wir anfangen, die Hunde der Leute zu töten. Und das sage ich Ihnen aus persönlicher Erfahrung. Schläfere ich jemandem die Katze ein, weint er still; schläfere ich aber einen Hund ein – wird lautstark geklagt und gejammert. Mit Hunden legen Sie sich besser nicht an.«

»Also eine, äh ... gezieltere Tötung, oder was meinen Sie?« Shitrit bedachte Dr. Seev mit einem fragenden Blick.

»Was genau schlagen Sie vor? Dass wir mit der Spritze in der Hand von einer Katze zu nächsten laufen?«

»Vielleicht kann ja die Polizei Hilfestellung bieten, Ezechiel", schlug Shitrit vor.

»Nun gut, wir werden jetzt keine Streifenwagen durch die Straßen fahren lassen, um auf Katzen zu schießen. Hören wir erst einmal, was der Professor zu sagen hat.«

»Professor Tannenbaum?«

Der Ethologe schaute erst die mit ihm am Sitzungstisch Versammelten an und dann die auf der Zuschauertribüne, wobei sein Gesicht einen zunehmend ernsteren Ausdruck annahm. Da ihm das letzte Wort gehörte, schien er zu begreifen, dass man in diesem Moment von ihm erwartete, ein wenig aus der Rolle zu fallen und anstelle bloßer Erklärungsversuche einen praktischen Vorschlag beizusteuern.

»Sie alle müssen damit rechnen, dass eine massive Ausdünnungskampagne, so kontrolliert und zielgenau sie auch sein mag, eine Art, wenn Sie so wollen, Vakuum innerhalb der Katzenpopulation zu erzeugen droht, das sehr schnell durch andere Katzen gefüllt werden könnte, die sich schneller vermehren und höchstwahrscheinlich auch noch extremer in ihrem Verhalten gebärden werden«, sagte er schließlich.

»Also, was schlagen Sie vor?«, fragte Oberinspektor Ezechiel ungehalten.

»Ich schlage vor, Sie machen sich auf das Schlimmste gefasst«, schloss der Professor brüsk.

»Aktion Katzé – Aktion Endpunkt« lautete schließlich der Name, auf den man sich für die gezielte Verringerung der Zahl von Straßenkatzen einigte, nachdem die Bezeichnung »Ketz-Einsatz – Endeinsatz«, wegen der darin mitschwingenden geschichtlichen Konnotation abgelehnt worden war, und dann einer der auf der Zuschauertribüne vor sich hin dösenden Pensionäre plötzlich aufgewacht war und allen in Erinnerung rief, Katzé klinge ja fast wie das deutschen Katze, warum also nicht das Ganze »Aktion Katzé« nennen? Alle waren sofort einverstanden, und auf das Gesicht von Professor Tannenbaum stahl sich ein feines Lächeln, das von außen betrachtet wie ein Lächeln der Zustimmung erscheinen mochte, in Wahrheit aber eines bitterer Ironie war.

Und so, mit einem letzten Schlag des Holzhämmerchens auf das Pult und dem matten Klatschen betagter Hände wurde die Ratssitzung Nummer neunundsechzig beschlossen.

41

DER UMSTAND, dass alle Straßenkatzen einander zum Verwechseln ähnlich sehen, zumindest in den Augen der Menschen, wurde eben diesen nun zum Verhängnis. Denn jedes Mal, wenn der schwarze Perserkater mit den weißen Pfoten überfahren wurde, kam sein Doppelgänger aus einer der grünen Mülltonnen gesprungen, und jedes Mal, wenn es gelang, die Fuchsrote mit der weißen Brust einzufangen, schlüpfte ihre Zwillingsschwester unter einem parkenden Auto hervor. Was wiederum bei den Menschen die Angst befeuerte, es sei im Grunde unmöglich, die Katzen loszuwerden, und die Behörden ihrerseits ermutigte, die Vernichtung der Plagegeister mit noch mehr Nachdruck zu betreiben.

Als Eli von der Ratssitzung nach Hause zurückgekehrt war, lagen zu beiden Seiten des Hauseingangs die gähnenden Sphinxe. Der schwarze Perser saß mit dem Rücken an die Hauswand gelehnt wie ein Bettler und spielte mit dem Schwanz Fangen mit einer lästigen Fliege, während die Fuchsrote wie eine Lady dalag, die Vorderpfoten unter dem Leib eingeklappt und den Schwanz wie eine Stola an sich geschmiegt.

Die Katzen erstehen in ihresgleichen wieder auf, dachte Eli. Oder sollte ich das Ganze nur geträumt haben? Vielleicht war das alles nur ein Albtraum?

Er blieb neben dem schwarzen Perserkater stehen und bückte sich, um ihn zu streicheln. Der Perser reckte den Kopf in die Höhe und nahm seine Streicheleinheit sichtlich genießend entgegen.

»Wo warst du gestern Nacht zwischen halb drei und drei?«, verhörte er den Kater, der mit einem Schnurren gestand.

»Und du, hab' ich dich nicht plattgewalzt auf der Straße am Mamila-Friedhof gesehen?«

Die Fuchsrote wandte ihm einen glasigen Blick zu und konzentrierte sich dann wieder auf das Nichts vor ihr.

»Was habt ihr zu eurer Verteidigung zu sagen, ah?!«

Die Katzen aber machten von ihrem Recht zu schweigen Gebrauch.

Das sind gewöhnliche Katzen, sagte er sich, Allerweltskatzen. Abertausende davon pflastern die Schnellstraßen. Nur selten macht sich ein Fahrer, höchstens aus Sorge um die Verkehrssicherheit, die Mühe anzuhalten und den Kadaver wegzuräumen. Ansonsten rollt der Verkehr und walzt sie flach, bis von den armen Viechern nichts überbleibt als Fellfetzen, hart wie Schuhsohlen.

»Es wird bald Krieg geben zwischen uns und euch«, verkündete er den Katzen noch, die aber nicht im mindesten besorgt wirkten. Auch gut, er seufzte resigniert, wie sieht überhaupt eine besorgte Katze aus?

Er stieg die Wendeltreppe hinauf und versuchte, die jüngsten Wendungen in seinem Leben in die bekannten Schablonen zu fügen, doch die Ereignisse sprengten jede Formel, und es gelang ihm nicht, das Ganze in eine Ursache-Wirkung-Abfolge zu bringen - »weil das eingetreten ist, ist jenes passiert« - oder in Schritten zu bemessen, von denen einer unweigerlich zum nächsten führte wie die Stufen zu seiner Wohnung.

Wenn das kein Schicksal ist, was zum Teufel ist es dann, fragte er sich.

Abel jaulte laut, als er die Tür aufschloss, und sprang ihm vor die Füße.

»Oh nein!«, rief Eli. »Dich hab' ich schon wieder vergessen!«

Der ausgehungerte Kater bekräftigte die Selbstvorwürfe durch ein empörtes Mautzen, das aus den Tiefen seines leeren Magens kam.

Erst hab' ich ihn beim Tierarzt vergessen und jetzt in meiner eigenen Wohnung, schalt sich Eli.

»Nur wegen Anna«, meinte er zu dem Kater, der auf seine Ausreden aber nichts gab.

Eli öffnete gleich zwei Dosen Katzenfutter auf einmal und hielt nach Abels Napf Ausschau, bis er ihn endlich gegen das Glas der Fensterscheibe gelehnt fand.

»Hast du etwa versucht auszubrechen?«, fragte er seinen bemitleidenswerten Hausgenossen.

Wie ein aufständischer Häftling, dachte er und schüttete die Fleischwalzen in den Napf.

Abel stürzte sich mit einem Satz darauf und vergrub die Schnauze in seinem Fressen.

»Aber immer noch besser, zu Hause vergessen zu werden als draußen«, meinte Eli und strich dem Kater über das hoch erhobene Hinterteil. »Da schießen sie nämlich auf Katzen.«

In Windeseile hatte Abel alles aufgefressen und seinen Napf blank geleckt.

»Nachschlag!«, jaulte er.

»Es ist nichts mehr da, ich muss erst was einkaufen gehen«, sagte Eli. »Bin sofort wieder da, versprochen.«

Er stieg die Treppe wieder hinunter und als er aus dem Haus trat, nahm er aus dem Augenwinkel die Pakete wahr, die noch immer in dem lädierten Korb der Vespa lagen.

Großer Gott!, durchfuhr es ihn. Was ist bloß los mit mir?!

Rasch sammelte er die vier schweren Päckchen ein und trug sie die Wendeltreppe hinauf. Abel miaute vor Freude, als er die Tür sich öffnen hörte. Sein Katzenzeitgefühl, zusätzlich angetrieben durch den noch nicht gestillten Hunger, hatte in seiner Wahrnehmung die Zeitspanne, die er bis zur Rückkehr seines Besitzers warten musste, verkürzt. Eli legte die Pakete auf dem Küchentisch ab, entschuldigte sich verlegen und verließ die Wohnung wieder.

An der Ladenkasse schaute Anna ihn mit verhaltenem Ärger an.

»Du bist verschwunden, ohne ein Wort zu sagen«, sagte sie frostig.

»Ich musste wegen des Unfalls gestern eine Aussage im Rathaus machen«, sagte er.

»Warst du denn daran beteiligt?«, fragte sie, und ihr Gesicht nahm beinahe so etwas wie einen Ausdruck mütterlicher Sorge an.

»Nein, nicht direkt. Ich war Zeuge.«

»Dann geht es dir also gut?«

»Ja. Und es tut mir leid, dass ich einfach so gegangen bin.«

»Kein Problem«, sagte Anna schon wieder versöhnt. »Hauptsache, dir ist nichts passiert.«

»Was würdest du zu einem Abendessen heute bei mir sagen?«, schlug er vor. »Wird langsam Zeit, dass ihr Abel kennenlernt.«

»Das wird es tatsächlich«, lächelte sie. »Tanja wird sich riesig freuen.«

Eli setzte den randvollen Einkaufskorb neben den Paketen auf dem Küchentisch ab. Er öffnete eine weitere Dose Katzenfutter und schüttete ihren Inhalt in den Napf des Katers, der zutiefst dankbar schnurrte.

»Hier hast du, was du wolltest.«

Während Abel das Gänseklein herunterschlang, ließ sich Eli am Küchentisch nieder und untersuchte die Pakete. Drei von ihnen hatten den Unfall mehr oder weniger unbeschadet überstanden, doch das vierte sah böse mitgenommen aus.

Jeden Augenblick konnte sein Boss am Telefon sein und erbost wissen wollen, warum die Pakete so lange auf sich warten ließen, aber richtig außer sich würde er erst sein, wenn er das Paket in diesem Zustand überreicht bekäme. Die Lieferung musste wohl oder übel neu verpackt werden.

Eli stieß einen tiefen Seufzer aus. Er zog ein stumpfes Messer aus der Küchenschublade und durchtrennte damit das braune Packpapier, das den Karton noch hier und dort zusammenhielt. Drei Fünf-Lira-Münzen glitten durch einen Riss im Paket und kullerten über den Tisch. Eli überprüfte den Riss mit dem Finger, und in der nächsten Sekunde begann das Paket, Geld zu spucken. Der Strom der Münzen schwoll an und weitete den Riss, bis der ganze Tisch mit Hunderten von Münzen bedeckt war, die sich unter lautem Geklimper auf den Küchenfußboden ergossen.

Abel machte erschrocken einen Satz und flüchtete. Eli sah dem Schauspiel mit offenem Mund zu. Fragen begannen, in seinen Kopf durcheinanderzuwirbeln: Warum bezahlen die mit Münzen? Und warum sehen die Münzen so neu aus? Was ist für dieses Geld gekauft worden? Und wieso transportiere ich das Geld, statt dass sie es direkt an Führer zahlen? Und warum hatte Jom-Tov, der Taxifahrer, die Geldsendungen in seinem Kofferraum so gründlich versteckt?

Hier hielt er inne. Ich bin nur der Kurier, sagte er sich, als wollte er seine Gedanken bestätigen. Das geht mich alles nichts an, ich bin nur indirekt daran beteiligt, mittelbar, wie der Angestellte einer Bank, der Geld von hier nach dort transferiert und keine Verantwortung trägt. Und auf den Emissär schießt man nicht.

Er versuchte, dem leeren Karton seine ursprüngliche Form zurückzugeben, die er gehabt hatte, ehe der Asphalt ihm ein neues Aussehen verschaffte. Doch vergebens. Woher bloß sollte er jetzt einen unversehrten, grasgrünen Schuhkarton bekommen? Doch plötzlich fiel ihm ein, dass er genau so einen schon irgendwo gesehen hatte, kürzlich erst.

»Ich bin gleich wieder da!«, versprach er zum dritten Mal an diesem Tag Abel hastig.

Das Schild hing noch immer schief an der Tür der Tierarztpraxis. Eli klingelte. Augenblicke späten erschien Dr. Seev in der Tür. Er trug wieder seinen Arztkittel, der ihm besser stand als jeder Maßanzug.

»Ah, unser Held!«, rief er und schlug in die von Eli dargebotene Hand ein. »Was verschafft mir die Ehre? Alles in Ordnung mit dem Kater?«

»Ja, ja«, erwiderte Eli. »Kann ich kurz reinkommen?«

»Aber sicher. Jede Pause ist willkommen.«

Auf dem Behandlungstisch lag, alle viere von sich gespreizt, ein betäubtes Tier fixiert. Drei hohe Mauern aus Katzenboxen erstreckten sich von der einen Wand der Praxis bis zu dem noch verbliebenen freien Raum. Die Praxis schien so geschrumpft, dass Perez Seev Mühe hatte, den OP-Tisch zu umrunden, ohne mit dem Gesäß gegen eine der Boxen zu stoßen.

»Großer Gott«, entfuhr es Eli.

Dr. Seev nickte bitter.

»Ich gestehe es nur ungern, aber ich fange an, Katzen zu hassen.«

»Und kommen Sie denn hinterher?«

»Tue ich nicht! Eine Ausschreibung ist das, die der Teufel sich ausgedacht hat.«

Eli sah sich um, bis seine Augen an dem grasgrünen Schuhkarton hängen blieben, nach dem er suchte. Einen solchen Karton, angefüllt mit unterschiedlichen Operationsgerätschaften, hatte er seinerzeit dem Tierarzt gereicht und dabei den gesamten Inhalt auf den Metalltisch gekippt.

»Sagen Sie«, fragte er, »woher stammt der Karton?«

»Der? Darin sind die Geräte verpackt, die ich benutze, die bestelle ich einfach.«

»Bei wem?«

»Es gibt verschiedene Anbieter. Die da sind am billigsten«, sagte er und fügte sogleich hinzu: »Bei der Kastration von Hauskatzen verwende ich natürlich qualitativ höherwertige Geräte. Aber Straßenkatzen sind was anderes ...«

»Ich verstehe«, sagte Eli. »Hätten Sie vielleicht noch so einen leeren Karton?«

»Ja, sicher«, erwiderte der Arzt. »Warum, möchten Sie einen?«

42

DIE MÜNZEN SO in den Karton zu stapeln, dass alle Platz hatten und ihnen keine Luft zum Atmen mehr blieb, kostete viel Zeit. Der Mann in der schneeweißen Dschallabija ist zweifellos geschickter als ich, dachte Eli und bereute seine Ungeduld in jener Nacht, die ihm jetzt schon unendlich lang zurückzuliegen schien.

Abel beobachte ihn dabei die ganze Zeit über verwundert. Die Beschäftigung mit Geld hält er bestimmt für etwas sehr Sonderbares, dachte Eli. Auch für ihn war es eine wertlose Erfahrung, so viel Zeit mit Geld zu vertun, ohne davon etwas kaufen zu können.

Endlich standen die Münzen aufeinander geschichtet dicht an dicht wie die Fahrgäste in einem Jerusalemer Bus zur Hauptverkehrszeit, und der Kartondeckel schloss sich über ihren Köpfen. Eli wickelte den Karton in braunes Packpapier, das er auf der Post erstanden hatte, und als er fertig war, begutachtete er das Paket neben seinen drei Brüdern.

Nicht schlecht, befand er.

»Ich bin gleich wied... «, rief er und besann sich sogleich. Öffnete noch eine Dose Katzenfutter für Abels Napf und strich dem Kater über den Rücken.

»Wir sehen uns heute Abend«, sagte er. »Und wir haben wichtige Gäste heute!«

Eli mühte sich die Wendeltreppe hinab mit den vier schweren Paketen, die er unter den verwunderten Blicken der Fuchsroten mit der weißen Brust und des schwarzen Persers mit den weißen Pfoten in den verbogenen Korb der Vespa packte. Er hatte sich schon auf den Sitz geschwungen und war im Begriff, das Starterpedal schwungvoll durchzutreten, als er bemerkte, dass der Hinterreifen platt war.

»Verdammt!«, entfuhr es ihm.

Die beiden Katzen warfen ihm einen alarmierten Blick zu, versanken einen Augenblick später aber wieder in ihre stoische Gleichmütigkeit.

Alles geht schief, dachte er verbittert.

Er beschloss, am besten sofort zur Werkstatt zu fahren und von dort gleich weiter ins Büro, anstatt die Pakete erst zurück in die Wohnung zu tragen und wertvolle Zeit zu vergeuden. Schließlich hatte er noch ein Abendessen vorzubereiten und gründlich aufzuräumen.

Also fuhr er langsam und vorsichtig am Straßenrand bis zu der kleinen Werkstatt im Gewerbegebiet von Talpiot, wo sie ihm schon den Anlasser repariert hatten.

»Stell ihn dort ab und lass den Schlüssel stecken«, wies ihn der Monteur im schwarzen Overall an, der mal blau gewesen sein musste. »Was fehlt ihm denn?«

»Platten hinten.«

»Ich seh's. Sollen wir TÜV gleich mit machen?«

»Nicht nötig«, sagte Eli. »Ehrlich gesagt, ich bin ein bisschen in Eile.«

»Ich hab nur noch den da, und dann bin ich gleich bei dir«, sagte der Monteur und deutete auf ein Taxi, das auf der hydraulischen Hebebühne über ihren Köpfen schwebte. »Du kannst dir in der Zwischenzeit einen Kaffee machen.«

»In Ordnung«, sagte Eli.

Er trat zu einer winzigen Küchenzeile in einer Ecke der Werkstatt. Jom-Tov, der Taxifahrer, stand mit dem Rücken zu ihm und ließ über offener Flamme den Kaffee im Kännchen aufkochen. Als er Elis Gegenwart spürte, drehte er sich um.

»Ah, Schalom. Vom Reservedienst zurück?«

»Ja«, meinte Eli nur lakonisch.

»Herzlich willkommen. Kaffee?«

»Bitte.«

»Geht auf mich«, scherzte Jom-Tov und drehte die Flamme höher.

Er reichte Eli ein Gläschen mit dem starken, sämigen Kaffee, der einen belebenden Duft verströmte.

»Zucker ist schon drin. Ich hab dir doch gesagt, das ist eine Spitzenwerkstatt.«

»Danke«, sagte Eli.

»Die Kupplung war hin«, Jom-Tov wies mit dem Kopf nach dem in lichter Höhe schwebenden Taxi. »Und bei dir, schon wieder der Anlasser?«

»Nein, bloß ein Platten.«

Jom-Tov warf einen Blick nach dem Motorroller, und jäh nahm sein Gesicht einen ernsten Ausdruck an. Er stellte sein Glas neben der Spüle ab und trat zu der Vespa; untersuchte die Pakete im Korb hinter der Sitzbank, hob eines davon in die Luft, wiegte es in der Hand und machte Eli dann unauffällig ein Zeichen, zu ihm zu kommen.

Eli war alarmiert. Mit langsamen, vorsichtigen Schritten näherte er sich dem Roller.

»Bruder, so was macht man nicht«, raunte Jom-Tov ihm verschwörerisch zu.

»Was?«, fragte Eli.

»Was was? Das sind fünfhundert Lira je Fuhre. Du kannst nicht am helllichten Tag mit zweitausend Lira durch die Gegend kurven.«

Eli schluckte. Verschiedene Gedanken schossen ihm durch den Kopf, doch alle endeten sie auf der Rückbank eines Streifenwagens.

»Wenn einer dich schnappt, sind wir alle dran, nicht nur Abed«, sagte Jom-Tov.

»Abed«, wiederholte Eli, besann sich aber sogleich. »Ich bin gerade unterwegs zu ihm ...«

»Wallah? Kannst du mir einen Gefallen tun?«

»Sicher.«

Jom-Tov zog einen Fünfzig-Lira-Schein aus der Tasche und gab ihn Eli.

»Sag ihm, Jom-Tov begleicht seine Schulden. Du weißt doch, wo er hockt, oder?«

»Na klar, was soll das heißen ...«, murmelte Eli.

»Weil die mal wieder umgezogen sind.«

»Die ziehen doch ständig um, was?«, sagte Eli. »Aber denken nicht dran, einen zu informieren.«

»Ne, was?« Jom-Tov grinste.

»Also, wo sitzt er denn nun?«, fragte Eli, so beiläufig, wie er eben konnte.

Jom-Tov schaute sich um, beugte sich dann zu Elis Ohr und flüsterte ihm die Adresse zu.

Im Hintergrund zischte es hydraulisch.

»Gute Fahrt!«, rief der Monteur.

Das Taxi landete wieder auf festem Boden. Jom-Tov klopfte Eli auf die Schulter. »Grüß schön!«

Eli fuhr zu der genannten Adresse, einem Bunkerraum in einem der verlassenen Gebäude der Altstadt, ganz in der Nähe des Treffpunkts mit dem Strenggläubigen, der sich seinerzeit geweigert hatte, das mit Katzenblut beschmierte Päckchen entgegenzunehmen. Er stellte den Roller neben dem gelben Schild mit der Aufschrift »Halt – Grenze voraus!« auf Hebräisch und Arabisch, flankiert von den beiden rostigen Ölfässern, ab. Vor ihm erhob sich in der Ferne die Davidszitadelle und zu seiner Linken stand eine Häuserzeile ohne Türen und Fenster. Alles sah noch genau so aus wie beim letzten Mal, nur dass es jetzt mitten am Tag war und die Sonne den Schauplatz unbarmherzig ausleuchtete. Eli erkannte sofort das Haus, das in seinem staubigen typischen Nachkriegstürkis wie ein einsamer Stiftzahn etwas abseits der anderen stand. Er versteckte die Pakete hinter einem großen Felsen und deckte sie mit ein paar trockenen Ästen ab. Dann trat er durch die fehlende Tür und stieg die Stufen zum Schutzraum hinab.

Im Eingangsbereich des Schutzraums war es schummrig und stickig. In der Luft hing Fäulnisgeruch. Die Eisentür war verschlossen. Kein Zutritt. Eli legte das Ohr an das kalte Metall. Ein leichtes Brummen war durch die Tür zu hören, als hielte er sein Ohr an einen Kühlschrank. Plötzlich fühlte er, dass jemand ihm einen harten, eiskalten Finger ins Genick drückte. Automatisch hob er die Hände.

»Äh, ich bin von Führer & Partner ...«, stammelte er mühsam.

Die metallische Kälte löste sich aus seinem Nacken. Eli erschauderte am ganzen Körper und drehte sich in Zeitlupe um. Vor ihm stand ein Junge von vielleicht fünfzehn Jahren mit einer schweren Pistole in der Hand. Der Junge hämmerte mit der Faust dreimal an die Tür, dann dreimal mit der flachen Hand, und schließlich weitere drei Schläge mit der Faust. Ein Riegel wurde zur Seite geschoben und die Tür öffnete sich langsam. Dahinter lag ein leerer, nur schwach beleuchteter Schutzkeller. Der Junge bedeutete Eli, einzutreten und die Tür zu schließen. Eli stieß die schwere Eisentür auf und erschrak beim Anblick eines etwa fünfzigjährigen, hageren Mannes, der dahinterstand und auf einem Auge blind zu sein schien. Der Junge schob den Riegel wieder vor.

»Min hadhi, wer ist das?«, fragte der Mann.

»Führer«, antworte der Junge, worauf der Mann einen kurzen Satz auf Arabisch durch die Zähne presste.

»Das ist nicht der Tag von Führer«, übersetzte der Junge drohend.

»Äh, ich bin hier, um Schulden zu begleichen«, stotterte Eli.

Wieder übersetzte der Junge.

»Shu ad-dain, was für Schulden?« fragte der Ältere.

Eli wollte mit der Hand in seine Tasche langen, aber der Junge drückte ihm schnell die Mündung der Pistole an den Hals, und Eli warf beide Hände wieder in die Höhe.

»Jom-Tov ...«, stammelte er.

Der Junge fuhr mit der Hand in seine Tasche und beförderte von dort den zerknüllten Fünfzig-Lira-Schein zutage. Er reichte ihn dem Mann, der den Schein glattstrich und nickte.

»Jom-Tov, ya muharrig, du Clown.« Er grinste.

»Yallah, du hast gezahlt!« Der Junge wedelte mit der Pistole in Richtung Tür.

Da löste sich ein Schuss und zerriss ihm fast das Trommelfell. Eli fiel auf die Knie. Ein heißes Urinrinnsal drang durch seine Unterhose. Der Junge brach in höhnisches Gelächter aus, und auch der Mann konnte sich ein trockenes Grinsen nicht verkneifen. Er ging zu einer alten Drehbank, aus der Dutzende von Münzen scheppernd in einen rostigen Blecheimer hüpften wie Dollars aus einem Glückspielautomaten, und stellte die Maschine ab.

Der Junge öffnete die Tür. Er fasste Eli unter einer Achsel und half ihm auf die Füße. Mit schlotternden Knien wankte Eli nach draußen, ohne dabei dem Jungen den Rücken zuzuwenden. Rückwärts stolpernd tastete er sich die Treppe hinauf, Stufe um Stufe, bis er hörte, wie die Tür zugeworfen und der Riegel vorgeschoben wurde. Die restlichen Stufen hastete er nach oben und war mit einem Satz auf seinem Roller. Mehrfach trat er das Anlasserpedal kräftig durch, doch die Vespa weigerte sich anzuspringen. »Nein, nicht schon wieder«, murmelte er und wäre schon fast vor Verzweiflung in Tränen ausgebrochen. Doch endlich gab der Motor tuckernd ein Lebenszeichen von sich, worauf Eli den Gasgriff bis zum Anschlag durchdrehte und losbrauste. Den großen Felsen, bei dem er die Pakete versteckt hatte, hätte er fast vergessen, und so bremste er jäh mit kreischenden Bremsen ab, sprang von der Sitzbank, ohne den Motor abzustellen, und packte mit zitternden Händen, die ihm kaum gehorchen wollten, die vier verpackten

Kartons in den Korb. Dann machte er sich so schnell es ging davon, solange noch Leben in ihm war.

Erst als er wieder auf der Hauptstraße war und so weit weg, dass auch eine Kugel ihn nicht mehr eingeholt hätte, bemerkte er, dass nicht nur seine Hose feucht war, sondern auch sein Hemd vom kalten Schweiß tropfnass. Er hob die Ellbogen, um den warmen Wind durch die Ärmel herein zu lassen, und spreizte auch die Oberschenkel, so weit es ging.

43

AM ABEND GELANG es Eli nicht, sich zu konzentrieren. Er wirkte wie traumatisiert, bemühte sich nach Kräften, das Anna versprochene Abendessen zuzubereiten, doch auf der Jagd nach Antworten wirbelten die Fragen nur so in seinem Kopf herum wie Dämonen, die nach einem Leib suchen, den sie befallen können. Und über allen anderen schwebte eine Frage: Wo bin ich da bloß hineingeraten?!

Seine Gedanken begannen, in die abgelegensten Regionen seines Kopfes zu ziehen, bis er sich an die griechischen Tragödien erinnerte, die er in der Schule gelesen hatte: Antigone begräbt heimlich ihren Bruder Polyneikes, in dem Glauben, die Gebote der Götter stünden über den Verboten der Menschen. Als sie gefasst wird, gesteht sie ohne zu zögern ihre Tat. Kreon verurteilt sie zum Tode, mildert dann aber sein Urteil. Doch da hat sich Antigone bereits erhängt. Die Lehrerin hatte ihnen erklärt, wer sich mit dem Tod einlasse, so wie Antigone mittels ihres toten Bruders, werde unrein und sei nach der antiken griechischen Überlieferung verurteilt zu sterben.

Auch ich habe mich mit dem Tod eingelassen, sinnierte er, und das mehrfach. Erst bei Ruthi Cohens Tod, dann bei dem im Kiefernhain verscharrten Araber und zuletzt um ein Haar durch meinen eigenen. Sollte mein Schicksal damit besiegelt sein?

Andererseits war er so nah daran gewesen, sein Leben zu verlieren, dass es ihm jetzt unsagbar wertvoll erschien.

Er wendete die in der Pfanne brutzelnden Kartoffeln, die ein bisschen angebrannt waren.

Um halb acht trafen Anna und Tanja ein. Anna hatte sich dem Anlass zu Ehren schön gemacht und Tanja in ein weißes Kleid mit rotem Band um die Hüfte gesteckt. Sie reichte Eli eine Flasche Wodka und küsste ihn auf den Mund.

»Jedes Zuhause braucht eine Flasche davon.«

»Wo ist der Kater?«, wollte Tanja wissen.

»Komm, wir rufen ihn«, sagte Eli. »Abel!«

»Abel, was für ein komischer Name«, kicherte Tanja.

»Der kommt aus der Bibel. Kain und Abel waren die Söhne von Adam und Eva«, erklärte Anna im Ton einer Lehrerin.

Eli fragte sich, ob sie wohl vorhatte, die ganze Geschichte zum Besten zu geben. Doch Anna beließ es dabei.

Abel kam aus dem Schlafzimmer und lief schnurstracks auf das Mädchen zu, das ihn freudig begrüßte. Sie streichelte den Kater, der genüsslich schnurrte.

»Ich hab dir ein Geschenk mitgebracht«, sagte sie und zog eine Stoffmaus hervor, die an einem Band hing.

Abel beschnupperte das sonderbare Wesen.

»Bist du ein Junge oder ein Mädchen?«, fragte Tanja und bückte sich, um unter seinem hoch erhobenen Schwanz nachzuschauen. Sie blieb einige Augenblick lang unschlüssig und warf Eli schließlich einen fragenden Blick zu.

»Sowohl als auch«, sagte er.

»So was gibt's nicht!«

»Gibt es doch.«

»Ich bin ein Mädchen«, verkündete Tanja dem Kater und streichelte seinen gebuckelten Rücken.

Dann setzten sich alle drei zum Essen. Eli servierte die angebrannten Kartoffeln zu einem im Ofen vergessenen Braten, der trocken und zäh geworden war.

»Tut mir leid«, sagte er, »ist mir wohl misslungen.«

»Macht doch nichts«, lächelte Anna. »Ein Mann, der kocht, das allein ist schon ein Fortschritt!«

»Die Kartoffeln sind angebrannt und das Fleisch ist zäh«, beschwerte sich die Kleine.

»Möchtest du, dass ich es dir kleinschneide«, fragte Anna.

»Kann Eli es mir nicht kleinschneiden?«

»Sicher kann ich das«, sagte Eli und rückte seinen Stuhl neben den des Mädchens, um die ledrige Fleischscheibe zu zersägen.

Tanja steckte sich ein Stückchen Fleisch in den Mund und verzog das Gesicht.

»Kann ich Abel damit füttern?«, nuschelte sie.

»Er wird sich bestimmt freuen«, sagte Eli.

Sie holte das Stückchen aus ihrem Mund und hielt es dem Kater hin, der ihr um die Beine strich. Er schnupperte erst daran und begann dann, das Fleisch abzulecken.

»Er mag es!«, verkündete Tanja stolz.

Eli lächelte und schaute Anna an. Sie lächelte zurück. Man konnte denken, es sei – abgesehen von dem misslungenen Abendessen – ein sehr angenehmer Abend, fast so, als sei nichts geschehen. Doch Eli war zu abgelenkt, um seinen Gästen die volle Aufmerksamkeit zu widmen. Etwas in ihm war wie erloschen. Seine Gedanken kehrten immer wieder zurück zu dem muffigen, schummrigen Luftschutzkeller, und der Uringeruch, den seine Hose verströmt hatte, wollte ihm nicht aus der Nase weichen.

»Trinken wir ein Gläschen?«, schlug Anna vor.

Geistesabwesend füllte Eli ihre drei Gläser.

»Was soll das? Du hast mir Wodka eingegossen«, lachte Tanja.

»Oh, Entschuldigung«, sagte er und schüttete den Inhalt ihres Gläschens in seines.

»Du bist ein Spaßvogel!«

Eli seufzte tief. Er war den Tränen nahe. Anna sah ihn besorgt an.

»Zeit zum Schlafen?«, fragte sie Tanja.

»Aber ich hab noch gar keinen Nachtisch gehabt«, protestierte ihre Tochter.

»Ich bring ihn dir ans Bett«, versprach Anna.

»Toll!«, rief das Mädchen und rutschte von seinem Stuhl.

»Wo ist die Toilette?«, fragte sie Eli.

»Da drüben.«

Anna reichte ihr ihre kleine Tasche.

»Pyjama anziehen und dann komme ich.«

»Es stimmt doch, dass ich heute bei euch schlafe?«

»Ja, stimmt.«

Hochzufrieden marschierte Tanja ins Bad. Abel begleitete sie.

»Er zieht auch seinen Pyjama an«, lachte sie.

Eli räumte das Geschirr vom Tisch und machte sich daran, es in der Spüle abzuwaschen. Tiefe Traurigkeit überkam ihn. Er spürte, er wollte weinen, hatte aber nicht die Kraft dazu.

Anna umarmte ihn von hinten.

»Wo bist du?«, fragte sie.

»Was meinst du?«

»Du bist nicht hier.«

»Und wo bin ich dann?«

»In deinem Kopf.«

Sie legte die Wange an seine Schulter. Eli tastete hinter seinem Rücken mit einer Hand nach ihrem Oberschenkel. Das Wasser, das weiter aus dem Hahn strömte, fiel in eine Kelle und erzeugte einen kleinen Springbrunnen. Eli hatte das Gefühl, als wären sie vereint in der Trautheit zweier Menschen, die an Deck eines sinkenden Schiffes stehen. Anna löste sich von ihm und zog eine Schachtel Zigaretten aus ihrer Tasche. Sie räumte das Weckglas mit der in Konservierungsflüssigkeit schwimmenden Natter und den Ast mit dem ausgestopften Sperber von der Fensterbank und öffnete das Fenster. Kühle Luft wehte herein und vermischte sich mit den warmen Kochschwaden. Anna rauchte gemächlich, während Eli abwusch. Als sie fertig war, drückte sie die Zigarette draußen an der Hauswand aus.

»Ich bin im Bett«, sagte sie und küsste ihn auf den Mund.

Unvermittelt kamen ihm die rauchigen Küsse seiner verflossenen Freundin in den Sinn und ließen ihn zurückweichen.

»Was hast du denn?«

»Gar nichts. Ich komme gleich.«

Anna gesellte sich zu Tanja ins Badezimmer. Bald war zu hören, wie beide ihre Zähne putzten.

Eli war schon dabei, das Fenster wieder zu schließen, als er plötzlich eine große Motte von innen gegen die Scheibe flattern sah. Er öffnete das Fenster ganz weit und versuchte, den Falter nach draußen zu dirigieren. Doch die Motte glitt immer wieder an der Scheibe ab und entkam seinen Händen.

»Du bist frei – also geh!«, brummte er.

Aber die Motte ließ sich nicht davon abbringen, mit der ihrer Spezies eigenen Beharrlichkeit weiter gegen die Scheibe des geöffneten Fensters zu flattern.

Mitten in der Nacht wachte Eli auf von Tanjas Wimmern, die zwischen Anna und ihm schlief. Beide nahmen sie in den Arm, bis sie sich beruhigt hatte und den Daumen in den Mund schob. Auch Anna war gleich darauf wieder eingeschlafen. Eli aber fand keinen Schlaf mehr.

44

DASS ANNA UND TANJA in sein Leben getreten waren, hatte bei Eli ein Gefühl der Befreiung ausgelöst, doch je mehr Zeit sie miteinander verbrachten, desto mehr spürte er, wie die Mauer der Einsamkeit, die ihn früher umgeben hatte, wieder Stein um Stein wuchs. Anna hatte recht: Er war ein anwesender Abwesender, war körperlich zugegen, aber nicht mit seinem Geist. Etwas tief in ihm war verloren gegangen, das, was man für gewöhnlich mit anderen teilt.

Die gemeinsamen Abendessen waren längst Routine geworden, und da Eli zurecht auf alles stolz war, was es in seiner Wohnung bereits gab, und Anna zurecht erbost über alles, was in ihrer noch fehlte, kam es zwischen ihnen immer wieder zu stillen Reibereien, zu vorwurfsvollem Schweigen.

Bei einem der Abendessen sagte Anna:

»Weißt du, ich habe mir überlegt: Vielleicht ziehst du einfach zu uns? Auch so bist du fast jeden Abend bei uns, und wir könnten ein bisschen Geld sparen.«

»Aber du zahlst auch so keine Miete«, erwiderte er trocken.

Anna schlug die Augen nieder.

Warum musste ich das auch sagen, ärgerte er sich.

»Hast du uns schon satt?«, fragte sie mit Tränen in den Augen.

Eli senkte beschämt den Blick.

»Sag es ruhig.«

»Es tut mir leid«, murmelte er.

»Ich weiß nicht, was mit dir los ist, aber du kannst mir alles erzählen.«

Eli war nicht in der Lage, ihr in die Augen zu schauen. Wie sollte er ihr erzählen können, was er selbst nicht verstand? Er würde erklären müssen, was zu was geführt hatte und warum, würde Gründe und Folgen darlegen müssen, und es war nicht auszuschließen, dass Anna ihn nicht von jeder Verantwortung freisprechen und ihn an manchem schuldig befinden würde.

»Es tut mir leid«, murmelte er noch einmal.

»So kann es nicht weitergehen«, stellte sie fest. »Ich möchte, dass du jetzt gehst. Und erst wiederkommst, wenn du bereit bist, wirklich zu reden. Einen Mann, der mich enttäuscht hat, hatte ich schon mal. Ich kann das Tanja nicht antun.«

Eli erhob sich vom Tisch wie ein geprügelter Hund. Da war nichts zu sagen, sie hatte recht. So konnte es nicht weitergehen. Er wollte sich ja ändern, fand aber nicht die Kraft dazu. Sein ganzes

Leben schon hatte er das Gefühl gehabt, es passierten ihm Dinge und er stünde nur dabei, jetzt aber war er gefordert, einen Weg zu wählen. Und er hoffte inständig, die Veränderung würde einfach über ihn kommen wie eine Riesenwelle, die ihm ins Gesicht schlug und ihn mitriss. Nicht mehr Schicksal, sondern eine höhere Gewalt.

Wie ein Häftling, der zurück in seine Einzelzelle geschafft wird, schleppte sich Eli die Stufen der Wendeltreppe hinauf. Er betrat die Wohnung, und Abel begrüßte ihn jaulend. Eli öffnete eine Dose Katzenfutter und schüttete ihren Inhalt in Abels Napf, strich ihm über den Buckel.

»Jetzt gibt es wieder nur dich und mich«, sagte er bitter.

Er trat zum Fenster und schaute auf den Miezenplatz. Der Abend senkte sich herab, und die Huren standen dort wie zuletzt auf einem Teppich aus Katzenfell.

»Ihr habt die ganze Stadt übernommen, was?«

Dort unten strebten zwei Kinder dem Platz zu und bahnten sich ihren Weg durch das Meer der Katzen. Eli kniff die Augen zusammen. Er hätte schwören können, es waren die beiden Araberjungen, deren Onkel er im Kiefernhain verscharrt hatte.

»Die Jüngelchen hängen da auch mit drin, mehr, als Sie meinen.« Die Worte von Oberinspektor Ezechiel kamen ihm in den Sinn.

Die beiden Jungen waren jetzt stehen geblieben, um mit einer der Frauen zu reden.

Die sind doch wohl ein bisschen jung für so was, dachte er und schwankte, ob er nicht die Polizei anrufen sollte.

Abel miaute.

»Augenblick«, sagte Eli.

Offenbar hatten die Jungen bei der Verhandlung nichts erreicht und verließen den Platz wieder. Abel miaute ungeduldig. Fast klang es wie ein Befehl.

»Nervensäge!«, brummte Eli und bückte sich zu dem Kater. Im selben Moment fauchte eine Hitzewelle über seinen Rücken und riss ihm das Hemd herunter. Eli wurde gegen den Küchentisch geschleudert, und das Fensterglas zerbarst in Tausende kleinster Scherben, die wie Geschosse über ihn hinweg jagten und die gegenüberliegende Wand spickten. Abel war panisch davongestoben. Eli lag auf dem Boden und sah die Natter in der Formalinlösung schwimmen, die sich über den Fußboden ergoss. Der ausgestopfte Sperber hatte sich in einer Wolke aus feinen Federn aufgelöst, die wie nach einer Kissenschlacht durch den Raum schwebte. Eine zweite Explosion war zu hören, heftiger noch als die erste. Eli besann sich und robbte auf allen vieren Richtung Bad. Glassplitter bohrten sich in seine Unterarme, bis er eine Blutspur hinter sich herzog. Er ließ sich in die leere Wanne gleiten und betrachtete verstört den Kater, der auf dem Klodeckel saß und sich den verletzten Schwanz leckte. Eine dritte Explosion, mächtiger als die zwei vorangegangenen, ließ die Wände seiner Wohnung erzittern. Eli verbarg den Kopf zwischen den Knien und legte beide Hände in den Nacken. Erst nach minutenlanger, summender Stille kehrten Geräusche zurück. Hupende Autos und das Heulen einer fernen Sirene. Er quälte sich aus der Wanne und taumelte wie mondsüchtig ins Wohnzimmer. Blut rann an seinen Unterarmen hinab und tropfte von seinen Fingerkuppen, doch er spürte keinen Schmerz. Durch den leeren Fensterrahmen sah er drei Rauchsäulen über dem Platz aufsteigen und in großer Höhe sich zu einem schwarzen Pilz vereinen. Als sich der Qualm ein wenig lichtete, waren unzählige Huren und Katzen zu sehen, die wie zu einem Halbkreis angeordnet auf dem Bürgersteig lagen.

Voller Grauen betrachtete Eli die Szenerie. Die Körper, die dort lagen, waren tot. Und das Blut, das zwischen ihnen mäanderte, war in Bewegung. Die Vermischung der Spezies war so verstörend, dass sich nicht mit Gewissheit sagen ließ, ob ein Leichnam, der dort auf dem Gehweg lag, eher der eines Menschen oder der einer Katze war.

»Der Krieg ist vorüber, dies ist nur eine Nachstellung …«, hallte der Satz in seinem Kopf wider wie von einer zerkratzten Schallplatte, die mitten in einem Musikstück festhängt.

Er wankte ins Schlafzimmer und wählte die Nummer der Polizei, doch die Leitung war besetzt. Als nächstes versuchte er, zuerst Oberinspektor Ezechiel auf seiner Direktnummer und dann Anna zu erreichen, doch alle Leitungen schienen überlastet. Also nahm er Abel und verließ das Haus. Die Fuchsrote mit der weißen Brust und der schwarze Perserkater mit den weißen Pfoten waren nicht an ihrem Platz. Eli lief zu Ruthi Cohens Haus und klopfte. Annas Stimme kam durch die geschlossene Tür.

»Wer ist da?«, fragte sie verschüchtert.

»Ich bin's.«

Sie öffnete die Tür und erstarrte vor Schreck, als sie Eli sah, mit nacktem Oberkörper und blutverschmierten Unterarmen.

»Ist dir was passiert?«, entfuhr es ihr.

Eli antwortete nicht und taumelte ihr nur entgegen. Anna nahm ihn in die Arme.

»Was um Himmels Willen war das eben?«

Eli drückte seine Stirn an ihre warme Brust und spürte ihren Herzschlag. Er wollte ihr die ganze Geschichte erzählen, von dem nichtssagenden Anfang an der grünen Ampel, als der Kater ihm vor die Vespa gesprungen war, bis zu diesem bitteren, furchtbaren Ende. Doch als er den Mund auftat, brachte er nur ein wimmerndes Schluchzen zustande.

Anna zog die Glassplitter mit einer Pinzette aus seinen Unterarmen und verarztete ihn, verband danach auch den Schwanz des Katers. Und die ganze Zeit über versuchte sie, Tanja zu beruhigen, die in einem fort wimmerte.

45

MIT DEM ERSTEN Morgengrauen erwachte Eli so schlagartig wie ein Transistorradio, bei dem jemand den Knopf drückt. Anna und Tanja schliefen neben ihm und an ihrem Fußende dösten die beiden Katzen, den Kopf am Schwanz der anderen, wie Jing und Jang. Elis Kopf war leer, keine Fragen ohne Antworten und keine quälenden Gedanken mehr. Er wusste, was er zu tun hatte. Leise zog er sich an und verließ das Haus.

Das Büro von Führer & Partner lag menschenleer und verwaist und erinnerte an jene Häuser in der Altstadt, die weniger verlassen als vielmehr nie von Menschen bewohnt erschienen. Nur eine rußige Pfütze auf dem Fußboden mitten im Büro war Beweis, dass jemand versucht haben musste, in aller Eile Unterlagen zu vernichten. Eli durchwühlte Schubladen und Schränke, fand aber nichts. Das ganze Büro schien über Nacht in eines der Pakete verwandelt, die heimlich unter dem Tisch oder hinter dem Rücken weitergereicht worden waren, ohne Absender und Adressaten, nicht mehr als ein von Mund zu Ohr geflüstertes Gerücht. Doch trotz der gähnenden, sterilen Leere, die im Büroraum herrschte, hatte Eli das Gefühl, als beobachtete ihn jemand aus der Ferne wie eine Maus in einem Laborlabyrinth.

Er fuhr zurück, stellte den Roller unter seinem Haus ab und ging die paar Schritte zu dem von Ruthi Cohen. Und den ganzen Weg über fühlte er sich wie eine Antilope, der ein Gepard im Strauchwerk der Savanne auflauert. Plötzlich hörte er eine Stimme.

»Guten Morgen, großer Held!«

Eli fuhr herum und sah den Streifenwagen, der geräuschlos auf der anderen Straßenseite dahinrollte. Hinterm Steuer saß Hauptinspektor Ziv.

»Guten Morgen«, erwiderte er.

»Brauchen Sie eine Mitfahrgelegenheit?«

»Nein, danke.«

»Warum nicht?«, fragte der Polizist und bremste ab. Eli näherte sich dem Wagen. Auf dem Beifahrersitz lagen mehrere grasgrüne Schuhkartons, festgeschnallt mit dem Sicherheitsgurt.

Hauptinspektor Ziv stieg aus und öffnete Eli die Tür im Fond.

»Nur zwei Minuten Ihrer kostbaren Zeit«, bat er süffisant.

Zähneknirschend nahm Eli auf der Rückbank Platz. Hauptinspektor Ziv schlug die Tür zu und setzte sich wieder hinters Steuer. Gemächlich glitt der Streifenwagen die Straße hinab.

»Was ist mit ihren Händen passiert?«

»Das Fenster in meiner Wohnung ist durch die Explosion in Stücke gegangen.«

Der Polizeibeamte schnalzte mit der Zunge.

»Aber sonst Sie sind in Ordnung, oder?«

»Ja.«

»Wissen Sie, wer hinter dem Anschlag steckt?«

»Ich?« Eli tat basserstaunt. »Woher sollte ich das wissen?«

»Sie haben recht. Ich dachte ja bloß, immerhin sind Sie so etwas wie ein Lokalheld.«

»Ich habe nicht die geringste Ahnung.«

»Was Sie nicht sagen.«

»Wissen Sie denn mehr?«

»Wir wissen nur, dass derjenige, dessen Büro Sie heute früh aufgesucht haben, sich ins Ausland abgesetzt hat, sicher in irgendein Land, das kein Auslieferungsabkommen mit dem unseren hat.«

Eli schluckte. Jetzt hieß es am besten schweigen.

»Aber wir wissen, mit wem er zusammengearbeitet hat: mit Juden, Arabern, ja sogar mit Soldaten. Hätten Sie das geglaubt?«, fuhr Hauptinspektor Ziv fort. »Wir hegen den Verdacht, dass er zur übelsten Sorte von Israelis zählt, die bereit sind, für Geld einfach alles zu tun. Leute, die die allgemeine Euphorie auf der Straße und die florierenden Geschäfte nach dem Krieg nutzen, um den Markt mit Falschgeld zu überschwemmen, das sie von den Arabern beziehen. Und wissen Sie, womit sie die bezahlen?«

»Womit?« Eli wollte seine Ahnungen nicht wahrhaben.

»Mit Operationsbestecken zur Kastrierung von Katzen!«, blaffte Hauptinspektor Ziv und klopfte mit der flachen Hand auf die Pakete neben sich.

Eli blieb bei seinem Schweigen, aber die Gedanken wirbelten in seinem Kopf herum. Diesmal komme ich nicht ungeschoren aus diesem Streifenwagen, sondern stracks in einen Raum mit dicken Betonwänden und vergitterter Tür. Er sah aus dem Fenster und versuchte, so wenig es ihm auch gelang, das triste Stadtpanorama zu genießen, die letzten Eindrücke, die er als freier Mensch mit in die Gefangenschaft nehmen würde.

»Doch diese Typen arbeiten nicht allein, verstehen Sie?«, fuhr der Polizist fort. »Er hatte seine Kuriere, Taxifahrer, Jungs mit Motorrollern. Leute, die Päckchen von hier nach dort schaffen, die Punkte miteinander verbinden wie in einem verschissenen Kindermalbuch, ohne die Konsequenzen zu berücksichtigen. Und wissen Sie, wer jetzt dafür bezahlen wird?«

»Wer?«, murmelte Eli, dem übel war.

»Die Katzen!«

»Können Sie mich hier rauslassen? Ich fühle mich nicht gut.«

»Kein Problem.« Hauptinspektor Ziv bremste jäh ab.

Eli drückte es nach vorn. Die Pakete klimperten und schepperten.

Der Inspektor stieg aus, öffnete Eli die Tür, blieb aber davor stehen und versperrte ihm den Ausstieg.

»Lassen Sie sich ein, zwei Tage Zeit und denken Sie über alles nach. Besser, Sie kommen zu uns, als wir zu Ihnen«, sagte er. Und dann in jovialem Ton: »Gute Besserung, Sie Held!«

46

ALS ELI BEIM Laden eintraf, war dieser noch geschlossen. Ein Packen zusammengeschnürter Zeitungen lag vor der Tür. Er bückte sich und las die Schlagzeile: »Sprengkatzen! Im Bauch von drei Straßenkatzen versteckte Sprengsätze fordern in der Hauptstadt am gestrigen Abend zwölf Todesopfer. Die Polizei gibt bekannt: Aus Sorge vor weiteren Anschlägen wird heute mit der ›Aktion Katze‹ zur Ausdünnung der Straßenkatzenpopulation begonnen, die rund eine Woche dauern wird. Katzenbesitzer sind gebeten, ihre Tiere im Haus zu halten.«

Eli versuchte, von dieser Schlagzeile bis zu jenem Morgen zurückzurechnen, an dem ihm Abel vor den Roller gesprungen war – ein verzweifelter Versuch, den Lauf des Schicksals nachzuvollziehen, diese höhere Gewalt, auf die er zuletzt so sehnlich gehofft hatte. Doch diese Kraft hatte ihn schroff abgewiesen. Alles Geschehene war nichts anderes als eine bedauerliche Verkettung falscher Entscheidungen, die immer wieder neue missliche Zwänge gebaren und in einer beschämenden Realität mündeten, aus der er jetzt zu entkommen suchte. Also mühte er sich, die Formel umzudrehen und vorwärts zu rechnen, seine Zukunft zu kalkulieren, doch die Gleichungen fielen in sich zusammen.

Das Kaugummi kauende Mädchen erschien und schloss den Laden auf.

»Du kannst schon rein«, sagte sie, »aber es dauert noch ein paar Minuten, bis ich die Kasse so weit habe.«

Anna war bestimmt mit Tanja, die noch ganz verstört durch die Explosionen sein musste, zu Hause geblieben. Was vielleicht auch gut so war.

Eli nahm ein paar Katzenfutterdosen aus dem Regal, griff sich die Morgenzeitung und ging zur Kasse, um zu bezahlen.

»Wie furchtbar«, sagte das Mädchen, zog einen grasgrünen Karton unter dem Tresen hervor und begann, die Kasse mit glänzendem Münzgeld zu füllen.

Eli nickte.

»Die armen Katzen«, fügte sie hinzu.

Eli kehrte zurück in seine Wohnung, die aussah wie nach einem Bombenangriff im Krieg. Gut eine Stunde lang war er damit beschäftigt, die größeren Scherben von Hand aufzulesen und den Boden zu fegen, doch auch nach der dritten Runde klebte noch immer Glasstaub in den Fliesenfugen. Die ganze Zeit über waren aus der Ferne sirrende Schüsse zu hören, begleitet von Polizeisirenengeheul, das sich mit ihnen vermischte, bis es klang, als läge das gewaltige Jaulen einer läufigen Katze über der Stadt. Dichter Rauch stieg über der Altstadt auf, und von Zeit zu Zeit hallten Explosionen wider. Dunkle Punkte, zum Teil brennend, wurden auf einer Bogenbahn, die irgendwo wieder am Boden enden musste, in die Luft geschleudert. Aus seinem Fenster sahen sie aus wie vereinzelte Feuerwerksraketen einer fernen Hochzeit. Eli, den die Explosionen inzwischen so wenig beunruhigten, als rührten sie bloß von den nachgestellten Kämpfen zur Eroberung der Altstadt her, räumte seine Wohnung auf so gut es ging, und machte sich daran, seinen Armeeseesack mit ein paar Kleidungsstücken und persönlichen Habseligkeiten zu packen.

Obwohl mir die Sachen dort, wohin ich gehe, auch nicht helfen werden, dachte er und verschloss den Sack. Dann ließ er sich am Küchentisch nieder und zog die Schublade auf, um nach einem Schreibblock zu suchen. Dabei fiel sein Blick auf die beiden Zettel, die er dort irgendwann versteckt hatte: »Lieber Gott, schick meiner Tochter einen Bräutigam, und ich verspreche Dir, dass wir in der Heiligen Stadt Jerusalem Hochzeit und Eheschließung feiern werden, mit des Namen Hilfe, ohne Gelübde.« »Mach, dass ich mehr Glück bei Frauen habe, bitte«, lag schräg darüber.

Ein bitteres Lächeln breitete sich auf seinem Gesicht aus. Er zog die Zettel hervor und steckte sie in die Tasche. Darunter lag der Schreibblock, nach dem er gesucht hatte, und daneben ein prachtvoller Füllfederhalter, den er einmal von seiner verflossenen Freundin zum Geburtstag geschenkt bekommen hatte. Einige

Zeit später und nach unzähligen Anläufen lag der Brief an Anna endlich fertig auf dem Tisch. Er überflog ihn ein letztes Mal:

Liebe Anna,
wenn Du dies liest, werde ich schon nicht mehr hier sein. Vielleicht hast Du ja recht, und ich bin es ohnehin nie gewesen. Ich lasse Dir Abel da und ich weiß, Du wirst Dich gut um ihn kümmern, bestimmt besser als ich. Bitte sorg dafür, dass er in nächster Zeit nicht aus dem Haus kommt. Gib Tanja einen Kuss und erzähl ihr vielleicht ab und an eine nette Geschichte von Onkel Eli. Es tut mir leid, ein weiterer Mann zu sein, der Dich enttäuscht. Der Deine trotz allem,
Eli

Er schob den Brief in einen Umschlag und legte vier Fünfzig-Lira-Scheine dazu. Außerdem seinen Wohnungsschlüssel. Dann ging er ins Schlafzimmer und rief die Polizei an.

»Schalom, Polizeidirektion, wie können wir helfen?«, meldete sich die Telefonistin mit der näselnden Stimme.

»Können Sie mich zu Hauptinspektor Ziv vom Lev-Habira-Revier durchstellen?«

»Ich stelle durch ...«

Nach ein paar Rufzeichen erklang die ihm schon vertraute Stimme des Hauptinspektors.

»Hallo, hier Ziv, wer ist dran?«

»Hier spricht Eli, äh ... – der Held.«

»Ah, Schalom! Was haben Sie mir zu sagen?“ «

»Ich möchte morgen früh aufs Revier kommen.«

»Sie tun das Richtige«, sagte Ziv.

»Ich weiß.«

»Kommen Sie zeitig, Oberinspektor Ezechiel erwartet Sie.« Und schon hatte er aufgelegt.

Eli wuchtete den Seesack auf seine Schulter und verließ das Haus. Er ging zu Ruthi Cohens Wohnung und legte ein Ohr an die

Tür. Anna und Tanja waren bereits beim Frühstück und unterhielten sich auf Russisch. Abel miaute. Es schmerzte Eli, dass er sich von dem Kater nicht verabschieden konnte, aber er tröstete sich damit, dass sein Mitbewohner künftig zumindest eine Freundin haben würde. Vielleicht hast du ja mehr Glück als ich, dachte er. Sei ein guter Kater, gab er Abel in Gedanken noch mit auf den Weg, obgleich er nicht hätte sagen können, was der Unterschied zwischen einem guten und einem schlechten Kater war. Vielleicht war ein guter Kater ganz einfach ein satter Kater.

Er ließ den Umschlag in den Briefkasten gleiten und stellte die Dosen mit dem Katzenfutter auf den Boden neben die Tür. Als er sich umschaute, begegneten ihm die Straße und die Stadt plötzlich mit diesem fremden, sonderbaren Gesicht, welches das Vertraute annimmt, sobald man sich innerlich von ihm verabschiedet. Er warf einen letzten Blick auf die Haustür, jetzt die Tür zu einem fremden, ihm bereits verschlossenen Haus.

Mit schwerem Herzen wollte er gerade zurück zu seinem Haus, als er plötzlich eine bekannte Stimme hörte.

»Schon wieder zum Reservedienst?«

Eli fuhr herum und sah das Taxi auf der anderen Straßenseite parken.

»So was in der Art«, sagte er.

»Komm, ich nehme dich mit«, bot Jom-Tov an.

»Schon in Ordnung, ich hab den Roller.«

»Steig ein«, befahl der Andere und öffnete ihm die Tür von innen.

Eli ließ sich auf den Beifahrersitz sinken, den Seesack zwischen den Beinen.

»Wo soll's hingehen?«

»Zur Klagemauer.«

»Vorher noch einen Zettel dort loswerden? Gute Idee«, pflichtete der Taxifahrer bei.

Sie nahmen die Straße, von der aus jetzt die Klagemauer ganz zu sehen war, da nichts mehr an das Mughrabi-Viertel erinnerte, nicht einmal mehr nennenswerte Ruinen oder Trümmerhaufen. Doch je näher sie ihrem Ziel kamen, desto öfter musste das Taxi abbremsen, weil Katzen in Scharen auf die Straße sprangen.

»Sieh sie dir an!«, rief Jom-Tov.

Eli beugte sich zur Windschutzscheibe vor. Die Katzen stoben auf den Straßen durcheinander wie Ratten, die ein sinkendes Schiff verlassen, hielten sich jedoch nicht am Rinnstein, sondern verteilten sich über die ganze Breite der Fahrbahn, strömten dahin wie ein grauer Fluss, der jeden Augenblick zu einem Wasserfall werden könnte. Ein Streifenwagen kam mit quietschenden Reifen um die Straßenecke geschossen, jagte den Tieren nach, hinterließ dabei eine Schneise und machte so den Weg frei für einen offenen Armeejeep. Auf der Rückbank stand ein Maschinengewehrschütze und feuerte Farbkugeln in das Katzenmeer ab. Eli nahm an, es müsse sich um irgendein Gift handeln. Jede Katze, die eine Kugel abbekam, wurde mit einem Phosphorgelb markiert, das für einen Sekundenbruchteil das schmerzverzerrte Gesicht des Tiers beschien und es anzuspornen schien, sodass die gelben Katzen schneller liefen als ihre grauen Brüder, ja einige sogar in wilder Panik über die Menge hinwegtobten wie Stiere beim Rodeo.

»Wahnsinn!«, stieß Jom-Tov hervor.

Eine weitere Explosion war zu hören, diesmal deutlich näher, und ließ die Scheiben des Wagens erzittern. Jom-Tov schrak zusammen und lenkte das Taxi auf den Gehweg, wobei er mehrere Katzen überrollte. Eli wurde auf seinem Sitz hin und her geschleudert, als der Wagen jäh zum Stehen kam, bevor er im nächsten Moment in die Mauer der italienischen Synagoge gekracht wäre. Brennende Geschosse pfiffen durch den Himmel über ihnen und eines davon schlug klatschend auf der Windschutzscheibe des Taxis auf. Es war eine brennende Katze. Jom-Tov stieß einen Schrei aus und betätigte die Scheibenwischer. Eli schloss die Augen und hielt sich die Ohren zu, während er immer wieder vor sich hin stammelte: »Das ist nur eine Nachstellung, das ist nur eine Nachstellung ...«

Als Jom-Tov die Kontrolle über die Situation wiedergewonnen hatte, begann er, vorsichtig zurückzusetzen.

»Bist du in Ordnung?«, fragte er Eli, der die Augen öffnete und nickte.

Der Armeejeep stob an ihnen vorüber und Eli sah, dass der Schütze in Flammen stand und wie von Sinnen versuchte, sich einen brennenden Katzenkadaver von den Schultern zu reißen. Die Flammen beleuchteten das Gesicht des Soldaten, das den wahnsinnigen Ausdruck der Katzen angenommen hatte. Der Fahrer des Jeeps, von der Explosion in Panik versetzt, überfuhr immer schneller wahllos Katzen und bemerkte nicht, dass der Schütze hinter ihm brannte. Jom-Tov bremste wieder scharf ab und verfolgte gemeinsam mit Eli die apokalyptische Szene. In dem verzweifelten Versuch, die Flammen zu löschen, schlug sich der Mann am Maschinengewehr wie wahnsinnig auf Nacken und Schultern, verlor den Halt, stürzte aus dem Jeep, der weiter raste, und rollte noch ein paar Mal über den Gehweg. Für einen Moment schien es, als habe er endlich Ruhe gefunden, doch schon kam er, als sei nichts geschehen, als menschliche Fackel wieder auf die Füße, rannte zu der italienischen Synagoge und warf sich wie toll geworden gegen deren Türen, bis er schließlich davor zusammenbrach. Momente später griffen die Flammen auf das Holz über, züngelten an dem Jerusalemer Stein, der die Fassade des Bauwerks schmückte. Anfangs schien die Hitze folgenlos zu bleiben, doch schon bald stieg über der Synagoge pechschwarzer Qualm auf.

»Großer Gott ...«, stieß Eli hervor.

»Komm, verschwinden wir von hier!«, brüllte Jom-Tov.

Das Taxi bahnte sich seinen Weg durch die Katzen wie ein Eisbrecher durch das arktische Meer und hielt eine Ewigkeit später endlich auf dem Parkplatz an der Klagemauer. Das Gemetzel musste sich inzwischen vom Osten der Stadt in den Westteil verlagert haben, denn hier herrschte schon wieder friedliche Stille. An einigen Stellen war die Straße gesprenkelt mit den gelben Kadavern von Katzen, die zusammengebrochen waren, ehe sie einen

Unterschlupf hatten finden können. Die ganze Zeit über wechselten Eli und Jom-Tov nicht ein Wort, wie zwei Menschen, die aus einem gemeinsamen Albtraum erwacht sind.

Jom-Tov war der Erste, der sich besann.

»Sieh zu, dass du das möglichst schnell erledigst bekommst«, sagte er.

Eli brauchte einige Augenblicke, bis ihm wieder einfiel, was er hier eigentlich gewollt hatte.

»Bin sofort wieder da.«

Er näherte sich dem Tor und sah, dass der Wachposten wieder gewechselt hatte. Diesmal war es der Soldat, den er kannte, der mit dem dürftigen Oberlippen- und Backenbart, nur dass er jetzt glattrasiert war und noch jünger wirkte, beinahe wie ein Junge am Tag seiner Bar-Mitzwa. Auch die weiße Kippa, die immer unter dem Stahlhelm hervorgelugt hatte, war verschwunden.

»Schalom ...«, sagte Eli und musterte den Soldaten erstaunt.

»Guten Morgen«, erwiderte dieser.

»Alles bestens?«

»Dank sei Gott...«, antwortete der Soldat und biss sich sogleich auf die Lippen. »Sag mal, könntest du vielleicht noch mal kurz hier übernehmen? Ich müsste ganz dringend wohin.«

»Ehrlich gesagt, ich hab's ein bisschen eilig«, sagte Eli.

»Nur zwei Minuten«, versicherte der Soldat und hastete los.

Eli wartete am Tor erst fünf Minuten und dann weitere zehn, doch der Soldat kam nicht wieder.

»He!«, brüllte er in die Richtung, in die der Soldat gelaufen war.

Keine Antwort.

Von Ferne hallte eine Explosion wider.

Ich hab' jetzt keine Zeit mehr, dachte er und trat durch das Tor, erstarrte aber noch in der Bewegung.

Unzählige Katzen bevölkerten den gesamten Vorplatz. Ein Fellmeer wogte in einheitlichen und vielfarbigen Wellen hin und her, und Zehntausende von Schwänzen ragten daraus empor. Eli schluckte beklommen. Vorsichtig begann er, durch diese Katzendünung zu waten und hoffte, die Tiere würden an seiner Kleidung Abels Geruch wahrnehmen und verstehen, dass er »einer von ihnen« war. Immer wieder trat er hier auf einen Schwanz, dort auf eine Pfote und weckte den Zorn einzelner Katzen, die sich aber schnell wieder beruhigten und in die Menge flüchteten.

Sie wissen, hier wird man nicht nach ihnen suchen, dachte er, hier sind sie sicher.

So arbeitete er sich bis zur Mitte der Mauer vor, fuhr mit den Händen prüfend die kühlen Felsquader ab und begann dann, vorsichtig zu klettern. Seine Füße ließen sich ohne weiteres zwischen die Blöcke schieben und mit den Händen fand er Halt. An jedem anderen Ort hätte er kaum gewagt, seine Finger in die Spalten zwischen Mauersteinen zu schieben, aus Angst vor Schlangen und Skorpionen. Aber das hier ist die Klagemauer, sagte er sich, was kann mich hier schon beißen oder stechen?

Er kletterte ungefähr bis in zwei Meter Höhe und zog dann die beiden Zettel aus der Tasche, küsste sie und stopfte die gefalteten Papierstreifen so tief es ging in den Spalt. Im selben Augenblick aber verlor er den Halt, glitt ab und landete unsanft auf dem Hintern. Die Katzen, die seinen Fall abgefedert hatten, stießen gellende Schreie aus. Eli fürchtete, sie würden jeden Augenblick über ihn herfallen wie ein Piranhaschwarm, und vergrub das Gesicht schützend in den Händen, doch die Katzen wandten sich nur ab und leckten sich das Fell. Er rieb sich den Hintern und nahm einen brennenden Schmerz an seinen Fingern wahr. Zwei Fingernägel seiner rechten Hand fehlten, waren offenbar in der Mauerspalte hängen geblieben. Mühsam kam er auf die Beine und schob sich die Finger in den Mund.

»Da bist du ja endlich!«, rief Jom-Tov aufgebracht, als er Eli näherkommen sah. »Ich dachte schon, du hättest mich versetzt.«

»Entschuldigung«, keuchte Eli.

»Yallah, verduften wir von hier. Wo soll ich dich absetzen?«

»In Lod.«

»Reservedienst am Flughafen, was?«
Eli nickte bloß.
»Tsss«, machte Jom-Tov.
Eli ließ sich auf die Rückbank sinken, und Jom-Tov navigierte sein Taxi vorsichtig zwischen den Scharen von Katzen hindurch, die noch unruhig auf der Straße unterwegs waren wie Vögel, die sich zur Flucht vor dem kalten Winter versammeln. Aus allen Gassen kamen sie angeschlichen, sprangen auf die Motorhaube und rieben sich an den Rädern des Wagens.
»Sie haben Angst«, sagte Jom-Tov.
Plötzlich war da etwas Dunkles, das gegen den Strom der Felle anzuschwimmen schien und Elis Aufmerksamkeit weckte. Als sie die dunkle Erscheinung passierten, erkannte Eli das Schwarzhemd. Er drehte sich um und konnte durch die Heckscheibe noch beobachten, wie der Mann unbeirrt auf die Klagemauer zuhielt, als ginge ihn dieser ganze Wahnsinn nichts an. Jetzt trat er durch das verwaiste Tor.
»Viel Erfolg«, wünschte ihm Eli insgeheim.

47

DAS TAXI HIELT VOR DEM TERMINAL und Jom-Tov stieg aus, um Eli die Tür zu öffnen.
»Hör mal«, sagte er. »Führer hat sich aus dem Staub gemacht, und jetzt verduftest du auch. Aber ich hab Familie hier. Also, halt den Mund, und ich werd meinen auch halten.«
Eli nickte.
»Und pass auf dich auf!« Er lächelte, zum ersten Mal seit dem schrecklichen Schauspiel, das sich ihnen an der italienischen Synagoge geboten hatte.
»Du auch«, sagte Eli und verspürte eine gewisse Erleichterung.
Jom-Tov stieg in sein Taxi und verschwand.

Eli betrat das Terminal. Er studierte die Anzeige, bis er den gewünschten Flug gefunden hatte. Dann trat er an den Schalter und bat um einen einfachen Flug nach Sibirien.

Die Frau hinter dem Schalter musterte ihn erstaunt von Kopf bis Fuß.

»Haben Sie einen Diplomatenausweis?«

»Nein«, sagte er.

»Einen ausländischen Pass vielleicht?«

Eli reichte ihr seinen rumänischen Pass.

»Ich muss nach Sibirien.«

»Es gibt keine Direktflüge nach Sibirien«, erklärte die Frau vom Bodenpersonal der Fluggesellschaft. »Sie landen auf dem Flughafen Pulkowo in Sankt Petersburg und nehmen von dort einen Inlandsflug.«

»In Ordnung«, gab Eli ungeduldig zurück.

»Es wird aber günstiger für Sie, wenn sie ein Hin- und Rückflugticket nehmen und den Rückflug einfach nicht antreten«, fügte sie hinzu.

»Auch gut«, willigte er ein und bezahlte in bar.

»Möchten Sie ein Gepäckstück aufgeben?«

»Das hier«, er hob den Seesack hoch.

»Wenn Sie eine Jacke dabeihaben, würde ich Ihnen raten, die herauszunehmen.«

»Habe ich nicht.«

»Ihnen wird kalt sein dort«, sagte sie. »Aber Sie können in Pulkowo ja etwas Warmes kaufen, es gibt dort mehrere Läden.«

Die Frau am Schalter druckte ihm sein Flugticket aus und vermerkte handschriftlich die Startzeit, die Nummer des Flugsteigs und die seines Sitzes.

»Angenehmen Flug!«, wünschte sie zum Abschied mit breitem Lächeln.

Als nächstes stellte sich Eli in die Schlange für die Sicherheitskontrolle und reichte Minuten später einem Sicherheitsbeamten mit verschlossener Miene seinen Pass. Der Mann warf erst einen

Blick in den Pass und schaute dann Eli an, ehe er sich den vor ihm liegenden Listen widmete. Beklommen machte sich Eli gefasst auf das Schlimmste, doch der Sicherheitsbeamte markierte nur etwas mit einem farbigen Stift und gab ihm seinen Pass zurück.

Sie fahnden nicht nach mir, dachte er, niemand sucht mich. Sie haben genug mit den Katzen zu tun.

Um viertel vor zehn begab sich Eli zum Flugsteig B5 und stellte sich zum Einsteigen an. Ein letztes Mal wurde sein Pass kontrolliert und ihm anstandslos zurückgegeben. Er stieg in den Bus, der die Passagiere zum Flugzeug bringen sollte, und wartete. Es dauerte einige Minuten, bis alle Fluggäste eingetroffen waren, die Türen sich schlossen und der Bus sich gemächlich in Bewegung setzte, um zu einer Boeing 707 zu rollen, deren elfenbeinfarbener Rumpf in der Sonne glänzte.

Eli stieg die Gangway hinauf und zeigte seine Bordkarte einer lächelnden Stewardess, die ihn zu Platz 32A dirigierte. Er wartete, bis die Passagiere vor ihm ihr Handgepäck verstaut und ihre Plätze eingenommen hatten.

Endlich ließ er sich auf seinen Fensterplatz sinken. Sein Hintern schmerzte, und er versuchte, eine angenehme Position auf dem schmalen Sitz zu finden. Die Sicherheitsanweisungen wurden durchgegeben, und eine Stewardess demonstrierte mit Hilfe eines Sicherheitsgurts, wie man sich im Notfall zu verhalten hätte. Dann leuchtete das Zeichen zum Schließen der Gurte auf und der Flugkapitän verlangte über Lautsprecher: »Besatzung bereit zum Start!«

Eli schaute aus dem Fenster. Noch immer erwartete er, Sicherheitskräfte würden im letzten Augenblick das Flugzeug stoppen, würden in die Maschine gestürmt kommen und ihn unter den neugierigen Blicken der anderen Fluggäste abführen. Doch nichts davon geschah. Die Boeing rollte langsam auf ihre Startposition, jeden Augenblick würde sie abheben.

Unruhig rutschte Eli auf seinem Sitz hin und her. Die Prellung am Hinterteil machte ihm zu schaffen. Die Maschine nahm Fahrt auf, die Sitze erzitterten, das Bugrad löste sich vom Boden, und Augenblicke später war die Boeing in der Luft. Der Start ließ Eli alles wie durch Watte hören und drückte ihn mit Macht in seinen Sitz. Er schaute aus dem Fenster, konnte im Steigflug aber nicht das Land unter sich sehen. In den nächsten Minuten, als die Triebwerke dröhnend unter Volllast liefen, gewann die Maschine zusehends an Höhe, kippte dann aber plötzlich scharf ab, als wolle sie kehrtmachen.

Das war's, dachte Eli, sie holen das Flugzeug zurück. Aus, vorbei! Er umklammerte die Armlehnen seines Sitzes und schloss fest die Augen, wie ein Kind, das sich unsichtbar machen will. Doch dann hatte die Maschine ihre Kurve vollendet und stieg spürbar weiter in die Höhe. Eli schlug die Augen wieder auf. Das Zeichen zum Schließen der Gurte war erloschen. Er schaute aus dem Fenster und sah Jerusalem hinter der elliptischen Fensterwölbung verschwinden. Einige winzige Punkte flammten geräuschlos über der Stadt auf und erloschen gleich wieder, wie Kerzen auf einem Geburtstagskuchen. Dann erschienen Haifa und der Karmel, der Weinberg Gottes, dieser wunderschöne und zugleich fremd anmutende, nicht hierhergehörende Höhenzug, gefangen zwischen der Bucht und dem offenen Meer, ganz und gar mit Kiefernwäldern und Felsenflecken gesprenkelt, und darüber ein grauer, wild bewegter Himmel, den die Sonne nur gelegentlich aufzureißen vermochte. Er drückte auf den Knopf der Rückenlehne, ließ sich nach hinten sinken und linderte so ein wenig den Druck auf sein ramponiertes Hinterteil.